QUAND LA VIE CHANGE

ou

que vous aimeriez qu'elle change

Note sur l'auteure :

Carol Adrienne est l'auteure de *Votre mission de vie* ainsi que de plusieurs autres ouvrages sur l'intuition et la numérologie. Elle a également rédigé, en collaboration avec James Redfield, les deux guides pratiques accompagnant la célèbre série de *La prophétie des Andes*.

Carol Adrienne a déjà été l'invitée de l'animatrice américaine Oprah Winfrey. Elle anime des ateliers et donne des conférences dans le monde entier. Mère de deux enfants et grand-mère de deux petits-enfants, elle réside et travaille à El Cerrito en Californie.

On peut rejoindre Carol Adrienne
aux adresses Internet suivantes :

site Internet : http ://www.spiralpath.com
courriel : cadrienne@spiralpath.com

Carol Adrienne

Quand la vie change

ou que vous aimeriez qu'elle change

Comment survivre et s'épanouir dans les moments d'incertitude

Traduit de l'anglais par
Annie J. Ollivier

Données de catalogage avant publication (Canada)

Adrienne, Carol
Quand la vie change ou que vous aimeriez qu'elle change : comment survivre et s'épanouir dans les moments d'incertitude
Traduction de : When life changes or you wish it would
Comprend des réf. bibliog. et un index.
ISBN 2-89466-081-2
1. Changement (Psychologie). 2. Événements stressants de la vie. I. Titre.
BF637.C4A3714 2003 158 C2003-940457-9

Nous reconnaissons l'aide financière du gouvernement du Canada par l'entremise du Programme d'aide au développement de l'industrie de l'édition (PADIÉ) pour nos activités d'édition.

Conception graphique
de la page couverture : Carl Lemyre
Photographie de l'auteure : T.G. Moore
Infographie : René Jacob, 15e avenue
Titre original : *When Life Changes or You Wish It Would*
William Morrow & Co., New York.
ISBN 2-89466-081-2
Dépôt légal : Bibliothèque nationale du Québec, 2003
Bibliothèque nationale du Canada, 2003
Distribution : Diffusion Raffin
29, rue Royal
Le Gardeur (Québec)
J5Z 4Z3
Courriel : diffusionraffin@qc.aira.com
Site Internet : http ://www.roseau.ca
Imprimé au Canada

Remerciements

Je suis grandement redevable à tous ceux qui ont bien voulu remplir mon questionnaire sur les changements de la vie et à tous ceux qui m'ont accordé gracieusement leur temps dans le cadre de rencontres individuelles. J'apprécie au plus haut point tous les gens avec qui j'ai travaillé dans mes séminaires et qui m'ont fait part de leurs histoires et de leurs intuitions avec tant de passion et de plaisir.

Par ailleurs, je n'aurais jamais pu écrire ce livre sans le soutien continu d'amis précieux, entre autres Zenobia Barlow, Elizabeth Jenkins, Ellen Duenow, Bonnie Coleen, Larry Leigon, Donna Hale, Penney Peirce, Patrick Tribble, Selma Lewis, Georgia Rogers, Giorgio Cerquetti, Jaye Oliver, Justine Toms, Joyce Petscheck et Lindsay Gibson. Un grand merci particulier à ma fille Sigrid et à son époux, Jim Matthews (pour leurs commentaires concernant le contrôle de la qualité et leur soutien moral), ainsi qu'à mon fils, Gunther Rohrer, et sa femme, Eliza Ramirez (pour leur humour et leur soutien technique). Je remercie Rosemarie Ramos de m'avoir aidée à voir à la myriade de détails administratifs et à respecter mes échéances.

Je remercie infiniment la maison d'édition William Morrow and Company, Inc. de publier tous ces ouvrages qui permettent à tant d'entre nous d'apprendre et d'évoluer de façon à ce que nous puissions apporter notre contribution à cette planète.

Une fois de plus, je veux remercier ma merveilleuse agente littéraire, Candice Fuhrman, pour l'inspiration et l'aide qu'elle est toujours prête à offrir, et Linda Michaels, qui a su si bien trouver une audience internationale pour ce livre. J'ai aussi le grand honneur d'avoir travaillé avec Joann Davis, rédactrice dont l'amitié et la qualité de travail signifient tellement pour moi depuis six ans.

Étant donné qu'un livre doit passer entre de multiples mains avant d'être publié, je voudrais particulièrement remercier Susan Brown, qui a effectué une minutieuse lecture d'épreuves et, enfin, mon réviseur, Toni Sciarra, dont le talent pour l'organisation et la précision ont permis à cet ouvrage de trouver sa magnifique forme finale.

Avant-propos

La vie n'est plus tout à fait ce qu'elle était. Elle ne l'est d'ailleurs jamais. Le rythme du changement semble effectivement s'accélérer. Que cela nous plaise ou non, notre vie subit les contrecoups de la technologie, des innovations, des décisions politiques, du climat et des millions d'événements quotidiens qui se produisent dans le monde, à notre insu. Les efforts que nous devons faire pour exercer un contrôle sur notre vie malgré les implacables changements et l'incertitude croissante dépassent souvent nos capacités. Nous courons, mais pouvons-nous soutenir le rythme ? Nous voulons nous adapter et prospérer, mais nous ne savons pas toujours ce qu'on attend de nous. Nous ne voulons pas seulement survivre, nous voulons aussi prospérer. Nous voulons accomplir la mission que nous savons (ou espérons) porter en nous. Nous voulons découvrir cette raison d'être, cette mission de vie, afin de pouvoir apporter notre contribution au monde. Nous voulons être heureux.

La vie au XXIe siècle exige de nous que nous passions maître dans l'art du changement.

Quand la vie change ou que vous aimeriez qu'elle change est un manuel qui propose des façons de composer avec le changement et de l'amorcer, afin de devenir la personne que vous êtes censée être. Pour cela, il vous faudra traverser des territoires inconnus. Cet ouvrage se fonde sur la prémisse que votre mission de vie est la force qui vous permet de toujours voguer là où vous avez besoin de le faire. Votre tâche est d'être attentif aux messages que véhiculent les changements se produisant dans votre vie et d'y réagir à partir de votre moi le plus authentique. En termes mythiques, cela s'appelle le périple du héros ou de l'héroïne.

En tant qu'être humain, vous êtes unique parce que votre vie se déroule en fonction des changements et des choix quotidiens qui vous sont particuliers. Votre évolution se fait en fonction de la façon dont vous composez avec les défis variés et souvent intenses qui se présentent à vous. Vos talents et vos désirs innés, qui aspirent à s'exprimer sous la forme de votre mission de vie, génèrent continuellement de nouvelles situations vous permettant de « grandir ».

Cependant, si vous avancez en fonction d'intentions, de motivations ou de choix émanant du faux-moi, celui axé sur l'ego, vous effectuerez des changements pour les mauvaises raisons. Si vous ne prenez pas le temps de vous regarder et de déterminer ce qui est juste pour vous, vous constaterez que vous vivez encore en fonction de croyances qui ne suscitent plus vraiment d'intérêt pour vous. Ces croyances vous poussent à penser que la seule façon d'être une bonne personne, c'est-à-dire la seule façon d'être aimé et respecté, c'est de plaire plutôt que de devenir qui vous êtes censé être.

Nous voulons tous être reconnus et aimés pour ce qui fait de nous des êtres uniques. Nous voulons tous apporter notre contribution au monde. D'un côté, nous voulons changer, mais de l'autre, nous résistons souvent à nous aventurer en territoire inconnu. Au lieu de nous rendre heureux et enthousiaste, le changement suscite souvent chez nous peur, inquiétude et résistance. *Quand la vie change ou que vous aimeriez qu'elle change* soutient qu'en intensifiant la dimension spirituelle, en renforçant le sens de notre identité et en restant alerte quant à la finalité des changements dans notre vie, nous serons plus à même de composer avec les aléas de la vie.

Pour continuer à vivre tout en évoluant, nous devons être disposés à faire les quatre choses suivantes : 1) nous engager à rester intègre face à notre vérité ; 2) nous débarrasser de notre besoin de tout contrôler ; 3) agir en fonction de ce qui est courageux et significatif, et ; 4) accepter qu'il n'y a pas de hasard. En mettant pleinement à contribution notre guide intérieur et en agissant en fonction de ce que nous valorisons, nous nous épanouirons. Et quand nous réussissons dans nos entreprises et que notre estime personnelle augmente, nous pouvons faire face à l'inconnu avec davantage de confiance et de ressources personnelles.

En poursuivant votre lecture, vous trouverez certains des enseignements spirituels les plus durables et les plus encourageants. Vous trouverez également des méthodes pratiques pour améliorer votre vie, et vous ferez la connaissance de personnes qui, tout comme vous, aiment s'aventurer dans l'inconnu.

Veuillez prendre note que la plupart des noms des personnes citées ont été changés pour préserver leur anonymat.

Pourquoi ne pas entreprendre la rédaction d'un journal intime où vous consignerez vos inspirations et suivrez de près les changements qui se produisent dans votre vie ? Vous pourriez également y laisser courir librement vos pensées et y inscrire vos intentions, intuitions et orientations.

INTRODUCTION

L'APPEL

Tandis que je travaillais aux grandes lignes de ce livre, mon amie Jaye Oliver, qui vit à Santa Fe, au Nouveau-Mexique, me proposa d'échanger nos maisons pour quelques semaines. Pensant que cela viendrait trop déranger mon travail de rédaction, je commençai par refuser. Mais Jaye insista et je réalisai qu'il serait peut-être bon que je sorte de ma routine habituelle. J'acceptai donc sa proposition mais ressentis immédiatement un mélange de culpabilité, d'enthousiasme anticipatif et d'appréhension à l'idée de me sentir isolée, toute seule, pendant deux semaines. J'appelai donc une autre amie, Zenobia Barlow, qui accepta avec grand plaisir de venir avec moi, ainsi que son compagnon James Tyler. En fin de compte, cet éloignement de la routine s'avéra exactement ce qu'il me fallait pour enclencher les rouages de ma pensée afin de mettre ce livre en branle.

Après avoir visité des lieux d'une très grande beauté et sérénité, nous être amusées à faire des photos du magnifique paysage du Nouveau-Mexique pendant plusieurs jours, Zenobia et moi nous retrouvâmes sur la terrasse ensoleillée, à l'arrière de notre maison temporaire, à discuter ardemment des changements de la vie. Comme le fait de travailler en collaboration avec d'autres m'a toujours inspirée, des idées qui avaient germé dans l'obscurité de ma procrastination se mirent à prendre une forme plus cohérente. C'est à partir de notre dialogue que prirent forme la Roue du changement (page 27) et une présentation nouvelle pour les histoires que je rapporte.

TEMPS D'INCUBATION

Quelques mois plus tôt, j'avais été au Metropolitan Museum de New York pour voir les portraits peints par Jean-Auguste-Dominique Ingres, ce peintre français qui vécut à l'époque de Napoléon. Je me rappelle en particulier la légende d'un de ses tableaux les plus célèbres, qui représentait une beauté de l'aristocratie. La légende expliquait que le temps d'incubation pour ce tableau avait été de douze ans. L'idée qu'il fallait nécessairement un temps d'incubation à une création me frappa. J'en suis venue à me fier au fait que, lorsqu'une telle chose est portée à ma connaissance de façon aussi évidente, c'est qu'elle revêt une importance certaine pour mon travail et ma vie.

J'ai toujours été du genre rapide en ce qui concerne la réalisation de projets. Ce livre, par contre, semblait infirmer la norme. Je me disais bien entendu que c'était de *ma* faute, que je devrais être plus disciplinée, que je devrais m'asseoir à mon bureau et écrire. Le volume de ces voix de devoir, de critique et d'urgence commença à augmenter. Mais, je ne réussis qu'à retranscrire quelques interviews. Alors, l'idée qu'il y a un temps d'incubation pour tout me fit décrocher de cette obsession : je n'avais pas fait honneur au processus qui se déroulait en moi. De toute évidence, la part d'inconnu du livre comme produit fini n'était pas encore prête à se révéler.

SYNCHRONISATION

Dès que Zenobia et moi trouvâmes les grandes lignes de la roue du changement, je pus distinguer le tracé du reste du livre. Mais il devait se produire autre chose à Santa Fe.

Le jour après le départ de Zenobia et James, j'eus un autre visiteur. Justine Toms, une amie commune à Jaye et moi, vint chercher sa voiture qu'elle avait laissée quelques jours plus tôt chez Zenobia. Certains d'entre vous connaissent peut-être Justine Toms si vous écoutez l'émission radiophonique *New*

Dimensions, qu'elle a créée et qu'elle réalise avec son mari, Michael Toms, qui en est l'animateur. L'arrivée de Justine et la conversation que nous eûmes me semblent maintenant avoir été une intervention divine. Sa visite imprévue me prouva, une fois de plus, que nos projets sont toujours sous-tendus par les coïncidences et la synchronisation. À l'époque, je pris sa visite comme une agréable occasion de prendre le thé en discutant.

Justine avait laissé sa voiture à Santa Fe pour une raison bien triste. Venant à peine de s'installer dans la maison d'une amie à Taos, ville située à une heure de route au nord de Santa Fe, pour enfin passer un peu de temps seule, on l'appela pour lui dire que sa meilleure amie, Sedonia Cahill, venait d'être tuée dans un accident de voiture au Maroc, où elle passait des vacances en famille. Justine se rendit donc immédiatement à Santa Fe pour prendre l'avion et se rendre aux funérailles de Sedonia en Californie, laissant sa voiture chez Jaye. Elle était maintenant de retour pour se rendre de nouveau dans les collines au nord de Taos. Alors que nous étions attablées et que nous prenions notre petit-déjeuner ensemble dans la salle à manger aux couleurs vives et chaudes de Jaye, Justine me raconta l'histoire qui suit.

« Partie de Californie, j'étais arrivée au Nouveau-Mexique depuis seulement trois semaines lorsqu'on m'a annoncé le décès de Sedonia, dit-elle pour commencer. Le plus étrange, c'est que c'est elle qui m'avait suggéré que le moment était venu pour moi de partir en retraite pendant un certain temps. J'ai su que c'était la chose à faire dès l'instant où elle me l'a dit. Toute ma vie, j'avais été en relation, j'avais vécu avec un homme, un mari, des enfants, et avais dirigé une entreprise. À cinquante-sept ans, je ne savais plus qui j'étais en dehors de tous ces rôles et devoirs ! »

CERCLES DE PARTAGE ET D'APPRENTISSAGE

« Je connaissais Sedonia depuis de nombreuses années, poursuivit Justine. Sa mission consistait à être une sorte de guide spirituel pour les gens. Elle a emmené des centaines de personnes faire des quêtes de vision et a rédigé des livres sur les cercles cérémoniaux. Elle voulait montrer aux gens à quel point il est important de s'asseoir en cercle et d'échanger. C'était sa mission dans la vie. Elle est morte à l'approche de son soixante-quatrième anniversaire.

« Quelques mois avant sa mort, Sedonia m'avait dit qu'elle sentait qu'elle avait rempli sa mission, qu'elle avait accompli ce qu'elle devait faire ici-bas et que, si elle devait rester, il lui fallait une autre mission. » Mais la vie change.

L'ÉTERNELLE HISTOIRE DU CYCLE DU CHANGEMENT

Pendant que j'écoutais Justine, je sentis une énergie monter en moi qui me signalait que Justine était venue me dire quelque chose que je devais inclure dans ce livre.

Tout à coup, Justine se souvint d'un mythe qui illustrait parfaitement le processus psychologique de mort et de renaissance que nous connaissons dans le cycle du changement. Il s'agit d'une histoire mythique sumérienne qui date de cinq mille ans et qui relate la vie d'Inanna, la reine des cieux qui, après avoir appris que sa sœur, la reine Ereshkigal, est souffrante et l'appelle à son chevet, entreprend un périple en enfer pour aller la voir. Alors qu'Inanna règne dans les cieux, Ereshkigal règne en enfer. Une fois de plus, je fus frappée par la synchronicité des événements : la veille au soir, j'avais loué deux vidéos sur les mythes, de la série *Mythos* de Joseph Campbell, thème qu'il avait déjà abordé dans ses conférences.

La reine Inanna apprend que, pour réaliser son but, c'est-à-dire aller voir sa sœur, elle doit passer par sept portes successives. À chaque porte, il lui faut payer un tribut, se défaire de sa couronne, se dépouiller de ses atours, de tout ce qui lui a servi d'assise jusqu'à ce moment. En arrivant à la dernière porte, elle est complètement nue. Inanna se retrouve enfin face à Ereshkigal, qui est en colère et courroucée. La reine des enfers pose son regard sur Inanna, qui la salue bien bas avec humilité, et la tue en la frappant. Le corps d'Inanna est pendu sur un crochet et commence à pourrir trois jours plus tard. Elle est morte et dans le vide. Des aides minuscules descendent aux enfers et y trouvent le corps d'Inanna. Grâce à leurs soins, elle revient à la vie. En quoi ce mythe qui vient du fond des âges nous parle-t-il de nos propres changements ?

La douleur et la souffrance déclenchent souvent de grands changements dans nos vies. Les changements majeurs, comme la perte d'un emploi, un revers de fortune, une maladie grave, un divorce ou le décès d'un enfant annoncent tous le début de la descente aux enfers. Nous sommes appelés à guérir la partie en nous qui souffre. La vie change et le moment est venu de changer.

Le thème du mythe d'Inanna et Ereshkigal refait surface dans des traditions aussi diverses que les chansons de geste anglo-saxonnes, le panthéon gréco-romain, l'histoire de la résurrection du Christ et la psychanalyse moderne. L'histoire archétypale de la mort et de la renaissance figure au cœur de l'expérience humaine. Par exemple, l'hiver correspond à l'expérience annuelle de mort et le printemps, à celle du renouveau. Sur le plan social, les films, les biographies et les romans proposent des histoires dans lesquelles les personnages passent par la souffrance et le conflit pour en émerger avec une nouvelle façon d'être plus positive, le personnage évoluant tout au long de la narration.

L'histoire d'Inanna nous rappelle qu'il vient un temps où nous devons faire face à certaines souffrances et croyances que nous avons reléguées dans les recoins de notre psyché. Lorsque nous avons connu défaites, revers de fortune et autres souffrances, nous nous sentons vulnérables, comme Inanna. Nous sommes appelés à composer avec des problèmes douloureux non résolus et à affronter les peurs que nous avons à notre endroit. Il y a parfois des moments où nous ne pouvons tout simplement pas échapper à la descente aux enfers.

La reine Inanna est la partie de nous que nous montrons aux autres, les masques et l'ascendant que nous exerçons sur les autres. Elle représente l'ego qui pense savoir qui nous sommes et de quoi nous sommes faits. Mais les revers de fortune nous délestent de tout ce qui nous est familier. À l'instar d'Inanna, nous devons payer un tribut qui nous laisse nus et vulnérables. Nous ne savons pas ce qui se passe. Nous sommes dans le noir, perdus. Plus rien ne marche : pas plus nos vieux rôles que nos anciennes relations.

Au cours du périple qui nous fait descendre dans les ténèbres de nos zones réprimées, nous nous désintégrons peu à peu. Nous finissons par être fragmentés, dépouillés de tout statut et coupés de toute aide et de toute clarté. Cette fragmentation nous oblige à nous reconstruire pour la prochaine étape du périple.

Ereshkigal représente n'importe quelle partie de nous que nous avons ignorée ou rejetée. Loin d'être faible, cette partie (notre douleur ou notre honte) a le pouvoir de nous faire plonger en nous. Nos anciennes identités, telles qu'elles étaient orchestrées par l'ego, n'ont que peu de valeur dans cet état de fragmentation, puisqu'est venu le temps de changer. Peu importe qui nous pensons être.

Bien entendu, nous n'acceptons pas facilement les choses ! Lorsque tout change autour de nous, que tout nous est enlevé ou que plus rien ne fonctionne, nous avons tendance à passer par la rage, la colère, la déception, la dépression et la désorientation. Dans le chaos, l'ego meurt : il pend sur le crochet du boucher jusqu'à ce qu'il pourrisse. Cette putréfaction symbolise le processus de transformation implacable qui nous conduit à un niveau autre, si nous allons dans son sens. Pour nous transformer, nous devons trouver un nouveau sens à notre vie, un nouveau ressourcement spirituel.

Ereshkigal représente aussi les valeurs que nous avons oubliées ou mises de côté, mais qui émergent de nouveau pour que nous les examinions et les honorions. Nos rêves d'enfance et la quête sacrée d'une vie significative refont surface et nous revenons peu à peu à des activités qui mettent à contribution notre cœur et notre esprit.

Pour que nous soyons initiés à une vie nouvelle, il suffit parfois que notre vieille personnalité meure. Pour que s'accomplisse la raison d'être d'Inanna, et la nôtre, il faut que ce qui a été exclu soit finalement inclus. Nous devons amener à la conscience ce que nous avons nié. Nous devons devenir authentiques. Il s'agit de l'œuvre de l'individuation, par laquelle nous nous harmonisons avec notre vrai moi et nous devenons des êtres entiers et complets.

Justine résuma le périple d'Inanna en disant ceci: « La seule façon de recevoir le cadeau qu'est notre nouveau Moi, c'est de plonger dans l'inconnu et de faire face à toutes les obligations et défis qui sont mis sur notre route. Nous entrons dans l'inconnu avec un ego intact et nos diverses personnalités, mais tout y est remis en question. Nous devons renoncer à ce que nous connaissons de nous comme étant la seule réalité. Alors, seulement, pouvons-nous apprendre et expérimenter quelque chose de nouveau sur nous, pour ensuite revenir à un nouvel équilibre, radicalement changés et dotés d'une vue d'ensemble sur la vie beaucoup plus vaste. Cette transformation, qui nous permet d'être plus compatissants et flexibles, nous confère également une assurance durement gagnée.

« Dans le quotidien, les déguisements de l'ego sont invisibles. Nous nous levons tous les jours et l'ego nous saute automatiquement dessus sans que nous le remettions en question, du moins jusqu'à ce que la vie change ou que nous prêtions attention à la petite voix en nous qui réclame un renouveau. Nous devons nous départir de tout cela pour découvrir un paysage plus vaste, et la seule façon de le faire, c'est d'affronter notre côté négatif, ce côté qui détruira notre côté positif à moins que nous ne soyons prêts à reconnaître que nous avons les deux.

« Il est intéressant que cette histoire sorte aujourd'hui, puisque je retourne à ma retraite maintenant que les funérailles de Sedonia sont passées, dit Justine en souriant. Comme Inanna, je laisse tomber les identités de femme au travail et de femme mariée, du moins pour une certaine période. Je n'aurai pas de relations avec lesquelles composer pendant un bout de temps. Je ne serai la mère de personne dans ma retraite. Je ne suis personne. Je ne fais rien. »

LA QUESTION DE SEDONIA

Justine me raconta qu'avant sa mort, Sedonia avait soumis à son groupe de quête de vision la question suivante: *De quoi avez-vous le plus peur chez vous qui soit vrai ?*

Vous pourriez vous poser cette question. Avez-vous peur que l'on découvre que vous n'êtes pas à la hauteur ? Avez-vous peur de ne pas bien comprendre ce que l'on attend de vous ? Avez-vous peur de ne pas être capable de trouver votre mission de vie ?

Soyez assuré que cette question sera soulevée lorsque vous passerez par les diverses transitions de votre vie. Et la réponse vous viendra également. Toutes nos réactions émotionnelles aux changements, dans les relations, la santé, le travail, les pertes et la confusion, ont peut-être comme origine cette même et unique question. Aussi longtemps que nous évitons la peur que nous avons à l'idée de découvrir une vérité insupportable à notre sujet, nous agissons inconsciemment en fonction de cette peur, et non en fonction de ce que nous sommes vraiment. Nous accumulons des peurs depuis que nous sommes enfants et celles-ci peuvent être un fardeau si nous les nions, ou une grande ressource, si nous les mettons à contribution pour évoluer. Ces peurs et ces jugements non reconnus nous servent de force motrice dans la vie et nous les évitons autant que possible en choisissant de nous empiffrer, de nous droguer, de boire de l'alcool à l'excès, de nous précipiter vers des conjoints qui ne nous conviennent pas et de travailler compulsivement ou sans plaisir. Mais notre part d'ombre se manifestera tôt ou tard. La vie bouge et tout change. La vie nous défait, nous donnant ainsi l'occasion de nous regarder bien en face et de faire des choix nouveaux qui sauront nous ramener à un équilibre dynamique.

ALLER AU FOND DES CHOSES

Avant de partir, Justine me dit ceci : « Il est très important de ne pas essayer de sortir du vide trop prématurément, de ne pas fuir trop tôt les défis. Si nous nous contentons de raccommoder les choses pour rendre notre vie tolérable, nous faisons avorter le cycle du changement. Et nous reviendrons sans cesse à la même problématique parce que nous ne sommes pas allés au fond des choses.

« Je me rappelle avoir lu une histoire au sujet de la vallée du Pô en Italie. On avait construit un barrage sur ce fleuve. Comme il y avait d'incessantes pluies diluviennes, on craignait qu'un glissement de terrain ne vienne faire exploser le barrage. Alors les ingénieurs ont fait forer la terre tout autour pour vérifier si la terre bougeait. Ce n'était pas le cas. Par contre, personne n'avait remarqué que toutes les vaches et autres animaux s'étaient éloignés de la montagne. Ils sentaient que quelque chose allait se produire. Et il s'est avéré que c'est toute la montagne qui a bougé. Sa masse a déplacé tellement d'eau que cela a produit un raz-de-marée en aval. Des centaines de personnes ont été tuées. Parfois, nous pensons que nous sommes allés suffisamment au fond des choses pour comprendre la façon dont nous nous sentons ou dont nous voulons agir. Mais en général, nous n'y arrivons jamais seuls. Nous avons besoin des reflets de nous-mêmes, que nos pairs et nos mentors nous renvoient, surtout quand ils nous connaissent bien. »

PAIRS, MENTORS ET ANCIENS

Alors, je vous invite dès maintenant à vous asseoir en cercle autour d'un feu avec moi et les gens qui nous relatent leurs histoires, ces gens qui sont vos pairs, vos voisins, vos mentors, vos anciens et vos guides. Nous allons explorer ensemble tout ce qui est inhérent aux changements de la vie : caprices, vertus, ondes de choc et raz-de-marée, prises de conscience et sagesse. Que ces histoires vous servent de fil conducteur. Que ces histoires vous aident à guérir. Que ces histoires vous permettent d'avancer dans l'inconnu.

1

Accueillez les cycles du changement

Comment, quand, où, et que changez-vous ?

La voie du rationnel est une voie figée qui nous amène à vivre en fonction de comportements établis. La voie de l'intuition est celle de la non-conformité, celle qui nous pousse à penser que telle ou telle chose ne nous convient pas. C'est aussi la voie qui nous invite à suivre notre propre inspiration. C'est le royaume de l'incertitude où il n'y a aucune règle et où la destination nous est inconnue. C'est un royaume empli de dangers, d'aventures et de choses inédites.

Quand l'ego commence à perdre la certitude qui est associée à sa position morale, tous les éléments de la psyché commencent à bouger... Et ce qui a été réprimé se met à émerger.

JOSEPH CAMPBELL[1],
La puissance du mythe

OÙ EN ÊTES-VOUS DANS LE CYCLE DU CHANGEMENT ?

Dans la vie, les changements nous poussent vers l'inconnu, ce « lieu » que les mythologues associent à « la voie la moins fréquentée » et qui engendre nouveaux départs, espoir, épanouissement, tout en nous révélant notre raison d'être sur terre. Quand nous fonctionnons à partir de la prémisse du familier et du connu, l'inconnu nous apparaît souvent comme chaotique et imprévisible, et nous hésitons beaucoup à y plonger parce que nous avons probablement peur qu'il nous soit demandé plus que nous ne pouvons accomplir. À tort, nous croyons que nous devons procéder à d'immenses changements pour que le changement ait vraiment de la valeur.

Nous avons tendance à nous accrocher à tout, même aux problèmes, la peur nous faisant croire que les changements qui nous bousculent sont asymptomatiques et isolés. S'il y a quelques règles dont nous devons nous souvenir quand nous entrons dans l'inconnu, ce sont bien les suivantes.

Le changement est inévitable et il n'y a pas de hasard. Tout arrive pour une raison et l'inconnu est déjà façonné par nos croyances, notre vision de la vie, nos liens affectifs et notre mission de vie. La vie nous envoie de l'énergie par le truchement des gens que nous rencontrons, des expériences que nous faisons, de l'aide que nous recevons au moment opportun grâce à la loi de l'attraction. Selon cette loi universelle, nous suivrions tous et chacun le mouvement d'énergie qui nous apporte exactement ce que nous voulons ou ce dont nous avons besoin. Si nous envisageons les choses dans une perspective spirituelle, nous pourrions dire que nous attirons les gens et les expériences qui correspondent au taux vibratoire de notre état d'être du moment, c'est-à-dire à la façon dont nous nous sentons face à nous-mêmes consciemment ou inconsciemment. Par conséquent, les changements se produisant dans le monde matériel viennent refléter nos changements intérieurs sur le plan de notre croissance et de notre raison d'être spirituelles. Et ces changements intérieurs se traduisent à leur tour par de nouveaux défis, épreuves et découvertes.

Si vous vous demandez où vous en êtes dans le cycle du changement, prenez le temps de consulter la Roue du changement et ses « portes ». Chacune des portes sur le cercle représente une situation de vie ou un moment dans le cycle du changement. Par « porte », j'entends une ouverture qui mène vers un palais, un tunnel ou une mine, ces métaphores renvoyant aux moments où nous connaissons le succès, cherchons la prochaine étape à franchir ou nous heurtons à la réalité de la stagnation ou d'une perte.

Le palais est bien entendu la construction qui met en évidence notre réussite et notre statut. Qu'il soit imposant ou modeste, il parle de nous et de nos réalisations sur le plan matériel. Notre carrière, notre compte en banque, la réputation de notre famille, nos réalisations, nos biens matériels ainsi que nos relations personnelles et sociales font intégralement partie de notre palais. Ce dernier est l'endroit où nous vivons, un lieu avec lequel nous n'avons peut-être plus rien en commun ou qu'un revers de fortune nous a enlevé.

Symbole de nos tentatives de trouver la lumière dans l'obscurité, le tunnel (ou la grotte) est le lieu où nous nous retrouvons lorsque nous sommes confus ou que nous essayons de nous frayer un chemin parmi les obstacles.

Même si elle est également un lieu sombre, la mine est cependant associée aux trésors et aux ressources. La « descente dans la mine » symbolise un changement dans notre façon normale et habituelle de considérer ce que nous avons réprimé, nié ou négligé. Une plongée vers le monde intérieur, vers la mine, est toujours prometteuse, car on peut y trouver de l'or. Au Moyen Âge, par exemple, les adeptes de la spiritualité s'adonnaient à la science de l'alchimie non seulement pour transformer le plomb en or mais aussi pour trouver en eux les forces permettant à leur âme de se réaliser.

TROUVEZ VOTRE POSITION DANS LA ROUE DU CHANGEMENT

On pourrait décrire les quatre portes de la Roue du changement de la façon suivante :

La rupture: c'est un moment de grands changements, de grandes perturbations, accompagné de sentiments d'insécurité ou de stimulation.

Le vide: c'est une période de stagnation ou de perte de détermination, durant laquelle vous ressentez de la confusion et une baisse d'énergie.

Le renouveau: vous voyez la lumière au bout du tunnel, mais vous devez continuer d'avancer.

L'équilibre dynamique: c'est une période de stabilité relative au cours de laquelle la vie est généralement bonne pour vous et où les défis sont suffisants pour vous faire sentir digne de valeur et productif. Vous envisagez l'avenir avec curiosité et enthousiasme, même si vos objectifs ne sont pas encore tout à fait clairs.

Penchons-nous maintenant sur quelques énoncés typiques qui pourraient vous aider à déterminer l'endroit où vous êtes dans le cycle du changement. Laquelle des questions suivantes se rapproche le plus de celles que vous vous posez en ce moment? Peut-être aimeriez-vous mettre sur papier quelques mots ou commentaires en les lisant.

La rupture

Une personne qui se trouve en situation de rupture pourrait dire, par exemple: « Je viens de perdre mon emploi et je ne sais vraiment pas ce que je vais faire », « Je sens qu'un grand changement est en train de se produire », « Tout bouge dans ma vie », « Je me trouve à une croisée de chemins », « Je suis en pleine transition », « J'ai l'impression de faire une dépression », « On vient de me tirer le tapis de sous les pieds », « J'ai eu le choc de ma vie. » Tous ces énoncés sous-entendent une rupture par rapport au passé, une modification des choix offerts par la vie qui vous met au défi de trouver quelque chose de nouveau.

LA ROUE DU CHANGEMENT

Les portes

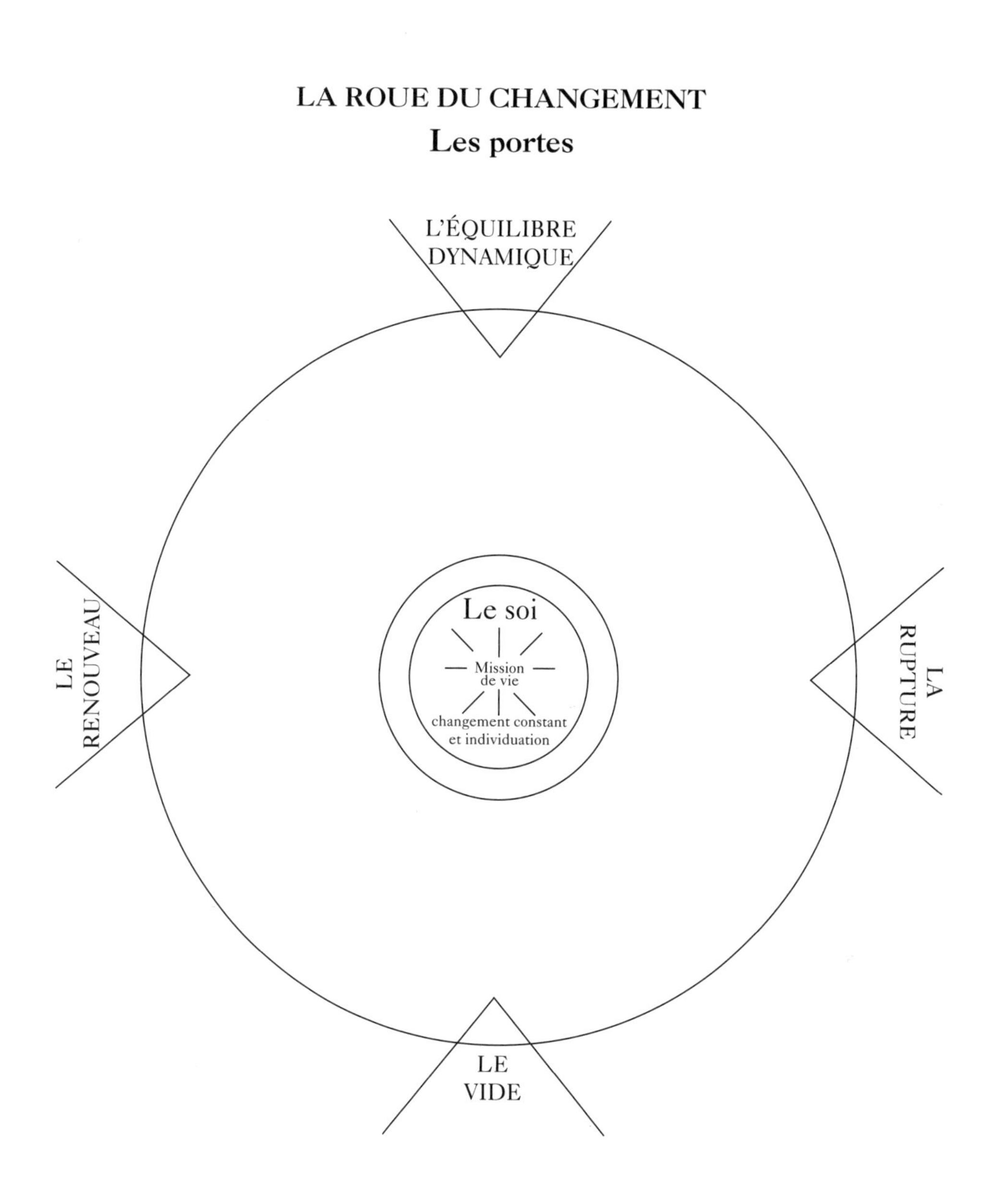

- Un changement récent est-il venu bouleverser le sens de votre identité, votre situation personnelle ou sociale ou votre système de références ?
- Y a-t-il un fossé intolérable entre ce que vous voulez ou ce dont vous avez besoin, et ce que vous avez ?
- Avez-vous perdu la direction ou le sens des choses ?
- Question clé : Si vous ne tenez pas compte de la peur et des doutes, que voulez-vous vraiment changer à ce stade de votre vie ?

Si vous répondez oui à l'une de ces questions, c'est que vous êtes assurément en plein changement et que ce changement est le bienvenu. Comment prenez-vous en main ces changements ? Qu'est-ce qui pourrait vous aider à traverser cette période plus facilement ? Vous pourriez inscrire les réponses à ces questions judicieuses dans votre journal des changements de la vie.

LA RUPTURE

Je suis encore sous le choc. D'un seul coup, tout m'échappe... Il n'est pas facile de parler de Dieu quand de telles pertes et de tels changements vous accablent... J'ai toujours pensé que je deviendrais amère et fermerais les portes de mon cœur si quelque chose comme ça m'arrivait. Mais au contraire, je me suis dit : « Fantastique ! Les choses se déroulent comme elles le doivent sous la baguette de Dieu. Quelle imbécile j'étais de penser que j'avais le contrôle ! Que votre volonté soit faite, Grand Manitou ! » Je crois en l'amour plus que jamais.

Laura Dern[2], dans le magazine *Talk*, après avoir appris que son compagnon de vie, l'acteur Billy Bob Thornton, venait soudainement d'épouser l'actrice Angelina Jolie, pendant qu'elle était elle-même en train de tourner un film en dehors de la ville.

Le vide

Le vide par contre est une période dénuée de changement, une période au cours de laquelle on se sent au point mort. Une personne qui se trouve dans cette situation pourrait s'exprimer comme suit: « Je vis vraiment en ermite ces derniers temps », « Il ne se passe rien », « Je ne sais pas comment m'y prendre pour contourner ces blocages », « Je me sens coincé », « Je suis déprimé », « Tout va de travers dans ma vie », « J'ai essayé d'aller de l'avant, mais rien ne change », « Je ne vois pas d'issue à cette situation », « C'est l'enfer ! »

- Vous sentez-vous désemparé ou désespéré ?
- Avez-vous l'impression de ne pas avoir de contrôle sur votre vie ? Vous est-il impossible de voir clairement une direction, une voie ?
- Avez-vous l'impression que la vie n'a plus de sens ? Avez-vous le sentiment que votre vie n'a aucune finalité ?
- Question clé: Que puis-je faire pour me détendre aujourd'hui ?

En général, le vide nous rend anxieux, perdus et démotivés. Par conséquent, si vous pensez vous trouver dans cette phase, vous pourriez faire deux choses très utiles à votre égard: coucher vos états d'âme sur papier et en faire part à une personne en qui vous avez confiance.

C'est une grande erreur que de s'isoler pendant cette phase. Nous n'avons pas besoin de souffrir dans la solitude. Le fait de consulter un bon conseiller ou de parler avec un ami qui sait vous épauler peut grandement vous aider à comprendre et à valider vos sentiments du moment. C'est d'ailleurs dans cette intention que j'ai conçu ce livre. Si vous l'ouvrez au hasard et y trouvez quelque chose qui a du sens à vos yeux, le vide basculera inévitablement. Il est cependant important de lui laisser suivre son cours. En effet, essayer de contrôler le vide n'est pas la bonne solution.

Voici les points clés à considérer quand vous sentez que vous êtes dans cette phase. Est-ce que je me complais dans une situation désagréable plutôt que d'admettre que quelque chose ne va pas ? Est-ce que je procède à des changements seulement pour alléger la tension ? Est-ce que j'ai le courage de demander ce que je veux vraiment ou est-ce que je me contente d'accepter ce que je pense pouvoir obtenir ? Est-ce que je souffre en silence parce que j'ai trop d'orgueil ?

Le renouveau

Après une phase de perte ou de stagnation, le renouveau apporte un sentiment de délivrance, étant donné que de bonnes choses commencent à arriver. Il se pourrait soudainement qu'un merveilleux événement se produise après une période sombre. Voici ce qu'une personne dans cette phase pourrait dire : « Vous ne savez pas ce qui m'arrive ! », « J'ai trouvé l'emploi idéal ! », « Je suis en amour », « La maison d'édition vient d'accepter mon article et va le publier », « Les choses s'arrangent finalement ! », « J'ai enfin décroché de mon ex-mari et de toute cette négativité. » Le renouveau est la partie du cycle qui comporte de nouvelles promesses. Le changement vous paraît désormais positif, vous donne de l'énergie et vous ouvre de nouvelles portes.

Dans la mythologie et les contes, l'élément clé du renouveau est le retour au bercail avec une récompense. Celle-ci peut prendre la forme du dépassement d'un obstacle, d'une sensation de soulagement, d'un moyen qui atteint son but ou de la promesse d'un futur meilleur. La récompense peut également se présenter sous la forme d'une prise de conscience qui vous permet de reprendre contact avec votre vrai Moi. Le renouveau se caractérise par la reconnaissance de vos nouvelles forces ainsi que par un accomplissement qui vous fait sentir bien. Au sens le plus profond, vous retrouvez le contact avec l'amour, la raison d'être et le sens. L'espoir revient et la foi est renforcée.

- Voyez-vous maintenant la lumière au bout du tunnel ?
- Prenez-vous de nouveau bien soin de vous ?
- Éprouvez-vous de la gratitude, de la motivation et de l'optimisme face à la vie ?
- Avez-vous pardonné à quelqu'un ou résolu une vieille histoire ?
- Avez-vous une meilleure idée des leçons que la vie vous a données ?
- Question clé : Savez-vous écouter vos intuitions et faire confiance au fait que des synchronicités vous aideront au moment opportun ? Les nouvelles possibilités et les nouveaux défis vous stimulent-ils ?

Si vous avez répondu oui à la plupart de ces questions, c'est que vous vous trouvez dans la phase du renouveau ou que vous êtes en passe d'entrer dans la phase de l'équilibre dynamique. Ou bien, il se peut que vous soyez dans une phase de rupture mais que vous sachiez composer avec elle (la plupart du temps) avec enthousiasme plutôt qu'avec anxiété.

L'équilibre dynamique

Une fois que la phase de renouveau est entamée, les choses commencent à prendre une nouvelle direction. Ensuite, il s'établit à un moment donné une sorte d'équilibre dynamique et notre vie semble à nouveau normale. Nous disons de diverses façons que les temps durs sont derrière nous. « Tout va bien, je ne peux pas me plaindre. » « J'ai enfin l'impression que je sais ce qu'est ma mission. » « Je suis si heureuse d'avoir décroché mon diplôme ! » « Cette carrière me convient à merveille. »

« Tout va bien dans ma famille et j'ai de nouveau du temps à moi. »

Pour ceux à qui le chaos convient bien, cet équilibre dynamique pourrait même se décrire par les énoncés suivants : « C'est la folie en ce moment ! » « J'ai des projets à ne plus savoir quoi en faire », « J'ai besoin de ralentir le rythme un peu, mais j'adore ce que je fais. » Certaines personnes ont besoin plus que d'autres de mouvement et de stimulation. Pour avoir la sensation qu'elles sont en équilibre dynamique, leur vie doit comporter les éléments suivants : nombreux risques calculés, tâches multiples simultanées, défis et options diverses. Quelle que soit la définition de l'équilibre dynamique pour vous, cela signifie que vous êtes de nouveau en territoire familier.

- Avez-vous hâte de vous lever le matin ?
- Aimez-vous ce que vous faites la plupart du temps ?
- Avez-vous l'impression d'avoir différentes possibilités ainsi que de bonnes perspectives d'avenir ?
- Croyez-vous que vous apportez votre contribution dans un ou plusieurs domaines, même si vous ne pouvez pas encore déterminer quelle est votre mission de vie ?
- Question clé : Quels nouveaux intérêts est-ce que je veux poursuivre ? Qu'est-ce que je peux faire pour redonner ce que j'ai reçu ?

Si vous avez répondu oui à la plupart de ces questions, vous êtes probablement en phase d'équilibre dynamique. Félicitations !

FAUSSES CONCEPTIONS QUI TENDENT À NOUS PARALYSER

Même si le renouveau donne une nouvelle direction, nous ne connaissons pas bien encore notre destination. Si cette direction n'est pas claire pour vous, c'est que vous regardez peut-être trop loin. Prenez un peu de recul et occupez-vous de vos affaires présentes. Maintenez votre vision sur le genre d'expérience qui vous rendrait heureux. Chaque décision que vous prenez améliorera votre situation, *si vous persistez à choisir ce qui vous fait du bien*. En général, quand nous nous sentons bien la plupart du temps, c'est-à-dire lorsque nous envisageons le futur avec enthousiasme et gardons un bon sens de l'humour et du recul, nous avons naturellement tendance à mieux composer avec les problèmes et les contretemps. Lorsque nous adoptons une attitude optimiste et ouverte face à la vie, même s'il y a des accrochages ici et là, nous sentons tout de même que nous suivons le courant. Par contre, lorsque nous connaissons une longue période où le courant semble être stagnant, un sentiment de dépression ou d'anxiété s'installe, qui a tendance à anesthésier notre capacité à prendre des décisions ou à passer à l'action. Nous ne voyons ni ouvertures ni possibilités. Cette paralysie est souvent le résultat d'une pensée limitée, d'un vieux conditionnement inconscient et d'une autocritique destructive.

Voici cinq fausses conceptions qui ont tendance à nous paralyser :

1. *Prendre pour acquis que nous devons parfaitement savoir où nous allons avant de pouvoir passer à l'action*. Au lieu de chercher une garantie de réussite, allez plutôt là où vous ressentez intérêt et enthousiasme. Donnez-vous un objectif provisoire et voyez comment la vie y répond. Faites de petits pas dans ce qui vous semble être la meilleure direction pour l'instant. Laissez le meilleur résultat en émerger.

2. *Avoir peur de faire une erreur et de paraître ridicule*. Rappelez-vous que nous apprenons et nous épanouissons en explorant le monde, et que nous tombons et nous relevons souvent avant de savoir marcher. Alors considérez la vie comme une aventure plutôt que comme une course d'obstacles. Si vous vous attendez à ce que le changement soit parfait dès le départ, soyez assuré d'être déçu. Le processus du changement

comporte naturellement un certain nombre d'échecs, car l'échec fait intégralement partie de l'apprentissage et que le changement est un apprentissage.

3. *Prendre pour acquis que nous devons être autre chose que ce que nous sommes pour réussir.* Nous sommes venus au monde avec tous les talents dont nous avons besoin. Faites bien ce qui vous vient naturellement et acquérez de nouvelles aptitudes parce que c'est simplement agréable d'apprendre.

4. *Penser que ce sont seulement les bouchées doubles qui nous mèneront là où nous voulons aller.* De nouveau, il est plus judicieux de faire de petits pas dans la meilleure direction que nous puissions envisager jusqu'à ce que nous soyons prêts à en faire de plus grands. Quand nous faisons de petits pas, nous avons le temps d'observer, nous disposons de flexibilité, nous faisons place à l'apprentissage et nous nous donnons la « chance » de faire des erreurs à une échelle moindre. Faites ici honneur à votre sens inné de l'à-propos. Quand vous êtes prêt, les changements se produisent naturellement.

5. *Oublier que nous avons toujours le choix et que nous pouvons toujours prendre une autre décision.* Soyez disposé à tout reprendre depuis le début.

NE PANIQUEZ PAS TROP VITE

Les changements s'effectuent en fonction de cycles, ces derniers étant plus ou moins longs. Dans le commerce du vin, par exemple, il faut dix-huit mois avant que les consommateurs ne constatent un changement de prix ou d'étiquette. Par contre, après seulement trois ou six mois, nos gestionnaires convoquent des réunions, paniquent et essayent de changer les directives parce qu'ils pensent que cela ne fonctionnera pas. Mais le fait est que le cycle d'un changement de prix s'étale sur dix-huit mois. Vous devez régler vos attentes en fonction du rythme naturel inné de tout ce que vous entreprenez. Une des plus grandes erreurs que je constate dans le milieu des affaires, c'est que les gens paniquent trop vite après avoir instauré un changement, parce qu'ils pensent que ça ne fonctionnera pas.

Étant donné que vous faites partie d'un système naturel, même un changement sur le plan personnel a un cycle naturel. Tout système comporte un certain nombre de fluctuations normales. Prêtez attention à ce cycle naturel et harmonisez vos attentes en fonction de ce dernier.

LARRY LEIGON[3], conseiller auprès des entreprises

2

Sachez que le changement a sa raison d'être

L'intégrité et la liberté que nous recherchons sont notre vraie nature, qui nous sommes vraiment.

JACK KORNFIELD[1],
Périls et promesses de la vie spirituelle

IMAGINEZ-VOUS COMME UN CERCLE D'ÉNERGIE

Le changement survient d'abord à un niveau profond de notre psyché, symboliquement au centre du soi. Nous pouvons ne pas en être conscients jusqu'à ce que nous le voyions se manifester sur le plan physique. Avant cela, il se peut que nous éprouvions de vagues sentiments d'inquiétude, d'anxiété, ou que nous aspirions à la nouveauté. Tous ces sentiments émergent de notre besoin d'exprimer notre mission de vie. Le diagramme que j'ai intitulé *La Roue du changement : Le Mouvement* utilise le cercle pour symboliser le passage de notre champ d'énergie par quatre phases de changement.

Le psychologue Carl Jung disait que le cercle est une image primordiale pour l'humanité, un symbole du soi. Le cercle est le vaisseau de nos rêves, de nos psychés, de nos âmes et de nos chants. L'emploi de ce symbole nous permet d'explorer le concept de la mission de vie et la manière dont le changement nous affecte à mesure que nous passons d'un état à un autre.

LE CERCLE MAGIQUE

Quand un magicien veut que la magie opère, il trace un cercle autour de lui et c'est à l'intérieur des limites de ce dernier, de cet espace hermétiquement clos, que les pouvoirs peuvent agir alors qu'ils seraient perdus à l'extérieur de son périmètre.

JOSEPH CAMPBELL[2],
La puissance du mythe

VOTRE MISSION DE VIE S'ACCOMPAGNE DE CHANGEMENTS SIGNIFICATIFS

Votre mission de vie personnelle – même si vous êtes incapable de la définir présentement – est comme un champ d'énergie qui a un but. En effet, votre énergie est axée sur quelque chose que vous êtes venu créer, apprendre ou être dans cette vie. Chaque jour, vous attention est naturellement attirée par certains éléments pour une raison précise. Ces éléments sont en quelque sorte profondément reliés à votre raison d'être, mais cela ne veut pas nécessairement dire que vous pouvez définir cette dernière. Disons, à titre d'exemple, que vous avez toujours tendance à colliger de l'information et que vous aimez faire part aux autres de ce que vous apprenez. Vous ne travaillez peut-être pas dans une école, mais un jour vous réalisez que vous êtes toujours en train d'enseigner quelque chose à quelqu'un. Quand vous regardez rétrospectivement les changements survenus dans votre vie, vous avez l'impression qu'ils vous ont conduit dans une voie où vous apprenez et partagez ce que vous

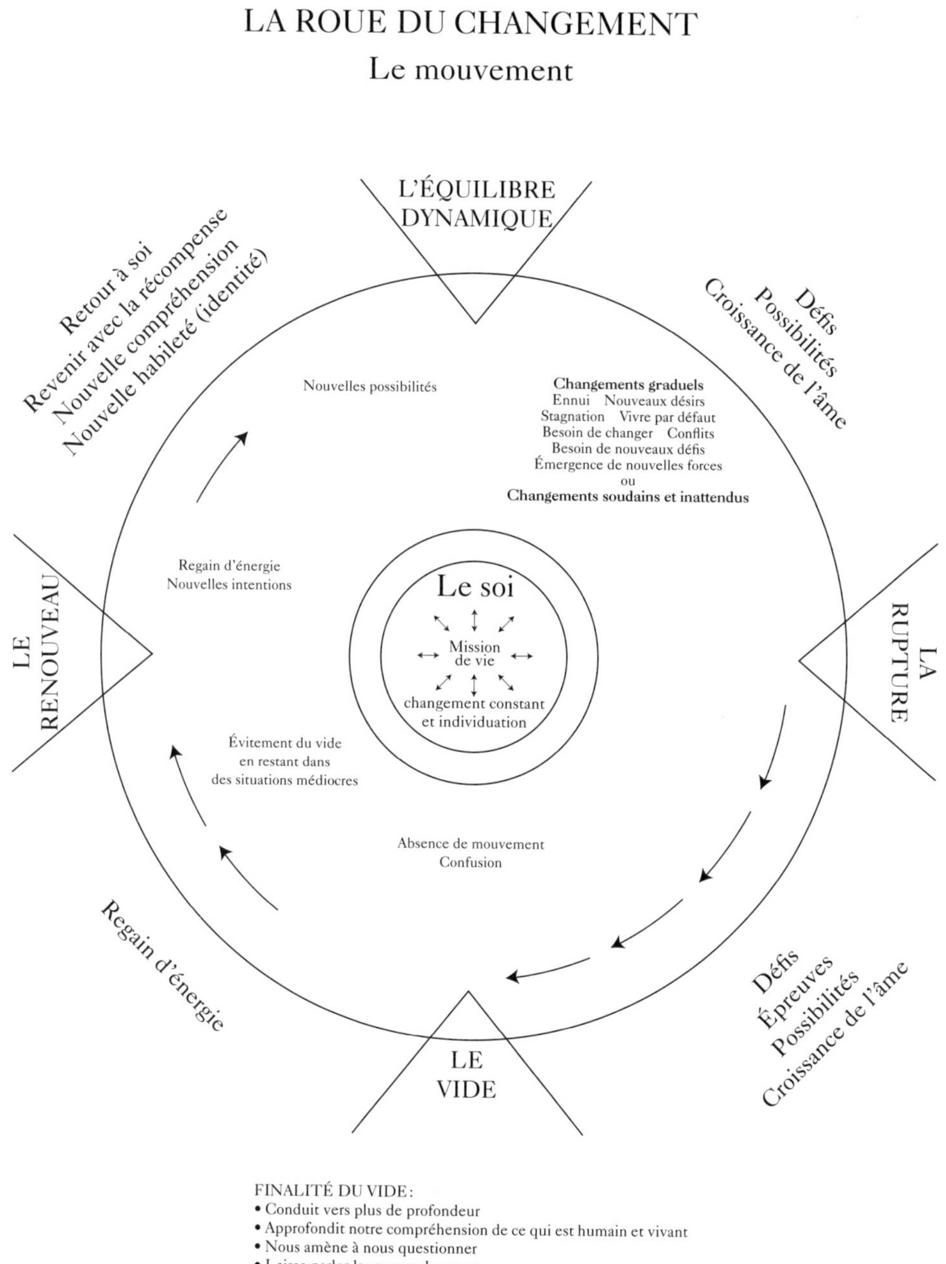

FINALITÉ DU VIDE :

- Conduit vers plus de profondeur
- Approfondit notre compréhension de ce qui est humain et vivant
- Nous amène à nous questionner
- Laisse parler la sagesse du corps
- Libère ce qui est refoulé et amorce la guérison
- Fait germer de nouvelles situations reliées à notre raison d'être
- Nous conduit vers le mystère
- Dépouille l'ego de ses anciennes habitudes de contrôle

connaissez. C'est votre champ énergétique qui motive vos choix et vos gestes à un niveau inconscient et qui vous garde sur le chemin de votre mission de vie.

Votre champ énergétique contient tous vos traits de caractère et toutes vos croyances sur vous-même et sur le monde, ainsi que les mémoires des expériences passées (certaines d'entre elles constituent des blocages énergétiques parce que vous ne les avez pas examinées à fond). Et dans votre champ énergétique se trouvent également vos buts, valeurs, espoirs, peurs et blocages.

Pour vous aider à réaliser votre mission de vie, votre champ énergétique attire vers vous personnes, lieux et événements divers. En réponse à l'appel de votre raison d'être ici-bas et avec la précision du laser, l'univers vous sert exactement les changements dont vous avez besoin pour devenir qui vous êtes réellement.

Comme nous le verrons dans les histoires des personnes dont il est question dans ce livre, les changements de la vie se produisent dans certains buts et dans des circonstances variées. En voici quelques exemples :

1. Un temps pour développer de nouvelles habiletés.
2. Une occasion de vous regarder sous un angle différent.
3. Une occasion d'apporter votre contribution à la planète.
4. Un temps pour aimer et être aimé.
5. Une occasion de pardonner.
6. Une chance de vous libérer de la souffrance.
7. Une occasion de développer une plus grande compassion et un plus grand lien spirituel avec...
8. (Ajoutez ce qui vous convient).

GRADUELS OU ABRUPTS, LES CHANGEMENTS ONT TOUJOURS UN SENS

Il est évident que nous changeons d'instant en instant et que, la plupart du temps, les changements nous poussent de l'avant de manière graduelle, à mesure que nous prenons de l'âge. Un jour, nous nous réveillons et nous avons quarante, cinquante, soixante ou cent ans ! Comment est-ce arrivé ? Les petites décisions quotidiennes ont eu un effet cumulatif sans qu'il y ait eu de moments particulièrement significatifs.

Parfois, les changements surviennent soudainement, sous la forme de chocs inattendus. D'une manière ou d'une autre le changement est : 1) inévitable ; 2) significatif ; 3) en lien avec un besoin de changement sur un plan ou un autre, et ; 4) inhérent au cheminement qui nous amène à nous connaître personnellement et à connaître notre mission de vie.

Les périodes de marasme ont aussi leur raison d'être. En effet, les périodes de repos ou de stagnation (peu importe la façon dont nous qualifions cet état d'accalmie) nous donnent du temps pour accueillir des informations nouvelles, nous reflètent ce qui ne fonctionne pas et suscitent en nous le désir de nouveaux horizons. C'est la grande aspiration au changement qui engendre la force d'impulsion nécessaire pour passer à la prochaine étape.

SE DÉMEMBRER ET SE RE-FORMER

Mettez votre tête dans la gueule du lion. Vivez la vie. Nous nous fermons nous-mêmes en nommant et en catégorisant, et nous ne comprenons pas le sens de ce qui nous arrive. Vous devez vous démembrer et vous reformer.

JOSEPH CAMPBELL[3],
La puissance du mythe

Prenez maintenant le temps de jeter un coup d'œil à l'illustration *La Roue du Changement : L'Expérience.* Remarquez les différentes expériences possibles de changement. Où vous trouvez-vous dans ce processus ?

LES PORTES QUI OUVRENT SUR LA NOUVEAUTÉ

Que ce soit soudainement ou graduellement, une rupture dans notre routine ouvre une porte sur de la nouveauté. Nous expérimentons habituellement le changement par le truchement de cinq « portes » majeures : le travail et la carrière, les relations, la santé, l'argent et les pertes. Sigmund Freud a fait le constat, maintenant célèbre, qu'il n'y a que deux choses qui importent dans la vie : le travail et l'amour.

Selma Lewis, une psychothérapeute californienne, travaille principalement avec des personnes qui connaissent des changements majeurs dans leur vie – opération, maladie grave, mort d'un conjoint, divorce, le fait de devenir parent naturel ou parent par remariage. J'ai demandé à Selma Lewis ce qu'elle recommande durant les transitions inhérentes aux cinq portes.

Changement de carrière

Ménagez-vous du temps pour des rapports enrichissants

« Les changements de carrière représentent généralement un très grand tournant, affirme Selma Lewis. Cette période prolongée d'apprentissage, durant laquelle votre estime personnelle et vos revenus sont en jeu, est source de beaucoup d'anxiété. C'est une période où le doute et l'autocritique sont particulièrement forts et où on tend naturellement à s'affairer et à passer tout son temps à travailler. Cet affairement permet de masquer l'anxiété. Vu l'importance des éléments qui sont en jeu – valeur personnelle, identité et sécurité – c'est une période très délicate

LA ROUE DU CHANGEMENT
L'expérience

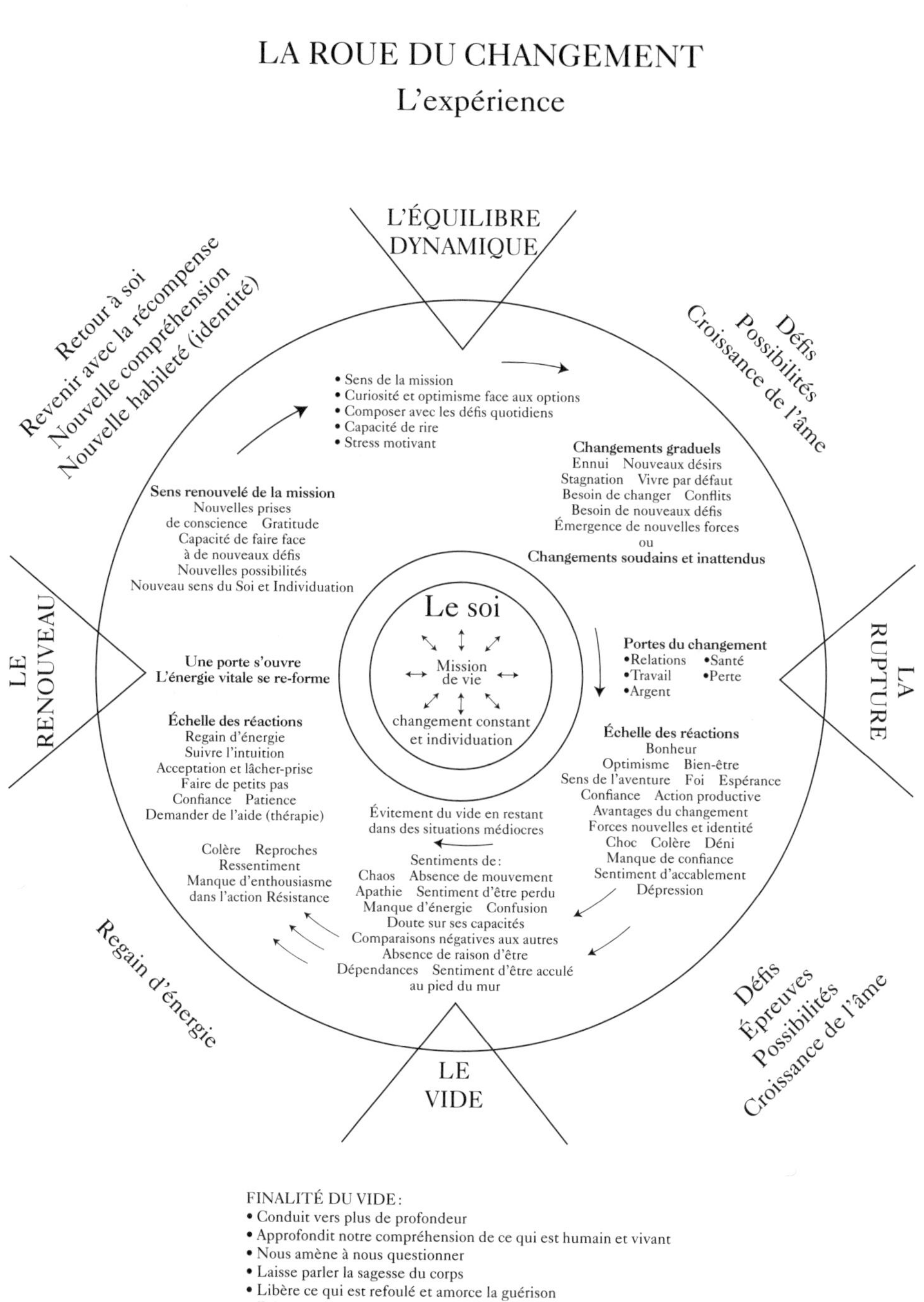

FINALITÉ DU VIDE :
- Conduit vers plus de profondeur
- Approfondit notre compréhension de ce qui est humain et vivant
- Nous amène à nous questionner
- Laisse parler la sagesse du corps
- Libère ce qui est refoulé et amorce la guérison
- Fait germer de nouvelles situations reliées à notre raison d'être
- Nous conduit vers le mystère
- Dépouille l'ego de ses anciennes habitudes de contrôle

où vous avez *vraiment* besoin de vous ménager du temps pour entretenir des rapports humains enrichissants. Nous, les Américains, accordons tellement de valeur à la productivité que nous avons tendance à combler chaque moment d'activités reliées au travail. »

Recherche d'emploi

Créez votre propre structure

Pour la plupart d'entre nous, la pire et la plus effrayante des transitions est la recherche d'un travail. Le fait de manquer soudain de structure et de ne pas savoir quel chemin prendre parmi tous ceux qui se présentent, nous confère un sentiment d'accablement et d'éparpillement. Selma Lewis recommande ceci : « Créez votre propre structure. Réglez votre réveille-matin pour vous lever tôt. Passez en revue les annonces classées, puis allez marcher ou sortez faire une activité physique. Regardez les emplois sur Internet, mais assurez-vous de ne pas passer toute la journée seul chez vous. Un manque de structure vous donne trop de temps pour penser. »

Préparez votre curriculum vitœ

Selma Lewis suggère de préparer différentes versions de votre *curriculum vitœ* pour solliciter différents types de travail. « Demandez à vos amis ou à un professionnel d'y jeter un coup d'œil si vous n'obtenez pas les réponses ou les entrevues que vous voulez. »

Elle recommande aussi de vous récompenser pour les gestes que vous aurez posés. Allez au gymnase pour faire une séance d'entraînement, mais n'en faites pas un lieu où vous cacher. Prenez le plus souvent possible votre repas du midi avec des personnes qui travaillent. N'éternisez pas les courses ni les achats qui peuvent prendre toute la journée.

Maintenez les contacts sociaux

Selma Lewis dit que « vos pires jugements négatifs sur vous-même surgissent et s'intensifient dans les moments où vous perdez temporairement le sens de votre identité. Assurez-vous d'avoir suffisamment de contacts sociaux afin de ne pas devenir trop introspectif ni dépressif. »

Pourquoi maintenant ?

Découvrez le message spirituel derrière l'obstacle

En plus de voir aux adaptations pratiques lorsque notre vie professionnelle change, il est important de prendre en considération la portée spirituelle de ce qui nous arrive. Qu'est-ce qui *devait* changer ? Y a-t-il autre chose qui doit changer dans notre vie ? Quel est l'appel le plus intense de ce moment ?

Arielle Ford, qui est à la tête d'une société de relations publiques pour des clients prestigieux comme les auteurs Deepak Chopra, Louise Hay, Joan Borysenko et Wayne Dyer, raconte : « L'échec désastreux que j'ai subi dans ma carrière précédente en marketing a finalement été la chose la plus significative qui me soit jamais arrivée en affaires. En perdant tout, j'ai trouvé ma vraie mission. Autrement, je serais encore en train de détester mon travail. »

Parents à la maison

Créez des relations avec des personnes qui demeurent aussi à la maison

Quand quelqu'un, femme ou homme, quitte son travail pour rester à la maison avec un nouvel enfant, tout ce qui constituait auparavant son identité et son statut tombe : amis de travail et collègues, structure quotidienne, soirées, identification à la profession d'avocat, d'analyste, d'enseignant ou de styliste.

La nouvelle maman (ou le nouveau papa) vit un énorme stress physique, émotif et financier, et la perte du soutien que sont les relations habituelles s'avère parfois dévastatrice pour l'estime personnelle. Selma Lewis encourage fortement les mères ou les pères qui restent à la maison à se créer un réseau d'amis avec des personnes qui ne travaillent pas à temps plein. « Invitez des personnes qui travaillent à la maison à déjeuner, à marcher ou à sortir, dit-elle. Bien des femmes quittent un travail très affairé où elles bavardaient quotidiennement avec leurs collègues pour se retrouver seules à la maison avec un bébé et personne à qui s'adresser. Parce que leur sentiment de solitude augmente sans cesse, elles attendent avec impatience le retour de leur conjoint à la maison. Les regroupements de mères sont une merveilleuse invention. »

Régime alimentaire

Occupez votre temps à quelque chose de significatif

Les rapports humains s'entretiennent souvent dans le cadre d'intérêts communs et de rituels sociaux, entre autres aller au restaurant ou prendre un verre. Que se passe-t-il quand vous cessez de boire ou que vous entreprenez un régime sévère ? Tout changement peut vous couper de quelque chose qui vous reliait auparavant à votre identité. Par exemple, si votre médecin vous a fait des recommandations strictes sur votre alimentation et que vous étiez habitué d'aller au restaurant avec vos amis, votre vie sociale peut basculer dramatiquement. C'est peut-être le moment où il importe de considérer quoi d'autre peut nourrir votre âme. Quel passe-temps pouvez-vous entreprendre pour remplacer les repas et les sorties sociales ? Encore une fois, il est essentiel de solliciter auprès des autres un appui solide et significatif pour retrouver le sens de votre identité et de votre bien-être, ainsi que pour rétablir l'équilibre.

Retraite

Trouvez de nouveaux intérêts un an d'avance

Certaines personnes ont une passion à laquelle elles s'adonnent immédiatement dès qu'elles sont à la retraite. Pour nombre d'entre nous cependant, ce que nous ferons de nos années de retraite peut être vague ou plutôt inquiétant. Selma Lewis suggère de réfléchir à tout cela un peu à l'avance et incite les futurs retraités à se trouver des activités significatives au moins un an avant de prendre leur retraite. « Commencez par un travail bénévole ou faites quelque chose où vous excellez, comme devenir entraîneur sportif ou prendre différents types de cours. Occupez-vous à un passe-temps *avant* de disposer de trop de temps. »

Regroupez des amis autour d'intérêts divers

La plupart des gens ne réalisent pas à quel point la vie sociale commence au travail, ni comment les relations de travail viennent renforcer notre identité. Vous devez, par conséquent, vous créer différents groupes d'amis et connaissances pour remplacer les rencontres que vous faisiez au travail et qui étaient, en quelque sorte, acquises. Il est aussi bouleversant de prendre sa retraite que de partir s'installer dans une nouvelle ville. Étant donné que nous sommes des créatures sociales, sans relations de travail, nous pouvons vivre la retraite comme un exil. Des rencontres sociales régulières contribuent donc beaucoup au maintien de notre identité. Selma Lewis recommande aux gens se trouvant dans cette nouvelle période de fréquenter des groupes d'intérêts divers afin de déterminer lesquels les attirent vraiment, ainsi que de prévoir des activités pour un minimum de quatre jours par semaine.

Impliquez-vous, où que vous soyez

Si vous commencez à vous sentir comme en prison, c'est que vous êtes en grand manque de contacts, en grand manque de ces brèves mais nécessaires rencontres avec les voisins, les amis et la famille qui nous aident tous à nous situer et à confirmer notre sentiment d'appartenance. Ce sont les salutations quotidiennes et les petits bavardages qui nous donnent le sentiment d'être entendus, reconnus et « corrects ». Des études ont démontré que nous avons quotidiennement besoin d'un certain nombre de ces contacts pour conserver santé et bien-être.

Déménagement

Faites d'un déménagement une aventure

Déménager dans une nouvelle ville peut être extrêmement stressant, car vous devez repartir à zéro sur tous les plans. Vous devez trouver supermarché, coiffeur, médecin, dentiste, nettoyeur, amis et école pour les enfants. Les recherches ont montré qu'il faut deux ans à une personne pour qu'elle se sente à peu près installée dans un nouvel endroit. Une fois de plus, il est important de commencer à élargir son cercle d'amis aussitôt que possible. Demandez à vos voisins où ils font leurs courses et auprès de qui ils sollicitent des services. Comme les gens adorent donner des conseils, c'est l'occasion rêvée pour vous montrer ouvert et laisser savoir aux gens ce que vous cherchez !

Maladie

Soyez attentif au message que vos symptômes vous donnent

Nous sommes nombreux à avoir connu un important changement dans notre vie, par le truchement de la maladie et de la guérison. La maladie est en fait une des principales « portes » menant vers une plus grande conscience spirituelle. N'ayant pas trouvé de véritable guérison avec la médecine conventionnelle, nombre d'entre nous ont dû s'attarder aux changements qu'ils devaient apporter à leur style de vie. Notre guide intérieur met certains livres ou certains guérisseurs sur notre route et nous faisons l'expérience à un moment donné du mystérieux mouvement de l'Esprit. Nous sommes forcés de nous intérioriser et d'écouter le message de la maladie en ce qui concerne l'équilibre. La maladie peut donc être le catalyseur qui nous permettra de réaliser notre mission de vie.

Bonnes nouvelles

Préparez-vous à des changements dans vos relations

Quand un changement positif se produit – par exemple, vous épousez une personne extraordinaire, gagnez à la loterie, perdez les vingt kilos que vous aviez en trop ou quittez finalement l'emploi dont vous vous plaignez depuis toujours – il se peut que vous ayez à changer complètement votre façon d'être en rapport avec les autres. Connaître un succès soudain, comme publier un livre, devenir célèbre, hériter d'une grosse somme d'argent ou être promu à un poste plus élevé, peut potentiellement ériger des barrières dans les relations amicales ou familiales qui n'étaient pas au départ suffisamment solides. Même si le succès est positif en soi, les personnes qui ne connaissent pas un tel succès y voient un changement de statut qui peut engendrer de la jalousie et éventuellement créer un fossé qui n'est pas facile à combler. Certaines amitiés peuvent s'effriter parce qu'elles étaient fondées sur une situation particulière – comme c'était le cas de deux mères seules se supportant mutuellement dans les moments difficiles. Si l'une d'elles se marie et change de style de vie, leur lien ou leur engagement mutuel n'est plus le même. Chaque relation prend forme pour une raison précise et dure le temps que sa raison d'être se maintient.

LE RYTHME DU CHANGEMENT SEMBLE AUGMENTER

Même si nous nous efforçons assidûment de planifier et de contrôler notre avenir, la vie comporte des cycles de joie et de dépression qui paraissent inexplicables et aléatoires. Les changements imprévus nous forcent à pénétrer dans des territoires inconnus où notre plus grande ressource est notre capacité à nous adapter spontanément. La première leçon à tirer est que le seul contrôle que nous ayons sur le changement concerne la manière dont nous le gérons.

Il est bien connu que la technologie domine de plus en plus à la fois notre économie et notre société. Les futuristes[4] prétendent même que toutes les connaissances technologiques actuelles ne représentent qu'un pour cent des connaissances qui seront disponibles en l'an 2050. Les exigences de la vie professionnelle ne cessent de croître. Par exemple, le cycle selon lequel une idée, une invention ou une innovation aboutit à sa manifestation raccourcit continuellement. Jusque vers les années 40, ce cycle pouvait s'étirer de trente à quarante ans. De nos jours, certains cycles ne durent que trente à quarante semaines et les connaissances médicales doublent tous les huit ans. De nouvelles questions d'éthique voient le jour parallèlement à de nouvelles possibilités d'actes médicaux. Par exemple, grâce au phénomène des mères porteuses ou à la fécondation sélective, les parents pourront choisir les gènes pour la couleur de la peau, la taille ou l'intelligence d'un futur fœtus. À l'autre extrémité de l'existence, nous devons dorénavant nous demander ce que signifient l'acharnement thérapeutique et l'euthanasie.

La croissance rapide de la technologie s'inscrit dans le récent passage à l'ère du Verseau, dont l'influence énergétique dominante est celle du changement imprévisible. L'auteur et guide spirituel Joyce Petschek fait la remarque suivante : « L'influence de l'énergie de l'ère du Verseau, tant sur le plan individuel que collectif, se traduit non seulement par l'innovation et l'expansion, mais aussi par le désordre et l'imprévu. Cela signifie que nous devons tous nous attendre à devoir composer avec le changement, à un rythme qui était inimaginable il y a quelques décennies. Pour nombre d'entre nous, la vie peut paraître chaotique. Ce sentiment de chaos provient de notre incapacité à voir clairement la direction à prendre. » La meilleure façon de nous adapter à ce rythme rapide de changement, selon Petschek, c'est d'avoir confiance que le changement nous mènera à bon port. Selon elle, nous devrions suivre ce mouvement sans avoir besoin de connaître d'avance le résultat et avoir confiance au fait que c'est la bonne solution qui se présentera. « Je pense qu'il est important de se dire – particulièrement quand nous n'avons aucune idée de ce qui se passe : “D'accord, je ne sais pas quoi faire maintenant”, et de demander à la vie de nous montrer la meilleure façon d'accomplir ce que nous voulons faire. Quand vous arrivez à une croisée de chemins, il est essentiel que vous croyiez que la meilleure façon d'accomplir ce que vous désirez prendra forme d'elle-même. En ce qui me concerne, j'essaie de reconnaître et de respecter les obstacles qui m'indiquent que je vais dans la mauvaise direction. En général, les obstacles signifient que je suis en terrain inconnu, que je dois me montrer confiante, rester calme et centrée jusqu'à ce qu'une nouvelle énergie se manifeste d'elle-même. » Petschek préconise de surveiller « le champ gauche », le lieu de l'imprévu. Selon elle, il faut demander à l'univers ce que l'on veut ou ce dont on a besoin, puis attendre pour voir si cela se manifestera plutôt que de forcer la situation prématurément.

Petschek nous parle de sa rencontre avec un éventuel candidat au poste de directeur général pour sa nouvelle entreprise. « J'ai lancé un commerce de travaux d'aiguille suite à la publication de mon livre *Beautiful Bargello*. Nous fabriquons du matériel de couture que nous distribuons à l'échelle mondiale. Trois ans après la création de l'entreprise et vu la demande, il était clair que le moment était venu de produire des articles pour la vente au détail. Comme, selon ma vision, je désirais créer des emplois à même la collectivité, j'ai donc commencé à embaucher des femmes des pays du tiers-monde pour terminer à la main les produits devant se vendre au détail. L'expansion rapide de cette entreprise exigeait alors un directeur général. J'avais une vision précise de cette personne : un gestionnaire à la retraite, habitué à l'expansion commerciale et aussi inspiré que moi par ce projet.

« Un soir, j'ai appelé un taxi pour rentrer chez moi avec un collègue que j'avais invité à souper. Je raccourcis mon histoire pour dire que le conducteur de ce taxi était exactement la personne que je cherchais. Au moment de notre rencontre, il travaillait pour cette compagnie de taxis à titre de consultant en entreprise, et la conduite de la voiture faisait partie de son évaluation. Ce genre d'événement est un bel exemple de la façon dont les réponses inattendues peuvent signaler et confirmer une nouvelle direction dans notre vie. »

Avoir confiance au fait que le changement nous apporte ce dont nous avons besoin et qu'il est le moyen par lequel nous nous individuons de plus en plus, nous permet de mieux décoder les indices que la vie nous donne. Lorsque nous sommes confus, au lieu de réagir, il vaut mieux attendre que les choses se clarifient et nous servir de notre intuition pour passer à l'action. Souvent, un rêve évident, une rencontre fortuite ou un sentiment intuitif nous pousse dans une nouvelle direction, qui parsème notre vie d'expériences surprenantes.

L'EGO RÉSISTE AU CHANGEMENT

Autant nous aspirons au changement, autant notre ego désire que nous nous sentions en sécurité et en terrain connu. Il a un besoin viscéral de stabilité parce que les choses stables sont plus faciles à gérer. La première préoccupation de l'ego est donc le contrôle. Notre façon habituelle de voir les choses est enracinée dans des préoccupations de nature égoïste et nous empêche totalement de voir notre besoin de changement. Partie de nous qui choisit de vivre dans l'illusion que la vie est rationnelle, l'ego refuse de quitter sa zone de confort. Ses leitmotivs sont: Travaille plus fort! Sois prudent! Pour qui te prends-tu?

Lindsay Gibson[5], thérapeute et auteure de *Who You Were Meant to Be: A Guide to Finding or Recovering Your Life's Purpose*, écrit ceci: « L'ego est cette partie de vous-même qui est enracinée dans la peur, la culpabilité et les idées de grandeur, l'opposé absolu du vrai soi. L'ego croit que c'est en étant ce que les autres attendent de vous que vous serez le plus en sécurité. Il existe pour préserver le *statu quo* et vous empêcher de quitter les rangs. » Comprenez-vous maintenant pourquoi vous avez tendance à faire de la procrastination? pourquoi vous préféreriez subir une chirurgie dentaire plutôt que de partir à la recherche d'un nouvel emploi?

Manifestations de l'ego

Rappelez-vous que le but premier de l'ego est de nous maintenir dans la sécurité, de nous pousser à avoir l'approbation des autres et de nous empêcher de grandir. Dans son livre, Lindsay Gibson énumère les principaux signes de l'influence négative de l'ego:

- Vous craignez le changement.
- Vous pataugez dans l'indécision.
- Vous vous inquiétez de tout sans rien résoudre.
- Vous occupez votre temps à des choses insignifiantes.
- Vous faites de la procrastination.
- Vous compliquez les choses.
- Vous devez tout faire à la perfection, alors vous ne faites rien.
- Vous blâmez les autres.
- Vous utilisez le sarcasme ou le cynisme pour justifier le manque d'effort, de votre part.

- Vous attendez toujours que l'autre commence le premier.
- Vous vous inquiétez constamment du manque d'argent ou de temps.
- Vous enviez ce que les autres possèdent.
- Vous voulez sauver le monde mais vous ne faites rien.
- Vous rationalisez en utilisant des statistiques qui viennent confirmer le fait que rien ne peut être changé.
- Vous parlez comme votre mère.
- Vous parlez comme votre père.

Ego ou intuition ?

Comment savoir si c'est l'ego ou l'intuition qui nous parle ? Pour ceux qui n'ont pas l'habitude d'écouter cette paisible voix intérieure appelée l'intuition, il est possible qu'il soit difficile d'en user. Si vous avez cherché à apaiser les personnes importantes dans votre vie et à obtenir leur approbation en évitant d'entrer en conflit avec elles, il est fort probable que vous ayez renoncé à vos propres besoins et désirs. Quand le contact avec votre guide intérieur est coupé, il peut donc sembler très difficile d'apporter des changements à votre vie. Voici à quoi on reconnaît le vrai guide intérieur :

1. La voix de l'intuition est calme mais persévérante. Les pensées reviennent toujours, mais elles n'émanent pas d'un sentiment d'urgence. La voix de l'ego, quant à elle, vous demande de faire des choix sur-le-champ, par peur que quelque chose ne disparaisse.
2. Les messages intuitifs pointent dans la direction de la croissance personnelle et vous donnent le sentiment de vous exprimer plus pleinement. Par contre, l'ego dit : « Pourquoi se donner la peine ? », « C'est trop compli-

qué », « C'est trop cher. » L'ego justifie l'absence d'action et le maintien du *statu quo*.

3. La voix intuitive utilise des phrases affirmatives simples, comme : « C'est le moment de reprendre les études », « Tu as besoin d'écrire », « Passe à autre chose. » Ces énoncés sont précis et utiles, tandis que ceux de l'ego ne sont que les mêmes vieilles ritournelles qui font lourdement appel à la justification.
4. L'intuition vient directement et clairement à l'esprit alors que la voix de l'ego est hésitante et anxieuse. Sa préoccupation est de trouver le meilleur moyen de minimiser ou de contrôler les événements.
5. La voix intuitive vous tire de votre zone de confort, mais vous savez au fond de votre cœur que c'est ce que vous devez faire. La voix de l'ego adore vous raconter des histoires d'horreur.
6. L'intuition vous propose une étape ou un objectif à la fois. L'ego vous présente des objectifs contradictoires ou crée des situations dont personne ne sort gagnant.
7. L'intuition vous dit ce que vous devez faire pour être vrai alors que l'ego vous dit ce que vous devez faire pour que les autres se sentent bien.

Lorsque nous sommes sensibilisés aux croyances et aux comportements qui nous piègent, nous pouvons passer les « portes » du changement avec un plus grand sens de l'aventure et davantage dans la confiance et la joie. Pour redonner du piquant à notre vie et pour nous motiver, Lindsay Gibson nous propose les suggestions et repères suivants :

1. Entretenez votre goût pour la fascination.
2. Ne craignez pas d'être « égoïste ».
3. Souvenez-vous qu'un sentiment d'impuissance peut n'être qu'un manque d'expérience.

4. Attendez-vous à des rechutes.
5. Faites preuve de ténacité autant que nécessaire.

LE CHANGEMENT VA DE PAIR AVEC LE LÂCHER-PRISE

Une des finalités du changement est de nous sortir de la complaisance que notre ego a soigneusement tissée. La complaisance n'est qu'un masque qui dissimule peurs, doutes et problèmes non résolus. Nous ne pouvons pas réellement nous épanouir si nous sommes trop complaisants et ne voulons pas faire les changements nécessaires.

Dans son livre *Transitions: Making Sense of Life's Changes*[6], William Bridges nous rappelle que « les transitions réactivent nos vieilles crises d'identité ». Les changements sont ces moments de la vie où nous faisons le grand ménage. Avant d'entreprendre quelque chose de nouveau, il faut terminer ce qui n'est pas fini. Sinon, nous traînons ces situations derrière nous. Par exemple, l'amertume ressentie à cause de la façon dont quelqu'un nous a quittés n'est pas très saine. En effet, elle entretient le lien avec cette personne qui n'est plus dans notre vie mais qui joue encore un rôle important quant à la manière dont nous nous définissons. (« Mon ex-mari était un grand PDG dans l'industrie du cinéma. » « Ma femme était une reine de beauté en Caroline du Sud. »)

Quand les changements que nous désirons ne se manifestent pas, il faut peut-être nous débarrasser d'une vieille conception que nous avons de nous-mêmes ou encore reformuler un rêve qui est devenu vieillot. Citons l'exemple de Janice, une professionnelle de cinquante-cinq ans qui était célibataire depuis quinze ans. Après avoir entrepris une thérapie pour découvrir la raison pour laquelle elle ne trouvait personne à aimer, elle comprit qu'elle était totalement sous l'emprise de la croyance qu'elle devait se marier avec « un homme d'âge convenable ayant un statut de PDG ». En s'ouvrant l'esprit, elle rencontra d'autres types d'hommes et put vivre une relation merveilleuse et enrichissante avec un ouvrier de dix ans son cadet. Janice dut donc se défaire d'un rêve qui faisait partie d'une ancienne conception qu'elle avait d'elle-même. Son ouverture d'esprit à rencontrer quelqu'un ne correspondant pas à l'image qu'elle avait de l'homme parfait permit ainsi à l'intelligence universelle de lui amener ce dont elle avait réellement besoin dans cette phase de sa vie.

LE CHANGEMENT NOUS OFFRE UN NOUVEAU TERRAIN DE JEU

Un courrier électronique reçu d'un Australien que j'appellerai Phil illustre bien la façon dont la maladie nous oblige parfois à mettre fin à un vieux style de vie et à une vieille identité, pour permettre au nouveau d'émerger. Phil avait subi une crise cardiaque, suivie de plusieurs mois de grande dépression. « Mon histoire ne commence pas dans l'enfance, mais à l'âge adulte de quarante-deux ans. Avant, ma vie était une combinaison de moments de plaisirs, de soupers avec des amis, d'alcool et de drogues, de mauvaise alimentation et de stress intense parce que j'étais PDG. Tous ces facteurs m'ont réduit à un état de confusion physique et mentale. Tourmenté par le sentiment d'avoir perdu le sens de l'immortalité et de l'avenir, j'ai erré sans but. Une sensation de malchance m'accompagnait en permanence ainsi que celle que rien ne changerait jamais. »

Dans cet exemple, nous assistons à la fin de l'ancienne vie de Phil et à la sombre confusion qui l'habitait alors qu'il pataugeait dans le vide et faisait enfin face à son sentiment de perte d'identité. Il finit graduellement par comprendre que, pour avoir une vie nouvelle, il devait renoncer à celle qu'il avait puisqu'elle n'était plus viable. Par cette prise de conscience, il retrouva santé et bien-être. « J'ai récemment commencé à sentir que j'existe peut-être pour un but particulier, écrit-il. J'avais l'habitude de penser que le battage fait au sujet du pouvoir de la pensée positive n'était que cela – du battage. Mais, dernièrement, je me suis ouvert à l'idée du karma et ça m'a apporté un sentiment de paix. Je crois que, même si notre corps physique meurt, nous accédons à un autre plan d'existence. Le fait de comprendre que nous avons une mission et que des indices nous sont donnés pour la reconnaître m'a ouvert les yeux.

« D'une certaine façon, j'ai toujours été dans l'enseignement. J'ai été entraîneur sportif pendant trente ans et j'ai dirigé des gens dans diverses réalisations d'affaires. J'ai aussi aidé certaines personnes handicapées pour qu'elles puissent participer à des sports traditionnels. Maintenant, j'anticipe avec enthousiasme la prochaine étape qui me verra enseigner, peu importe le domaine d'enseignement. Je suis en mesure de sentir que mon périple a de nouveau un sens et qu'il se précise. Je sais qu'il me reste un dernier vice dont je veux m'affranchir : le cigare. Je suis certain que cela arrivera bientôt. »

L'affirmation de Phil « Je suis en mesure de sentir que mon périple a de nouveau un sens » reflète l'étape du renouveau dans son essence. Même s'il ne sait pas où son périple le conduira, cette impression lui suffit pour voir qu'un mouvement positif s'amorce. Il est moins important pour lui de connaître le détail de sa nouvelle vie que de se sentir connecté à quelque chose qui compte réellement, quelque chose qui est plus vaste que lui.

VIVRE DANS L'INCERTITUDE NOUS AIDE À RESTER FLEXIBLES

La capacité à vivre dans l'incertitude est un des plus grands talents. La pierre angulaire de la voie spirituelle est de faire confiance au fait que tout prendra sens un jour. La confiance, l'amour de soi et la compassion sont les fruits que l'on récolte quand on a traversé la nuit noire de l'âme. Phil peut constater que son ancienne vie, superficielle et peu consciente, prend fin et qu'il pourra dorénavant approfondir les choses. Il lui a fallu avoir suffisamment peur de la mort, perdre la force de son ego et être dans la confusion totale, pour qu'il renonce à son habitude de rester dans l'inconscience (boire, se droguer et négliger sa santé). Cette crise le poussa à se donner des fondations plus solides et plus saines. Il n'est pas fréquent d'entendre un entraîneur sportif parler ouvertement de karma !

Partout, peu importe où vous vous trouviez,
vous pouvez par la prière et dans votre esprit
ériger un autel à Dieu.

The Way of a Pilgrim

3

Trouvez l'esprit d'aventure

Voici la première règle de base:
vivez votre vie et faites ce qui doit être fait,
dans un esprit de gratitude.
Les tentatives pour trouver la sécurité sont futiles,
la quête de richesse, exigeante
et la course au salut, égocentrique.
Mettez tout cela de côté
et trouvez enfin la paix
avec la certitude que ceux qui vivent
dans une attitude de gratitude
récoltent ce qu'il y a de plus beau dans la vie.

JOHN MCQUISTON II[1],
Always We Begin Again

LE SAUT DANS L'INCONNU

L'inconnu nous donne l'occasion d'entonner une chanson différente, de trouver une façon autre de nous exprimer. Si nous nous débarrassons des vieilles rengaines devenues inutiles, nous nous donnons toutes les chances de réussir lorsque nous envisageons le futur. Nous pouvons alors entreprendre de jouer de plus grands rôles: ceux de l'aventurier, du pionnier, du modèle, du conjoint heureux, de l'artiste ou de celui qui sert les autres dans la joie.

Robert Scheurer me fit parvenir l'histoire intéressante de son saut dans l'inconnu pour suivre sa passion. « J'ai commencé à faire des recherches sur les Templiers et leurs trésors composés d'objets sacrés, mis à jour par des fouilles effectuées dans le caveau souterrain du temple du roi Salomon à Jérusalem. Mes recherches m'ont conduit dans des musées, dépôts d'archives, monastères et cloîtres divers. Cette nouvelle voie semblait miraculeusement s'ouvrir devant moi. C'est dans une chapelle sombre d'un cloître isolé que j'ai découvert, sur la tombe d'un Templier, Jean d'Alluye de la vallée de la Loire, l'effigie d'une carte qui datait de 1248 et qui était sculptée sur le bouclier du Templier. Comme je suis photographe, j'ai fait un cliché de cette merveilleuse découverte que j'ai fini par reproduire. Les secrets de cette carte concernent Jésus-Christ, le trésor des Templiers et les objets sacrés manquants du temple du roi Salomon ! Mes recherches ont fini par devenir une obsession et ma nouvelle passion. Je n'en revenais pas ! J'étais en train d'écrire mon premier livre, intitulé *The Circle of Light*.

« Après ces recherches, à mon retour à l'entreprise qui m'employait depuis trente ans, j'ai eu une autre révélation soudaine. Le premier jour, alors que je reprenais ma routine de travail habituelle, j'ai pour une étrange raison pris soudainement conscience que je ne pouvais plus me forcer à rester planté dans l'isolement devant un écran d'ordinateur pour le restant de mes jours, à faire un travail dénué de toute créativité. À 11 h 30, je me suis dirigé avec calme vers le bureau de mon directeur pour lui annoncer que je prendrais ma retraite dans les trente minutes, c'est-à-dire à midi tapant ! Je lui ai ensuite appris que je lui ferais parvenir ma lettre de démission et que je reviendrais d'ici quelques jours pour vider mon bureau ! Ça a été le plus beau jour de ma vie ! Je venais de faire un saut quantique, un acte de foi, et commençais enfin à aller de l'avant dans ma vie.

« Depuis, j'ai presque terminé mon livre et une partie de ma recherche a été acceptée par une chaîne de télévision américaine pour figurer dans un documentaire intitulé *America's Stonehenge (Stonehenge en Amérique).* Tout ce que je peux vous dire, c'est de croire en vous. Ce à quoi vous accorderez toute votre attention deviendra vrai. Ne vous laissez jamais tomber, car vous pouvez vraiment réussir, peu importe dans quoi ! »

PAR UNE TRÈS CHAUDE JOURNÉE D'ÉTÉ

Lorsque nos vies changent du tout au tout, nous n'avons pas d'autre choix que de nous ouvrir à la nouveauté. Au seuil d'un nouveau commencement, l'inconnu peut sembler très effrayant et incertain si nous le comparons à ce que nous avons déjà accompli, même si cet accomplissement ne retient plus du tout notre attention. Il n'existe pas de façon prescrite pour que les choses changent dans la vie. Nous devons simplement faire ce qui nous semble juste dans le moment.

Prêtez attention à ce qui porte votre griffe

Nous nous demandons parfois comment venir à bout des obstacles qui jonchent notre route et s'interposent entre nous et ce que nous voulons. La réussite est-elle à la portée du commun des mortels ou seulement à celle des gens spéciaux dotés d'un destin particulier ? La simple sagesse nous dit de prêter attention à ce qui nous vient naturellement et de le faire. Lorsque nous allons dans le sens de ce qui retient notre intérêt, les portes s'ouvrent. Une de nos plus grandes erreurs est de penser que nous devons tout comprendre d'avance en détail pour pouvoir atteindre notre but. En réalité, les détails des étapes qui nous y conduisent nous sont plus ou moins révélées, pour peu que nous prêtions attention là où notre intérêt s'intensifie.

Renay Jackson[2], un préposé à l'entretien depuis vingt-deux ans à Oakland, en Californie, eut son quota de changements désastreux pendant une période sombre. Comme Robert Scheurer, Renay se découvrit un talent inné, un peu par accident, et se mit à écrire des romans. Mais, à l'inverse de Robert,

Renay garda son travail au service de police d'Oakland. Son histoire vient illustrer comment, malgré le fardeau des contraintes de la vie ordinaire, les grands revers de fortune et les pertes inattendues, l'esprit de créativité est toujours à l'œuvre en nous pour diriger de nouveau nos pas vers notre mission de vie. Il nous faut seulement faire preuve de patience et passer à l'action quand quelque chose vient attiser notre cœur et notre esprit.

Renay perdit sa femme, sa carrière et sa stabilité financière en 1982. Avant cela, il faisait son chemin dans le monde nouveau de la musique rap et le succès n'était pas loin. Mais son mariage prit fin et il se retrouva avec trois petites filles. Peu après, il accueillit également chez lui sa nièce. En seulement quelques mois, toute sa vie et ses projets avaient complètement changé. Il avait perdu sa femme, sa maison, sa voiture et sa carrière musicale et il devait de l'argent au ministère du Revenu.

« Ma carrière dans le rap venait de finir parce que je n'avais plus d'argent pour louer un studio ou pour la promo, dit Renay. Le cœur n'y était plus et l'industrie de la musique avait déjà changé. Lorsque j'ai commencé dans ce domaine, le rap était potable. Par après, ça s'est mis à véhiculer trop de violence et de folies, dit-il. Les changements de la vie, tu parles ! J'ai grandi dans les H.L.M. de North Richmond, une des villes les plus pauvres de la Californie. Ma mère a eu huit enfants et nous avons vécu des prestations de l'Assistance sociale. Après mon mariage, je suis devenu rapper, j'étais le plus heureux des hommes, tout allait bien. Puis tout ça s'est écroulé ! »

Faites ce qui vous procure du plaisir

Renay se souvient du jour où sa plus jeune fille rentra à la maison après sa première journée d'école et lui montra ce qu'elle avait rédigé dans le cadre d'un devoir. Elle n'avait écrit que deux lignes : « Cet été, je suis allée nager et je me suis beaucoup amusée. » Renay se souvient lui avoir dit ceci : « Ma chérie, tu n'es plus à la maternelle maintenant. Tu dois donner plus de détails et raconter comment tu t'es sentie quand tu as sauté dans l'eau. » Il s'assit alors devant l'ordinateur pour lui montrer comment rédiger une description plus détaillée. La muse de l'écriture venait de le piquer. « J'ai commencé à taper les mots "C'était une très chaude journée d'été, il faisait au moins 37° C", pour décrire les circonstances dans lesquelles j'étais en train de laver ma voiture. Cela s'avéra par la suite être la première page de mon roman à suspense, *Oaktown Devil.* »

Une fois Renay lancé, ce fut uniquement la curiosité de voir l'histoire se dérouler qui le cloua devant l'ordinateur. « J'avais un tel plaisir à rentrer chez moi du travail, à préparer le repas et à me mettre à l'ordinateur pour entrer dans mon petit monde, que j'ai réalisé qu'il se passait vraiment quelque chose de spécial dans ma vie. Je suis aussi heureux qu'il est possible de l'être depuis que cette nouvelle carrière s'est offerte à moi. Mes livres traitent de meurtre, de trahison, de tricherie, de la vie dans les ghettos, de sexe et de drogue. J'écris mes livres dans la langue des Noirs américains (ebonics), celle que parlent les gens dans les quartiers *blacks.*

Renay a terminé deux romans. Sa prochaine étape dans l'inconnu est la publication et la commercialisation, étape qu'il semble envisager avec délectation.

Évitez d'exiger de votre muse des résultats spécifiques

Dans tout processus créatif ou dans tout changement, qui est en fin de compte toujours un saut dans l'inconnu, il est important de laisser les choses émerger sans exiger d'elles qu'elles ne le fassent d'une façon précise. Si, par exemple, nous mettons notre muse à contribution dans l'intention de devenir célèbres ou très riches, nous pouvons facilement faire tarir le mouvement créatif qui vient naturellement ouvrir les portes sur de nouvelles dimensions qui sont appropriées pour nous. Lorsque nos motivations sont le fruit de l'ego, nos décisions sont teintées du besoin de contrôler la confusion, ce qui amène le doute et l'indécision. Lorsque nous essayons de nous plier à l'ego par besoin de sécurité et d'approbation, nous ne faisons pas les choix justes. Si, par contre, nous avançons par amour et par intérêt pour une chose, l'énergie créative pourra produire les meilleurs résultats qui soient.

Les idées nouvelles sur le plan de l'épanouissement personnel, entre autres reprendre le chemin de l'école ou trouver un mentor, nous viennent intuitivement lorsque nous sommes sur le point de réaliser notre mission. « Je crois que je réussirai parce que je vends moi-même mes propres livres. Je ne laisse pas une maison d'édition le faire, comme c'est l'usage, dit Renay. En onze mois, j'ai vendu cinq mille exemplaires de mes deux romans et le mot se passe. Par ailleurs, je suis retourné à l'université. Je sais que mes filles sont fières de moi et de ce que j'entreprends. »

L'histoire de Renay Jackson illustre une des façons dont on peut se lancer dans l'inconnu. Dans son cas, cela s'est fait parce qu'il a simplement prêté attention au moment présent et pris note du plaisir qu'il avait à écrire. Renay n'a pas eu besoin de planifier consciemment, chaque étape s'étant présentée d'elle-même et émergeant de l'inconnu, pour qu'un talent et une voie professionnelle se manifestent dans sa vie. Cela s'est fait sans inquiétude ni risque exagéré. Le message à retenir ici, c'est qu'il faut faire acte de présence dans nos vies, être sensible à ce qui se passe et nous laisser aller dans la direction qui nous fait le plus vibrer.

RIEN À PERDRE

Rien ne peut vraiment nous être retiré car nous n'avons rien à perdre. La paix intérieure s'installe lorsque nous arrêtons de dire que nous avons perdu une chose pour plutôt dire que cette chose est retournée d'où elle est venue.

ÉPICTÈTE[3]
(environ 60-120 après J.-C.)

LE SAUT

Le catalyseur

La préparation en vue d'emprunter le chemin le moins fréquenté peut commencer bien des années avant même qu'on n'y pose le pied. Les événements qui façonnent et jalonnent notre route ne révéleront leur signification réelle qu'au moment opportun. Le désir de quitter notre emploi, de simplifier notre vie et de disposer de temps pour sonder notre créativité est une aspiration commune à la plupart d'entre nous, même s'il nous est typique de classer ces idées dans la catégorie du « Un jour... ». En ce qui concerne Anne C. Scott de Louisville, au Kentucky, il y eut décision de démissionner de son emploi, de se défaire de ses possessions et de prendre la route sans itinéraire précis. Anne avait passé trente-cinq ans à travailler dans divers secteurs des professions d'aide, entre autres l'assistance sociale, l'adoption, les traitements pour toxicomanes et les levées de fonds pour United Way. Par ailleurs, elle avait travaillé huit ans comme courtier en Bourse. Au moment où elle commençait à éprouver le besoin de faire quelque chose de plus significatif dans sa vie, elle rencontra par hasard une vieille connaissance qui lui rapporta qu'un organisme à but non lucratif avait besoin d'un directeur. Cette occasion qui lui était donnée de travailler avec des gens mentalement retardés devait s'avérer le grand catalyseur qui non seulement dirigerait Anne vers des valeurs plus profondes, mais en plus lui permettrait d'explorer l'inconnu dans un esprit d'aventure et de confiance.

« Ce travail représentait un acte de foi pour moi, dit Anne, mais ces neuf années ont en fait été les plus remarquables de ma vie. C'est le genre de travail qui me passionne le plus au monde. Je suis très honorée d'avoir aidé toutes ces personnes et leur famille. Ces gens extraordinaires m'ont éclairée sur l'importance des relations et sur la différence significative qui existe entre ce que je veux et ce dont j'ai besoin. Ils m'ont aidée à voir ce qui est réellement important dans la vie à part le matérialisme, l'argent, les possessions et la rapidité qui régentent notre culture. Ils sont l'exemple quotidien flagrant de l'importance que revêtent la joie, l'ouverture, l'amour inconditionnel, le respect mutuel et la sincérité. Ils m'ont appris la vulnérabilité et l'ouverture d'esprit. Sans leur amitié, je n'aurais jamais pu décrocher de mon ancienne vie et entamer cette nouvelle. »

Aspiration à la simplicité

Quand Anne eut cinquante ans en 1996, elle prit la décision de vivre une vie plus simple. Après avoir vécu une vie de lourdes responsabilités, entre autres avoir élevé seule deux enfants, passé des années à prendre soin de ses parents jusqu'à la fin de leurs jours et travaillé d'arrache-pied, elle réalisa que, pour changer les choses, elle devait faire le « grand ménage ». Elle vendit ou donna la moitié de ses biens. « J'avais toujours vécu sous la pression (souvent imposée par moi-même) de devoir m'occuper de tout le monde. Chaque matin de ma vie d'adulte, je me suis levée avec au moins six rendez-vous de prévus pour la journée. Dans ma fonction de directrice, mon travail consistait à faire rentrer un million et demi de dollars chaque année pour financer notre programme. J'étais engagée dans la résolution de conflits à longueur de journée. Mes nouveaux objectifs étaient dorénavant de ne plus jamais assister à aucune réunion et de ne jamais plus devoir porter de collants ! »

L'attrait des coloris automnaux

En termes mythiques, c'est le moment où le périple du héros ou de l'héroïne commence à prendre forme. Ainsi que Joseph Campbell le dit, nous sommes « démembrés » par le désir qui nous pousse vers un nouvel épanouissement. Nous devons nous dissocier des choses et des gens qui nous sont familiers pour pouvoir nous transformer en un nouveau « moi ». Anne sentit donc cet appel. « Je voulais entreprendre un périple où je n'avais aucun programme et simplement être ouverte à ce qui se présenterait, dit-elle. Au début, les gens me demandaient ce que je cherchais, ce que je ferais quand je reviendrais. Je leur répondais que je ne le savais pas et que je ne voulais pas le savoir. La seule chose que je savais avec certitude, c'était que je voulais me trouver dans le nord-est des États-Unis à l'automne pour admirer les coloris automnaux. » Ce désir de voir les couleurs d'automne de l'est des États-Unis est un exemple simple mais pertinent de la façon dont nos intuitions commencent subtilement à tracer le chemin qui nous conduira à l'équilibre et à la plénitude.

Nous pouvons voir l'inconscient d'Anne à l'œuvre dans la façon dont elle répondait aux amis qui la questionnaient avec curiosité quant à ses motivations et ses projets. Sans intention consciente aucune, Anne avait à quelques reprises fait remarquer ceci à ses proches : « Peut-être que j'irais travailler chez L. L. Bean (manufacturier de vêtements dans le Maine). Deux personnes que j'ai rencontrées m'ont dit qu'elles connaissaient quelqu'un dans cette entreprise. Plus tard, ajoute-t-elle, en arrivant à Brunswick (Maine), j'ai téléphoné à cette personne et j'ai laissé un message. Puis nous nous sommes rencontrés pour le lunch dans un café. En fait, je n'ai jamais travaillé chez L.L. Bean, mais bien dans ce café. Je ne devais y rester que quelques semaines, mais j'ai fini par y travailler six mois. Avec du recul, je pense que j'étais épuisée et que j'avais besoin d'un lieu pour m'habituer à ce nouveau style de vie. »

Période de guérison

Anne vendit donc bagels et expresso. Comme le café était un lieu de rassemblement pour les gens de l'endroit, elle en vint à connaître tout le monde. « Au moment où je suis partie, je connaissais beaucoup de gens par leur prénom. D'ailleurs, j'ai gardé le contact avec certains d'entre eux. » Au cours de ce séjour dans le Maine, Anne vécut ainsi la vie simple et satisfaisante dont elle rêvait. Son objectif de rester ouverte à la vie et d'accorder plus d'importance aux relations personnelles était ainsi atteint. Enfin, ses rapports avec les autres ne se fondaient plus sur son besoin de prendre soin d'eux ou de résoudre leurs conflits. Cela prouve parfaitement que si l'on suit une énergie positive (coloris automnaux, simplicité et loisir de s'asseoir dans un café pour bavarder), on peut vraiment aboutir là où on le veut. Par contre, si nous essayons de trouver rationnellement des solutions logiques aux questionnements ou de comprendre ce qui ne tourne pas rond chez nous, nous nous enferrons dans le problème.

Parce qu'elle aimait vivre près de la mer, travailler dans un milieu conforme à ses besoins et se faire des amis, le Maine fut donc pour Anne un lieu de grande guérison. « J'ai loué une chambre chez une femme, dit-elle, qui contenait seulement un lit, une commode et une chaise. Je n'ai jamais été aussi heureuse que dans cette petite chambre austère. J'étais tout le temps incroyablement heureuse. Je pouvais nettoyer la chambre en cinq minutes et ensuite aller au bord de la mer pour y passer le reste de la journée. J'avais là la confirmation que c'était vraiment ce que j'avais cherché. »

Rassembler les morceaux du puzzle

Au cours des mois suivants, Anne continua de se déplacer, vivant d'abord quelques semaines dans l'île d'Ocracoke, qui se trouve à quarante kilomètres de la côte de la Caroline du Nord. Selon son gré, elle décidait de s'installer pour quelque temps dans un endroit où elle se sentait bien, et s'y trouvait deux ou trois petits boulots – ménage dans des motels, service aux tables ou travail de caissière – pour assurer son gîte et son couvert. Vivre et travailler dans une collectivité lui procurait ainsi facilement l'occasion de nouer de nouvelles amitiés et d'avoir le temps d'explorer la nature, de lire et d'être, tout simplement.

Lâcher prise à un autre niveau

De façon typique, le périple du héros comporte un quelconque lâcher-prise ritualisé lorsque ce dernier est mis au défi de retourner dans le passé. Quand son fils se maria, Anne revint au Kentucky pour quelques mois. De retour chez elle, elle décida de vendre la belle maison centenaire dans laquelle elle avait vécu pendant vingt ans. L'entretien d'une grande et vieille maison, même si elle était remplie de souvenirs précieux, ne cadrait pas avec l'idée qu'Anne se faisait d'une vie simple. Suite à la vente de sa maison, elle reprit donc la route avec sa camionnette, sillonnant l'arrière-pays de tous les États-Unis. Au cours d'une de ses haltes, à Star Lake, au Wisconsin, un hameau de soixante-treize personnes, elle se trouva du travail dans une entreprise familiale de villégiature. « J'ai occupé trois emplois dans cet endroit et y suis restée un mois. Deux ou trois fois par semaine, comme je devais aller faire le ménage dans des cabanes en bois, je passais en voiture par une forêt où je rencontrais chaque fois une multitude d'animaux sauvages. J'adorais ça ! J'ai aussi travaillé dans une boutique où je faisais l'inventaire, m'occupais de la liste d'envoi et voyais au stock. »

Faire confiance aux signes de la vie

Lorsque nous vivons en fonction de notre intuition et que nous avons confiance que la vie veille à nos besoins, nous sommes moins anxieux et surtout moins enclins à vouloir tout contrôler. Nous savons que la vie nous amènera les solutions qui valent mieux que tout ce que nous avons pu imaginer. Écoutant son intuition qui lui disait quand elle devait partir de l'endroit où elle se trouvait pour poursuivre sa route, le périple d'Anne se poursuivit ainsi. Par exemple, un homme du Wisconsin lui avait dit être certain que son frère à Whitefish, au Montana, à des milliers de kilomètres de l'endroit où elle se trouvait, aurait assurément du travail à lui offrir. Il s'avéra que le frère en question n'avait pas de travail, mais que, puisqu'elle se trouvait à Whitefish, elle devait aussi bien en profiter pour aller voir le parc national Glacier. Son attention ayant été retenue par un panneau indicateur portant l'inscription « Sun Road » (route du soleil), Anne décida de s'inscrire à une visite organisée du parc. En attendant l'autobus au chalet touristique du lac McDonald entouré de montagnes et d'arbres majestueux, une des maisons patrimoniales de l'Ouest des États-Unis, elle décida de demander s'ils avaient besoin d'aide. Moins de vingt minutes plus tard, elle avait signé un contrat d'engagement. Elle travailla donc là pendant trois semaines comme femme de ménage et caissière du restaurant. « J'ai vraiment apprécié mon séjour au parc. Pour 7,50 $ par jour, on me fournissait trois repas et une superbe chambre dans une vieille maison de pierre faisant face au lac. Je m'assoyais souvent sur la terrasse avec d'autres employés pour siroter une bière et admirer le coucher du soleil. Travailler tout en voyageant est une formidable façon de voir du pays ! J'étais payée 5,15 $ de l'heure et je pouvais faire autant d'heures que je le voulais. J'ai toujours essayé de vivre sur mes gages et n'ai entamé mes économies que pour des cadeaux d'anniversaire ou des soirées spéciales au restaurant. En un peu plus de deux ans et demi, je n'ai dû payer que deux fois des chambres de motel. En général, lorsque j'étais sur la route, je dormais dans ma camionnette sur les terrains de stationnement des supermarchés, dans des terrains de camping ou dans des parcs nationaux. Il ne m'est arrivé qu'une fois ou deux d'éprouver quelques inquiétudes. Le reste du temps je me suis toujours sentie en sécurité et protégée. Je n'ai pas eu de problèmes avec mon véhicule et seulement une crevaison en deux ans. Et encore, lorsque c'est arrivé, le couple qui roulait derrière moi s'est arrêté pour m'aider à changer la roue. »

Arriver dans une petite ville est toute une aventure

« Je n'ai jamais eu de problème à me trouver du travail ou une chambre, même quand je disais aux gens que je ne resterais pas longtemps. En arrivant quelque part, je cherchais les tableaux d'affichage et lisais les journaux locaux, ou encore surveillais les affichettes dans les magasins, celles que l'on voit partout. »

Le périple d'Anne illustre parfaitement qu'il est facile de reconnaître et d'honorer notre besoin inné de changement dans la vie. Il montre aussi qu'il faut avoir confiance dans le fait que ce changement est sain et nécessaire. Lorsque je rencontrai Anne à Sedona, en Arizona, où elle travaillait à la réception du motel dans lequel j'avais pris une chambre, elle prévoyait retourner au Kentucky pour y être avant la naissance de son premier petit-enfant. « Je retourne chez moi pour un certain temps, mais je ne pense pas que ce soit la fin de mon périple. Les mots me manquent pour exprimer à quel point cette période de ma vie est significative. Pendant mes pérégrinations, j'ai un jour rencontré un allemand appelé Thomas. Il voyageait à bicyclette de l'Alaska à l'Argentine. Nous avons discuté de la solitude qui est le lot de ceux qui sont sur la route et de l'impossibilité d'expliquer aux autres les émotions que cette expérience peut faire vivre. Je lui ai dit que j'étais surprise que les

LA VIE CHANGE DANS LA GARE DE NEW YORK

En 1956, je me rendis à la gare de New York avec deux amis pour prendre le train qui nous emmènerait à un camp d'été. Alors que je jetais un coup d'œil aux passagers qui faisaient la queue, je remarquai un homme en particulier. Je me suis dit : « Je vais épouser cet homme. » Je ne pus croire ce que je venais de me dire et n'en touchai mot à mes amis. À notre arrivée au camp dans le Massachusetts, je découvris que cet homme était le responsable de notre groupe. À cette époque, il était fou d'une belle blonde et je fréquentais sérieusement quelqu'un d'autre.

Avant la fin du camp, je lui fis remarquer que cette relation ne lui convenait pas. Nous sommes allés au restaurant pour en parler davantage et avons fini par discuter de nos vies et de nos familles. En nous levant de table, nous savions que nous finirions par nous marier. C'est effectivement ce que nous avons fait un an plus tard. Nous avons eu une fille et un garçon et sommes restés mariés neuf ans.

LISA, gestionnaire

gens ne me posent pas plus de questions sur mon voyage. Thomas résuma la chose en beauté en disant : "Ça ne fait pas partie de leur monde."

« Pour moi, l'aventure, c'est d'arriver dans une petite ville pour la première fois. C'est comme si j'étais devant un grand casse-tête. Où vais-je vivre ? Où vais-je travailler ? Où est le supermarché ? Où est la bibliothèque ? Chaque journée devient une aventure en soi et je rencontre les gens les plus uniques et merveilleux qui soient dans ce pays incroyablement beau et diversifié. Je suis époustouflée par la majesté des paysages marins et campagnards. Je vise seulement à être ouverte chaque jour à ce que je suis censée recevoir. J'ai maintenant confiance que je saurai quoi faire le moment venu. Et je pense sincèrement que ce sont mes amis retardés mentaux qui sont l'instrument de ma libération. »

IL N'Y A PAS DE HASARD

L'aide la plus puissante pour s'aventurer dans l'inconnu, c'est l'adoption de l'attitude juste. En fait, il existe deux attitudes très utiles, que de nombreux enseignements spirituels prônent d'adopter, même s'ils le font sous des angles différents. La première, c'est que tout événement a une raison d'être. Et la seconde, que tout événement peut s'avérer bon ou mauvais. Lorsque nous adoptons la première attitude, notre attention est automatiquement dirigée vers ce que l'intelligence divine pourrait bien nous communiquer à travers un événement. Dans toute expérience, cette attitude axe notre mode de pensée sur l'apprentissage et les fruits qu'elle nous apporte. Quand nous adoptons l'attitude que nous pouvons apprendre de tout, il est impossible que nous sentions la vie injuste à notre égard ou que nous sommes marginalisés parce que nous avons échoué. Aussi, nous ne tombons pas dans un rôle de victime. En effet, lorsque nous sommes désemparés ou désespérés, non seulement avons-nous tendance à attirer à nous davantage de confusion, de souffrance et de douleur, mais également à négliger tout ce qu'il peut y avoir de positif dans l'expérience.

Grâce à la seconde attitude (c'est-à-dire que tout événement peut être soit bon, soit mauvais), nous évitons le piège qui veut que nous jugions tout événement trop rapidement, sans connaître tous les détails. Nous apprenons donc à attendre, à faire le point et à nous fier à ce que notre intuition nous indiquera comme prochain geste à poser.

J'ai interrogé des centaines de personnes sur la façon dont elles composent avec le changement et l'inconnu. Voici les questions que je leur ai posées :

- À quels changements faites-vous face en ce moment ?
- Vous êtes-vous rapproché de vos objectifs ?
- Quels sont les changements difficiles survenus dans votre vie ?
- Qu'est-ce qui vous aide à surmonter vos peurs et vos doutes ?
- Comment avez-vous réussi dans la vie ?

Je me suis rendue compte qu'il y avait des constantes dans les réponses que les gens me donnaient. Par exemple, la réaction principale de ceux qui avaient changé de carrière était la suivante : « Je savais qu'il y avait une raison pour laquelle j'avais été licencié », « Si je n'avais pas eu un patron si horrible, je n'aurais jamais pu lancer ma propre affaire. » De telles réactions illustrent bien que la personne s'efforce de voir une raison d'être derrière l'événement, un peu comme si ce dernier lui apportait un cadeau. Il en va de même pour les gens qui ont survécu à des maladies très graves, car ils prétendent que leur maladie leur a fait faire de grandes prises de conscience. Il est très courant que les femmes qui ont survécu à un cancer du sein disent qu'elles ont commencé à s'éveiller spirituellement lorsqu'elles ont découvert qu'elles avaient le cancer.

Lorsque j'entamai la rédaction de cet ouvrage, je me tournai instinctivement vers les éternels enseignements spirituels qui nous inspirent encore actuellement. Un livre qui traitait de l'évolution historique du bassin méditerranéen me marqua particulièrement. Sa lecture me laissa l'impression que la vie depuis les derniers dix mille ans s'est développée par cycles, de l'avènement de nouvelles idées et technologies jusqu'à la maturation, l'échec ou l'achèvement d'un système ou d'une vision philosophique. De nouvelles civilisations émergèrent et s'épanouirent jusqu'à ce que l'invasion de hordes destructrices eût engendré une poussée évolutive, qui conduisit vers de nouvelles cultures et idées. J'eus l'impression que l'héritage que nous avaient laissé les cultures les plus anciennes pouvait se résumer à de vagues reliques historiques. La pensée me vint humblement que, après nos quêtes et nos luttes ambitieuses, nous sommes tous et chacun voués à finir ensemble dans un livre d'histoire. Le fait de replacer tout cela dans une perspective plus large me ramena les pieds sur terre. Chaque civilisation a une finalité, en ce sens qu'elle donne aux personnes qui y évoluent la scène pour y jouer leur rôle. Et chaque culture contribue de sa particularité au grand tableau d'ensemble, même si elle doit par la suite tomber dans la désuétude.

LES DIX PRINCIPES DE BASE POUR ALLER DE L'AVANT

Si vous aspirez impatiemment à un changement mais que vous vous trouvez dans une impasse, lisez et relisez les principes de base suivants pour composer avec le changement ou vous attirer un changement positif dans la vie. Au cours de votre lecture, remarquez lequel des énoncés suscite chez vous une charge énergétique plus forte. Que ce principe constitue votre préoccupation principale pour les quelques jours à venir !

1. *Commencez par vous aimer.* Sachez apprécier la personne unique, entêtée, bizarre, ennuyeuse, fascinante, idiote, intelligente, merveilleuse et complètement folle que vous êtes.
2. *Dites la vérité.* De quoi avez-vous vraiment besoin et que voulez-vous réellement ? Ne soyez pas timide. Qu'est-ce qui a vraiment de l'importance pour vous ?
3. *Demandez d'obtenir une réponse claire à la question qui occupe votre esprit présentement.* Donnez une tâche à l'univers en lui demandant, par exemple, de vous montrer ce dont vous avez besoin pour trouver un nouvel emploi ou ce que vous avez besoin de voir chez vous pour pouvoir attirer à vous le meilleur conjoint possible.
4. *Soyez attentif.* Une fois que vous avez posé votre question, restez sur le qui-vive. Écoutez ce que votre intuition vous dit. Quels sont les signes et indices qui semblent vous indiquer des pistes ou des options ?
5. *Sachez trouver vos réponses partout.* Remarquez quel genre de réponses vous parviennent par le truchement des gens, des commentaires fortuits, des livres, des événements, des rêves ou de l'intuition.
6. *Posez le geste juste.* Méditez sur la phase dans laquelle vous vous trouvez dans votre vie actuellement et sur le cycle du changement. Entamez-vous une phase qui exige l'exploration d'une voie inconnue ou d'une nouvelle identité ? Finissez-vous une phase qui exige de pardonner, de lâcher prise ou de passer à autre chose ? Vous trouvez-vous à mi-chemin d'une phase qui demande de la persévérance ?
7. *Prenez pour acquis qu'il y a une raison à ce qui s'est produit.* Recadrez l'événement du moment comme s'il s'agissait d'un élément positif, même s'il a tout l'air d'une catastrophe. Si la perte est grande, il vous faudra peut-être des semaines, des mois ou des années pour y arriver. Cette approche permet cependant de retrouver l'équi-

libre et le sentiment d'avoir des ressources intérieures. De toute façon, ce principe est vrai au plus haut niveau.

8. *Usez de patience, d'honnêteté, d'humour et de pardon dans tous vos rapports.* Cessez de toujours vouloir être intelligent et d'avoir l'esprit de compétition. Soyez tout simplement vous-même.
9. *Soyez ouvert à ce qui se passe.* Prenez pour acquis que l'univers a vos intérêts à cœur et qu'il est à l'œuvre en ce moment pour vous aider à réaliser votre vision. Pourquoi pas ?
10. *Ne bronchez pas à moins de savoir clairement quoi faire.* Une de mes citations préférées de Carl Jung est celle-ci: « Lorsque vous vous retrouvez au pied du mur, ne bronchez pas et laissez pousser vos racines, comme un arbre, jusqu'à ce que la clarté provenant d'une source profonde vous permette de voir au-delà du mur. »

ÉTAPES DE LA VIE

0 – 25 ans	*Croissance*: Dépendance, soumission, autorité, compétence, performance, échec. Beauté, bonne conduite, obéissance, sens de l'éthique.
25 – 45 ans	*Transition du mitan de la vie*: Savoir, tempérance, amour, courage, courtoisie.
45 – 70 ans	*Intériorisation*: Sagesse, justice, générosité, gaieté.
70 ans et plus	*Vieillesse*: Attitude de gratitude envers le passé et enthousiasme à retourner au bercail originel.

JOSEPH CAMPBELL[4],
La puissance du mythe

4

Suivez l'énergie positive

Ils avaient beaucoup de choses en commun. Ils étaient curieux, doués sur le plan artistique et sexuellement très éveillés. Malgré leurs côtés sombres, ils riaient et nombre d'entre eux dansaient aussi. Ils étaient attirés par « la douce lumière du soleil, la végétation méridionale, la brise fraîche et légère, le souffle de la mer et les repas frugaux faits de viande, de fruits ou d'œufs. » Plusieurs d'entre eux avaient l'humour noir, un peu comme Nietzsche, c'est-à-dire un rire gai et malicieux qui émanait d'un fond pessimiste. Ils avaient exploré les possibilités que la vie leur offrait et possédaient ce que Nietzsche appelle la « vie », c'est-à-dire courage, ambition, dignité, force de caractère, humour et indépendance (et, en parallèle, une absence d'esprit de moralisation, de conformité, de ressentiment et de pruderie).

Alain de Botton[1],
The Consolations of Philosophy

APERÇU DE MON EXPÉRIENCE PERSONNELLE

Dans mon livre, *Votre mission de vie*, je vous faisais part des expériences qui m'avaient amenée à écrire ce livre et à entrer en contact avec de nombreuses personnes qui, comme vous, cheminent sur la voie du constant changement. Au moment où j'écris ce livre-ci, je me trouve dans une période de ma vie relativement stable : je vis près de San Francisco, dans une demeure qui reflète mes goûts artistiques et mon attirance pour les couleurs.

J'ai la grande chance d'avoir des rapports harmonieux avec mes enfants, qui sont mariés, et j'entretiens des relations d'amitié profonde avec des gens qui vivent près ou loin de moi. Je fais un travail que j'aime beaucoup et qui m'amène à voyager dans le monde entier.

Je jouis d'une bonne santé, pratique régulièrement le yoga, lis des romans à suspense, prépare pour mes amis des plats dont je trouve les recettes dans le journal et vais au cinéma. Ce genre de vie est très différent de celui que je menais il y a seulement douze ans.

De 1970 à 1982, mes activités gravitèrent autour de ma vie de mère monoparentale et sur le marché du travail. Ma seule préoccupation était de pouvoir poursuivre ma carrière d'artiste-peintre (le soir et les fins de semaine) et d'étudier la métaphysique (habituellement en faisant des « lectures » intuitives à des clients après le travail et le samedi), tout en travaillant à temps plein et en assurant le bon fonctionnement de la maisonnée. Les emplois se succédèrent : directrice d'un service de traiteur, cuisinière, postes administratifs de toutes sortes principalement dans des organismes à but non lucratif. La vie était imprévisible, plutôt mouvementée, mais par contre agréable et intéressante. Chaque semaine, je réussissais à consacrer du temps à ma peinture et à l'étude de la métaphysique. Ces activités et ces intérêts me soutinrent, ainsi que le fait de voir mes enfants s'épanouir et de passer du temps avec de bons amis.

Cependant, entre 1988 et 1990, d'immenses changements se produisirent dans ma vie, dont un qualifié d'extrêmement grave par mon thérapeute. L'événement en question fut le diagnostic d'un cancer du sein en troisième phase dans huit glandes lymphatiques (après que deux docteurs m'aient dit que la bosse qui grossissait dans mon sein ne présentait rien de grave).

La fin de semaine au cours de laquelle j'entrepris une chimiothérapie intense, je quittai aussi la maison de campagne où je vivais depuis dix ans pour aménager à San Francisco. C'est à partir de ce moment-là que mon état physique subit des transformations majeures. Il va sans dire qu'il me fut difficile de maintenir mon estime personnelle face à l'intervention chirurgicale ainsi qu'au vieillissement et à l'affaiblissement provoqués par la chimiothérapie, le tout compliqué de surcroît par un début précoce de ménopause. Mon système immunitaire rudement malmené me fit aboutir à deux reprises à l'hôpital.

Immédiatement après ma mastectomie, l'homme avec qui j'étais mariée depuis cinq ans me quitta. Déjà rendus aux études universitaires, mes enfants étaient presque totalement autonomes. Devant poursuivre pendant un an des séances de radiation et de chimiothérapie, il me fut impossible de garder mon emploi de directrice administrative. Financièrement dans le pétrin, je dus accepter deux colocataires chez moi pour m'aider à payer le loyer. Mon père décéda, ainsi que ma mère douze mois plus tard. Les circonstances me forcèrent donc à quitter la maison que j'occupais à San Francisco et à me reloger chez une bonne amie à Berkeley, dans une petite pièce du sous-sol de sa maison.

C'est au cours de cette période que je réalisai plusieurs choses, entre autres que ma maladie me tirait de la « léthargie » pour que je comprenne ce qui valait la peine d'être vécu. Allais-je me vautrer dans la bonne vieille routine ou bien entreprendre sérieusement de faire ce que j'aimais vraiment ? Même si je sentais que j'étais une artiste dans l'âme, je réalisai que j'étais plus à ma place dans une carrière de thérapeute intuitive. Comme j'éprouvais plus de satisfaction dans mes rapports avec les gens que dans la vente de mes peintures, je fis délibérément le choix d'accorder toute mon attention à la mise sur pied d'un cabinet de thérapeute où je travaillerais à temps plein.

Le défi dans tout cela était de trouver une façon de subvenir à mes besoins sans devoir reprendre un emploi de jour. Je savais que je devais me trouver une façon de gagner ma vie qui correspondait vraiment à mon être. En effet, les changements survenus dans ma vie en raison de mon cancer m'avaient forcée à regarder les choses importantes de la vie, qui font que celle-ci vaut la peine d'être vécue.

Deux forces énergétiques m'habitaient. En premier lieu, ma conviction que ma mission réelle était de travailler avec les gens en faisant appel à des principes métaphysiques. En second lieu, la nécessité de devoir gagner davantage d'argent pour pouvoir rester sur la voie choisie. J'en vins à penser que la Nécessité, avec un N majuscule, est un « sympathique » catalyseur qui nous aide à faire très vite preuve de créativité.

Même si j'aimais beaucoup vivre avec mon amie Lorraine à Berkeley et me satisfaisais pleinement de mon humble style de vie, je ressentis le besoin d'avoir mon propre appartement ou ma propre maison. Mais pour cela, il fallait que mes revenus augmentent. Un matin, je me réveillai en me demandant de quelle façon je pouvais trouver un supplément d'entrée d'argent en faisant quelque chose d'intéressant et qui mettrait mes talents à profit. Voici ce que mon intuition me suggéra: « Peut-être pourrais-tu aider quelqu'un à écrire. » Je ne sais toujours pas comment cette idée m'est venue à l'esprit. À cette époque, je n'avais jamais écrit, professionnellement parlant, ni étudié en rédaction.

Je me demandai comment concrétiser cette idée. Ce fut Candice Fuhrman, une amie qui travaille dans le domaine de la rédaction, qui me vint en premier lieu à l'esprit. Quelques années plus tôt, elle avait lancé sa propre agence littéraire. Je l'appelai donc et lui demandai de m'avertir si jamais elle entendait parler de quelqu'un qui aurait besoin d'aide dans le domaine de la rédaction. Elle me rappela le soir même pour me dire qu'un médecin avait besoin d'aide pour rédiger un livre. Je fis le saut et appelai ce médecin, même si mon curriculum vitæ et mon expérience en ce domaine ne pouvaient m'aider. Il m'engagea sans même me demander un échantillon de texte et je travaillai pour lui pendant six mois pour l'aider à accoucher de son livre. Plus tard, j'obtins un autre travail de collaboration et j'acquis davantage d'expérience dans le domaine de la rédaction de livres. Jamais auparavant l'écriture n'avait figuré sur la liste des choses que je me voyais faire dans la vie. Mais je suivis mon intuition et l'univers me donna la répartie. Ce qui était un territoire totalement inconnu pour moi me devint familier, stimulant et synonyme de succès. Je n'ai jamais cessé d'écrire depuis !

Aujourd'hui, je vois bien comment chaque changement de circonstance me forçait à grandir, même lorsque ce que je voulais par-dessus tout c'était la sécurité.

En me penchant sur les vieux scénarios de vie que j'avais hérités de mes parents, je me rendis compte que deux affirmations avaient eu une puissante emprise sur ma psyché et me servaient de points de référence pour mesurer mes tentatives de changement. Datant de l'époque de l'école secondaire, ces commentaires régentèrent ma vie jusqu'à ce que je finisse par reconnaître à quel point ils façonnaient la vision que j'avais de moi-même. Ces deux affirmations étaient: *Pour qui te prends-tu ?* et *Tu en demandes trop.*

APPROPRIEZ-VOUS CE QUI S'EST PASSÉ

Je vous fais part des changements survenus dans ma propre vie parce que je ne crois pas que nous puissions vraiment guérir à moins de nous approprier les événements de notre vie. Il est important de ne pas adopter l'attitude que nous sommes les seuls à avoir des problèmes particuliers. Le fait de répéter sans arrêt nos vieilles histoires en fonction de la « blessure » non seulement focalise notre attention sur l'aspect négatif de notre vie, mais constitue une béquille qui cautionne trop souvent notre inaction et nous maintient au point mort. Il ne sert à rien de penser que nous ne pouvons changer notre vie parce que nous avons des problèmes spéciaux ou insolubles. Nous sommes nombreux à avoir de grands handicaps, qu'ils soient d'ordre mental, physique ou émotionnel. Nous avons tous et chacun des défis à relever et, par ce fait même, nous avons l'occasion de devenir ce que nous sommes vraiment. Par exemple, quand il était jeune, le grand psychologue Milton Erickson, avait été paralysé par la poliomyélite et avait passé des années dans un poumon d'acier. Pendant toute cette période, il ne pouvait bouger que ses yeux. Il observa ainsi pendant d'innombrables heures les gens qui venaient dans sa chambre. Des années plus tard, ce don de l'observation lui permit de devenir un maître incontesté dans le domaine de l'observation de la nature et de la motivation humaines, et de mettre au point une méthode thérapeutique unique et très efficace.

LA FORME PLIE POUR S'ADAPTER

L'accident qui rendit James Thurber borgne et, un peu plus tard, aveugle (son frère lui avait lancé une flèche dans l'œil), alors qu'il était encore jeune garçon, ne détermina pas le cours de sa vie ni ne le découragea. En effet, la forme plie pour s'adapter et trouver sa finalité, comme ses talents d'écrivain du début ou l'amateurisme de ses caricatures aux proportions et perspectives bizarres.

JAMES HILLMAN[2],
Le code caché de votre destin

Je crois que c'est justement à travers ces défis particuliers (et peut-être même nécessaires) que notre mission de vie et notre personnalité se dessinent. Nous avons toutes les raisons du monde de nous demander pourquoi le sort s'acharne sur nous. Mais, ensuite, que nous reste-t-il à faire ?

Votre vie change inévitablement pour prendre une direction particulière. Pourquoi ? Parce que, sur un certain plan, vous savez déjà ce que vous voulez et où vous voulez aller. Ce sens intérieur de la direction de votre vie suscite en vous des prises de conscience et attire à vous des expériences et des gens qui vous permettront de réaliser votre mission. Votre être intérieur est toujours à l'œuvre pour que votre destinée s'accomplisse. Et vous améliorez vos chances d'avoir de nouvelles idées et une perspective élargie des choses lorsque vous êtes détendu, ouvert et fortifié par la croyance que votre vie peut changer et changera pour le mieux.

CERTAINES VALEURS NE CHANGENT JAMAIS

Un de mes meilleurs amis, Larry Leigon, âgé de cinquante-deux ans, me raconta qu'il venait de rendre visite à ses parents au Texas. Son histoire de retour au bercail et la puissance de l'homéostasie me frappèrent.

« Ma mère voulait que je débarrasse le grenier de toutes mes vieilles affaires, expliqua Larry, où je n'étais pas monté depuis l'âge de vingt-deux ans. Comme dans tous les greniers, il n'y avait qu'une simple ampoule comme éclairage. Il devait y avoir plus d'une centaine de boîtes remplies d'affaires m'appartenant et gardées intactes depuis trente ans. On aurait dit un site archéologique ! J'ai commencé à fouiller dans des boîtes contenant des objets datant de mon premier mariage à Houston, des articles de bureau datant de mon premier emploi, des notes de cours de l'université. Ce qui m'a le plus surpris, c'est que les notes que je prends actuellement sont identiques à celles que je prenais alors. J'achète les mêmes carnets et les mêmes stylos qu'avant. Les diagrammes que je fais aujourd'hui sur la meilleure façon de monter une entreprise ressemblent en tous points à ceux que je faisais à l'âge de vingt ans. En lisant un vieux poème, j'ai réalisé que mon vocabulaire d'aujourd'hui était le même que celui d'autrefois. Et les préoccupations que j'avais à vingt-deux ans sont les mêmes que celles que j'ai maintenant à cinquante-deux ans. Mes rêves actuels ressemblent comme deux gouttes d'eau aux rêves que j'inscrivais alors dans mon journal. Si j'avais inversé les dates, je ne suis pas certain que je m'en serais rendu compte.

« En réalisant cela, j'ai éprouvé un certain réconfort en même temps qu'une certaine tristesse. Les choses qui me faisaient souffrir sont les mêmes qui me font encore souffrir. Les choses auxquelles j'attachais de l'importance sont encore celles auxquelles j'attache de l'importance. Je pense qu'il y a une fibre en moi qui ne change pas. Je m'efforce toujours de vivre au bord de l'eau, je possède toujours beaucoup trop de livres et j'ai toujours le même genre de trucs autour de moi. Ça m'a donné la chair de poule que de reculer de trente ans avec mon esprit de cinquante-deux ans et de constater que je savais à l'époque les mêmes choses que je sais maintenant. Bien sûr, je sais peut-être aujourd'hui me servir de nouveaux gadgets, comme un PalmPilot, mais en ce qui concerne les choses qui me tiennent vraiment à cœur, entre autres la poésie et le langage, j'ai toujours su ce que j'avais besoin de savoir.

« La conclusion que je peux tirer de cette expérience, c'est qu'il faut agir dans l'instant présent, qu'il ne faut pas attendre de devenir riche, de devenir plus intelligent, de connaître les bonnes personnes ou d'avoir pris tel ou tel cours. Il faut passer à l'action maintenant.

« Il y a trois ans, je suis allé voir l'exposition de photographies d'une amie. À côté de photos qu'elle avait prises et agrandies, elle avait transcrit ses propres poèmes. Je me suis fait la remarque que c'était une superbe idée que d'associer des poèmes à des photographies. Cela m'a inspiré et m'a donné l'envie de faire quelque chose de semblable. Alors que j'étais dans le grenier, j'ai sorti d'une boîte un vieil album de photos, que j'avais réalisées quand j'avais vingt-cinq ans. Sous toutes les photos, j'avais ajouté un poème de ma composition, chose que j'avais complètement oubliée. Cet album n'avait aucune valeur matérielle et je l'avais fait uniquement par plaisir, exactement comme mon amie l'avait fait pour son exposition. Cet album avait une telle valeur personnelle que je ne l'avais montré à personne. Si quelqu'un me demandait de choisir une chose qui montrerait aux gens dans mille ans ce que je suis exactement en ce moment, je lui donnerais cet album. Il représente une partie immuable de moi, une partie qui exprime mon âme. Peut-être qu'il ne l'exprime pas précisément ni totalement, mais il en exprime en tout cas une grande partie. Et c'est la partie qui ne change pas. »

Qu'est-ce qui vous procure de la joie ? Que faites-vous pour exprimer cette joie ?

CE QUI NE CHANGE PAS

Selon moi, la partie la plus importante d'un livre qui traite des changements est celle qui concerne la partie en nous qui ne change pas.

LARRY LEIGON

LE CHANGEMENT EXIGE UN ACTE DE FOI

Stephen J. Hopson, sourd de naissance, est devenu courtier en Bourse en 1992, après avoir mis fin à une longue et sécurisante carrière dans le domaine bancaire. En partant de rien, il avait trois années plus tard établi une liste de plus de trois cents clients et gagnait annuellement 300 000 $. Il remporta des prix et figura parmi les plus grands du domaine. Malgré cela, malgré tous les amis qu'il avait et la belle vie qu'il menait à New York, Stephen ne se sentait pas satisfait. Au cours d'un congé semestriel bien mérité à Miami, pour échapper au tourbillon de sa vie professionnelle, il eut une révélation alors que, allongé sur la plage, il lisait le livre de Marianne Williamson intitulé *Un retour à l'Amour.* « Soudain, je me suis mis à rire et à pleurer en même temps, dit-il. Un sentiment m'a envahi que je peux seulement décrire comme étant une révélation majeure. J'ai soudainement réalisé que, même si je suis né sourd, Dieu m'a laissé la parole. J'ai su à cet instant précis sans l'ombre d'un doute que j'étais né pour devenir écrivain et conférencier. Cette révélation m'a chaviré, mais je savais qu'il s'agissait bel et bien de ma mission de vie. À l'époque, je ne m'étais pas adressé à une audience depuis plus de quinze ans, sauf à l'université, et je n'avais aucune expérience dans la rédaction. Malgré cela, je me sentais comme quelqu'un qui vient de remporter le gros lot. Je brûlais d'impatience de revenir à New York. »

UN ÉVÉNEMENT PERCUTANT
FAIT CONVERGER L'ÉNERGIE

Lorsqu'un événement percutant se produit, il fait converger beaucoup d'énergie psychique vers lui.

IRA PROGOFF[3],
Jung, Synchronicity, and Human Destiny

SUIVEZ LE COURANT TOUT EN ENTRETENANT VOTRE VISION

Une année entière passa avant que Stephen puisse tirer sa révérence à Wall Street. Il n'avait pas la moindre idée de la façon dont il s'y prendrait pour entamer sa nouvelle carrière à titre de conférencier et d'écrivain. Envahi par la confusion, il envisagea de revenir sur sa décision de renoncer à son gros salaire, son plan de retraite et ses bénéfices marginaux au profit de... quoi en fait ? Dans un moment de panique, il posta quelques *curriculum vitæ*. Personne ne le sollicita. « Il ne m'a pas fallu grand temps pour reconnaître que Dieu ne voulait pas que je reprenne cette ancienne vie. La page était tournée et je devais passer à autre chose. »

Stephen passa donc l'année suivante à établir des assises en vue du changement. Il vécut de prestations d'assurance-chômage et de ses économies, tout en s'entourant de gens qui le soutenaient. « Lorsque l'argent est venu à manquer, dit-il, j'ai commencé à prendre note des choses pour lesquelles j'éprouvais de la gratitude. J'ai tenu un journal pour pouvoir observer mes émotions et définir mes objectifs. J'ai également appris à demander ce que je voulais et à laisser faire Dieu. »

Après que Stephen eût réfléchi pendant un an sur la façon dont sa destinée prendrait forme, quelqu'un lui proposa de travailler sur un livre. Il devait cependant quitter le monde connu de New York pour se rendre en terre étrangère au Michigan. Faisant un autre acte de foi, Stephen remplit un camion de ses effets personnels, organisa une soirée d'adieux et pris la route pour le Michigan. « Je me souviens que j'avais dans ma poche une petite pierre sur laquelle était inscrit le mot *foi* et que je la serrais dans ma main chaque fois que la peur m'assaillait. Ce geste me permettait de sentir que j'étais sur la bonne piste et que les choses finiraient par s'arranger. »

Après un an de collaboration, lui et l'homme pour lequel il travaillait se brouillèrent, et le projet de livre ainsi que tout le travail qu'il avait accompli s'envolèrent en fumée. Était-ce un échec ?

« J'ai rapidement compris que, lorsque je suis arrivé au Michigan, c'était mon ego qui était au volant, dit-il. Je me disais que j'allais devenir un auteur à succès, que tout le monde me connaîtrait et que je gagnerais encore plus d'argent que quand j'étais courtier en Bourse. J'avais mis toute ma confiance dans mes rapports avec cet homme et dans sa capacité personnelle à générer argent et succès. Quand nous nous sommes brouillés, j'ai été forcé de regarder ce que j'avais attendu de lui et de reconnaître que je l'avais mis sur un piédestal. La fin de ce projet me força à faire ce que je ne réussissais pas à faire tout seul, c'est-à-dire à aller de l'avant et à reconnaître que je n'avais pas pris les choses en main. Cela a été une expérience de grande humilité. »

La fin de cette entente sembla annoncer pour Stephen la conclusion d'un processus de maturation. Comme la reine Inanna (dans l'introduction), qui fut forcée de laisser son accoutrement de personne de pouvoir aux portes de l'enfer, Stephen dut se défaire de sa façon connue de vivre. Il laissa derrière lui le succès et le pouvoir qu'il avait connus comme courtier en Bourse pour aller à la conquête de son rêve. Chemin faisant, l'ombre à laquelle il dut faire face – son désir déplacé de dépendre du succès d'un autre – lui revint en plein visage sous la forme de cette collaboration. Pour pouvoir passer à la phase suivante de sa mission de vie, il dut apprendre à se fier à son propre talent et à faire son propre chemin. En réalisant la raison de ce soi-disant échec, il fit une prise de conscience majeure et retrouva son pouvoir. Cette leçon que la vie lui servit lui amena clarté plutôt que confusion. Une fois ce blocage sur le plan de la perception éliminé, d'incroyables possibilités s'offrirent à lui en moins d'une semaine.

« J'avais écrit deux nouvelles que j'avais envoyées à deux maisons d'édition, dit Stephen. Immédiatement après cette brouille, j'ai reçu une lettre disant qu'une de mes nouvelles avait été acceptée, sur huit mille nouvelles soumises, pour l'ouvrage *Chicken Soup for the College Soul*. Je ne me souvenais même pas avoir envoyé cette nouvelle. Le rêve que je caressais d'être publié commençait à se manifester. Peu après, j'ai conclu un contrat très payant pour donner une conférence, ce qui m'a permis de vivre pendant tout l'été. Un mois plus tard, j'ai découvert que la seconde nouvelle avait été acceptée pour figurer dans un autre livre intitulé *Heart Warmers*. Et encore à la même époque, j'ai réussi mon permis de pilote d'avion. Mes rêves se manifestaient de plus en plus vite. »

SUIVRE L'ÉNERGIE POSITIVE PERMET D'APPROFONDIR LA CONFIANCE

Originaire de Vancouver, en Colombie-Britannique, Gregg Brown parle de l'expérience qui l'amène à suivre les signes de synchronicité que l'univers lui lance. Le fait de rester en contact avec ce qui lui importe vraiment lui confère une confiance accrue et une capacité d'accomplissement dénuée d'effort. La confiance figure particulièrement parmi nos grands alliés pour aborder la voie inconnue qui s'ouvre devant nous.

« Il y a huit ans, dit Gregg, je me suis retrouvé à travailler dans les prisons après avoir lu un article dans le journal rapportant que les détenus n'avaient pas droit à des soins de santé. Même si je n'avais aucune expérience du système judiciaire, je voulais tout de même offrir mon aide. Alors, j'ai commencé à faire du bénévolat, ce qui m'a lancé dans ma carrière de formation et de conseiller.

« Le travail en prison consiste principalement à enseigner aux détenus comment mieux prendre soin de leur santé et comment entretenir des rapports dénués de violence avec les autres détenus. Certains d'entre eux ont commencé à faire de la méditation bouddhiste et d'autres à s'occuper des soins aux détenus âgés ou malades. Pour cela, ils suivent des cours de premiers soins et de réanimation cardio-pulmonaire, ou encore étudient même dans le domaine de la thérapeutique naturelle comme l'aromathérapie. Ce travail me fascine ! Il est amusant de voir ces énormes gars tatoués sentir des flacons d'huiles essentielles et donner des massages de pied ! Ils adorent ça. Je parie que si on suivait l'histoire de ces gars pendant un certain temps, on se rendrait compte qu'ils retombent moins souvent dans la délinquance que les autres. Lorsque ces gars se donnent des accolades au lieu de se battre et de se frapper, j'ai l'impression qu'ils sont en train d'apprendre à vivre d'une autre façon et que, lorsqu'ils sortiront de prison, ils sauront contribuer positivement à la société. Ce travail est vraiment significatif à mes yeux. »

Lorsque le contrat de Gregg vint à échéance et fit l'objet de nouvelles négociations, il ressentit une certaine résistance au changement. « Mon intuition m'a ensuite dit, explique-t- il, que tout cela concernait le renoncement au sentiment de sécurité et le saut dans le vide qui nous amène à faire davantage confiance au pouvoir infini universel. Le temps était venu pour moi de mettre en pratique, avec une foi accrue, ce que j'avais lu et enseigné ! Mais une chose était certaine, le travail avec les détenus allait me manquer. Comme personne d'autre ne fait ce boulot dans l'organisation, il était à peu près certain que ce programme serait abandonné. Bien qu'il ne s'agisse que d'une très infime partie de mon travail en tant que conseiller, elle n'en est pas moins très significative. Je me suis donc entretenu avec les responsables de l'organisation, qui se sont montrés très ouverts à ce que je travaille moins d'heures pour eux, c'est-à-dire que j'aille dans les prisons seulement un ou deux jours par mois. Et une autre possibilité intéressante s'est présentée, celle de m'occuper d'une formation en développement organisationnel avec eux, formation qui correspond "par hasard" parfaitement avec le contenu de ma maîtrise.

« Au cours de ces dernières années, j'ai réalisé que lorsque les choses finissent dans ma vie, c'est qu'il y a toujours des raisons à cela et que de meilleures possibilités m'attendent, qui sont plus en accord avec ma mission de vie. Une fois que j'ai eu bien compris cela, j'ai conclu deux autres contrats de formation et été choisi pour travailler sur un projet dont la thématique correspond exactement à celle de mes études. Un autre organisme vient de m'appeler aussi pour me proposer de passer en revue leurs ateliers et leurs manuels d'animation. Si ce n'est pas l'abondance, je me demande bien ce que c'est !

« Il va sans dire que j'ai fait d'immenses prises de conscience. Une fois les blocages éliminés, l'énergie peut circuler en moi et je prends conscience de mon intuition, qui à son tour me fait prendre conscience des synchronicités. C'est ce que je mets en pratique depuis un an, tout simplement ! Mon degré de confiance s'approfondit maintenant et, plus la confiance est grande, plus l'énergie circule. La vie se déroule presque sans effort. Je sens que je suis absolument en harmonie avec ma mission. Aujourd'hui, j'ai tout ce que je m'étais dit que je voulais avoir. J'adore ce processus ! »

COMMENT COMPOSER AVEC LA CONFUSION

Même si vous êtes dans le chaos, sur la touche, tendu, perdu, confus, dispersé, paniqué ou dans le vide, vous pouvez faire certaines choses pour prendre avantage des circonstances.

- *Plongez.* Admettez que vous êtes dans la confusion totale et couchez vos impressions dans votre journal ou enregistrez-les sur cassette. Exprimez à quel point vous vous sentez mal. Dites à Dieu combien vous êtes bouleversé. Racontez-lui votre problème. Videz-vous le cœur et payez-vous le luxe de piquer une crise. Pleurez et laissez-vous emporter par la colère. Inscrivez sur une feuille de papier toutes les choses qui vous dérangent, faites-en une boule et jetez-la dans la corbeille ou bien brûlez-la dans la cheminée. Répétez ce processus tant que vous n'êtes pas calmé.
- *Observez les endroits où se trouve la tension dans votre corps.* Si c'est possible, allongez-vous à plat ventre dans un endroit herbeux, propre et tranquille. Ou même encore mieux, sur un gros rocher. Si le temps vous oblige à rester à l'intérieur, allongez-vous sur le sol. L'important, c'est d'avoir le ventre en contact avec la terre. Visualisez que toutes les émotions lourdes emprisonnées dans votre corps se vident dans la terre. Selon la tradition péruvienne, la terre est notre mère et elle adore toutes ces énergies lourdes. Alors, que la terre les reçoive ! Une fois que vous vous êtes nettoyé, trouvez quelque chose d'inspirant, de beau et de calmant à regarder. Attirez en vous cette belle énergie fine et emplissez-vous-en.

  Vous pouvez aussi imaginer que vous envoyez une lumière blanche et paisible à l'endroit où se trouve la tension. Si vous êtes auditif, essayez de lui parler calmement et gentiment, comme vous parleriez à un enfant bouleversé. Ou encore, vous pourriez mettre la musique apaisante et inspirante que vous aimez le plus et imaginer qu'elle pénètre dans cette zone.

La course, la marche ou un bon entraînement peuvent faire des merveilles lorsque vous vous sentez confus. Les étirements de yoga sont peut-être ce qu'il y a de mieux pour se calmer l'esprit. En fait, le but est de se couper des pensées qui tournoient et de revenir au corps physique pour retrouver une sensation d'enracinement et de calme.

- *Acceptez le fait que votre état de chaos actuel a une raison d'être.* Quelque chose en vous est en train de changer. Vous êtes en train de muer. Un changement inattendu peut amener une merveilleuse nouvelle journée et de nouvelles possibilités, peu importe où nous sommes rendus dans notre périple. Tout est possible.
- *Si vous avez besoin de prendre des décisions immédiates, mettez sur papier toutes vos préoccupations, possibilités, peurs et hésitations.* Représentez-vous visuellement les idées, émotions et questions qui émergent en vous. Supposons que vous soyez en train de divorcer et que vous ne sachiez pas si vous devriez quitter la ville, démissionner de l'emploi qui ne vous satisfait pas, retourner vivre chez vos parents ou juste faire un long voyage au Mexique. Un processus naturel d'organisation se met en branle lorsqu'on écrit ces choses. Commencez par les questions et les émotions les plus pressantes dans la colonne de gauche. Énumérez les choses que vous voulez ou la façon dont vous voulez vous sentir dans la colonne de droite. Laissez les idées se regrouper naturellement en catégories, entre autres les problèmes, les gens à appeler, les lettres à écrire, les variables qui nécessitent plus d'information, etc.
- *Tracez un cercle et inscrivez-y tout ce que vous désirez.* Allez-y. Ne vous arrêtez pas à vous demander si vous avez assez d'argent, si vous méritez ces choses ou si elles sont tout simplement possibles. Contentez-vous d'écrire. Révisez

votre liste dans six mois ou dans un an. Vous serez surpris de constater à quel point votre vie a changé pour prendre la direction de ce que vous aviez demandé sur votre liste. Ne me croyez pas sur parole, essayez !

- *Faites un collage à partir de photos de magazines qui représentent des scènes, des paroles et des gens qui vous inspirent.* Vous pouvez en faire une belle soirée, seul ou en compagnie d'un ami ou deux. Pour cela, vous aurez besoin d'une bonne pile de vieux magazines, d'une paire de ciseaux, de colle et de quelques morceaux de carton ou de papier cartonné de couleur. Mettez une belle musique et commencez par feuilleter rapidement les magazines pour voir ce qui retient votre attention : mots, phrases, images d'articles que vous désirez, scènes qui évoquent chez vous un grand enthousiasme. Servez-vous du carton ou du papier cartonné (un ou plusieurs) pour coller vos découpages. Vous remarquerez qu'une organisation naturelle s'opère pendant que vous effectuez votre collage.

  Quand le collage est fini, accrochez-le dans un endroit où vous pouvez le voir pendant un certain temps, pendant qu'il aide de nouvelles choses à se manifester dans votre vie. Si l'enthousiasme que vous ressentiez pour lui au début s'est estompé, rangez-le dans un endroit où vous ne pouvez le voir, Ressortez-le dans un an et observez quels sont les événements de votre vie qui correspondent à ses éléments.

- *Faites quelque chose de simple.* Lorsque nous sommes dans la confusion, nous avons naturellement tendance à nous sentir dépassés par tout. Notre façon habituelle de composer avec la situation pour relâcher la tension est de nous rabattre sur nos habitudes favorites, comme manger, boire de l'alcool, prendre des médicaments, regarder la télévision ou faire de la procrastination. Lorsque nous faisons quelque chose de très simple, ne serait-ce que mettre de l'ordre sur notre bureau, nettoyer un tiroir ou repasser, notre moral remonte. Quand nous nous sentons mieux, notre énergie remonte toute seule et nous nous détendons. Et lorsque nous sommes détendus, nous sommes plus à même de prendre les choses en main.

- *Arrêtez de répéter à tout le monde que vous êtes dans la confusion.* Étant donné que vous avez déjà reconnu votre degré de confusion, le fait de continuer à en faire cas ne produira pas les résultats escomptés. Cette habitude de toujours ressasser le même problème n'est pas facile à rompre. Il va de soi qu'un entretien à cœur ouvert avec un ami en qui vous avez confiance peut s'avérer un cadeau du ciel. Cependant, nous nous lançons trop souvent dans une sorte de complainte qui ne remonte ni notre moral ni celui de la personne qui nous écoute. Remarquez à quel point votre énergie baisse quand vous écoutez les gens vous raconter leurs tristes histoires.

- *N'attendez pas que tout soit clair pour passer à l'action.* Faites confiance à ce que vous ressentez. Dans mes ateliers, j'ai souvent entendu les gens dire qu'ils attendaient d'avoir les idées claires pour pouvoir passer à l'action. J'ai découvert, quant à moi, que j'ai rarement les idées claires quand je m'aventure dans l'inconnu, qu'il s'agisse d'un nouvel emploi, d'un nouveau projet ou d'une nouvelle relation amoureuse. Cette clarté viendra peut-être quelques jours, mois ou années plus tard, et je me dirai alors que j'ai bien fait d'avoir foncé. Mais au moment où je m'y aventure, ce n'est habituellement pas le cas.

En fait, en voulant la clarté, nous voulons avoir la garantie de réussir ce que nous entreprenons. Nous voulons la clarté pour nous assurer de ne jamais faire d'erreur et pour faire en sorte que, désormais, tout se passera bien. Par contre, le fait de ne pas attendre d'avoir les idées totalement claires ne veut pas automatiquement dire que nous devons nous jeter impulsivement dans quelque chose en espérant que cela nous mènera à la destination voulue. Pourquoi ne pas émettre l'intention de rester dans le courant tout en suivant une certaine direction ?

- *Concentrez-vous sur les résultats, le sentiment de réussite et le bonheur que vous désirez avoir.* Au lieu d'attendre que la clarté escomptée survienne, imaginez que vous vous sentez bien. Le changement s'initie à partir de l'intérieur, chose que nous oublions habituellement. Vous avancerez plus loin et plus vite si vous imaginez le bien-être que vous ressentirez une fois les nouveaux résultats obtenus. Quand on pose un geste à partir d'un état de confusion et de bouleversement, les choses ne se déroulent en général pas bien.

- *Émettez une affirmation simple mais authentique et inspirante.* Pensez à un moment où vous vous êtes senti en pleine forme et totalement en harmonie avec votre mission. Par exemple, une femme qui assistait à l'un de mes cours se remémora le moment particulier où elle avait ressenti un grand plaisir à peindre et à décorer son appartement. Elle avait peint les murs de couleurs vives, accroché de nouveaux rideaux, encadré quelques reproductions et disposé quelques plantes dans la cuisine. En repensant à ces moments agréables, elle transcrivit sur papier certains des sentiments qui lui venaient. Ce souvenir lui fit réaliser à quel point la beauté et la simplicité étaient importantes à ses yeux. Elle prononça donc l'affirmation suivante : « Je suis un être qui vit dans la joie, la beauté et la simplicité. » Ce simple énoncé peut devenir le mantra qui représente la façon dont elle veut se sentir. La vie nous pousse toujours dans la direction où nos intentions sont les plus fortes.

COMMENT COMPOSER AVEC UNE FIN

Lorsque le changement se traduit par une fin, celle d'une relation, d'un style de vie, d'une carrière, d'un emploi, d'une façon de nous identifier à une réalité ou de la sécurité financière, nous faisons tout ce qui est en notre pouvoir pour empêcher ou prévenir cette fin. Par exemple, lorsque nous divorçons, au lieu de ressentir la solitude et d'apprendre à être bien avec elle, nous entamons peut-être trop vite une nouvelle relation. Dans un même ordre d'idée, lorsque nous sommes licenciés, nous nous jetons sur le premier emploi venu pour pouvoir payer notre hypothèque, au lieu de prendre le temps de trouver un emploi qui nous satisfasse réellement. Si, avec les années, nous accumulons une série de fins avec lesquelles nous avons mal composé, nous finissons habituellement par éprouver du ressentiment et de la colère sans vraiment comprendre d'où ils proviennent. On qualifie souvent ce résidu d'émotions non évacuées de « fardeau ». La principale façon dont nous avons tendance à gérer la tension inconsciente occasionnée par ce méli-mélo émotionnel, c'est de refuser toute responsabilité par rapport aux choix que nous avons faits. Il est plus facile pour l'ego de reporter la faute sur les circonstances ou sur les autres.

Les dénouements font inévitablement partie de la vie. Nous sommes faits pour apprendre, pour mûrir et pour évoluer. Si nous tardons à clore quelque chose qui est réellement terminé pour nous, la vie saura y voir.

- *Sentez la douleur*. Le plus souvent, les dénouements sont douloureux et n'arrivent pas dans un emballage cadeau. Il se peut que nous ayons de nombreux regrets et que nous souhaitions avoir fait les choses de façon différente. La vie est complexe et il n'existe pas de façon juste de faire. Le mieux, c'est peut-être de laisser ces moments de douleur, tristesse, déception, colère ou peur vous enseigner quelque chose.

Que votre deuil dure aussi longtemps que vous en avez besoin. Cette étape est bien trop souvent escamotée, niée ou ignorée. Il nous est naturel de ne pas vouloir être blessé ou abandonné, ou d'échouer. Les fins sont cependant une belle occasion de nous désengager de circonstances qui, selon toutes les apparences, veulent disparaître de notre vie. Nous évoluons et nous muons.

- *Prenez votre temps.* Accordez-vous un temps de récupération. Dorlotez-vous un peu... ou beaucoup.
- *Observez ce que vous rappelle cette fin de situation.* La fin de votre mariage vous rappelle-t-elle le souvenir d'une perte dans votre enfance ou vous ramène-t-elle un vieux refrain intérieur qui vous remet sous le nez le fait que vous ne finissiez jamais rien ? Si vous vous sentez complètement submergé par le chagrin ou la dépression et que la cause ne semble apparemment pas si grave, il vaudrait mieux consulter un thérapeute pour vous aider à mieux voir l'ensemble de la situation. Servez-vous de la situation pour mieux vous connaître et savoir ce qui est important pour vous.
- *Faites honneur à ce qui est fini.* Éprouvez de la gratitude pour les expériences que la vie a mises sur votre chemin. Mettez vos impressions par écrit dans votre journal et décrivez vos sentiments. Les grandes prises de conscience nous viennent naturellement lorsque nous sommes silencieux et que nous désirons sincèrement absorber nos expériences. Décrivez tout ce envers quoi vous ressentez de la gratitude, maintenant et dans la situation qui vient de finir.
- *Écrivez à vos amis.* Si vous venez de quitter un emploi dans une entreprise, y a-t-il des gens qui ont été gentils avec vous ? Imaginez comment ils se sentiraient si vous leur écriviez un petit mot de remerciement. Si vous le faites, vous vous sentirez bien vous aussi et vous pourrez ainsi boucler la boucle, surtout si vous n'êtes pas parti de votre plein gré. Mais n'écrivez à ces gens que

si vous ressentez vraiment de la gratitude pour l'amitié ou l'aide qu'ils vous ont accordée.

COMMENT COMPOSER AVEC UN NOUVEAU DÉBUT

Une des sensations les plus pénibles dans la vie survient lorsque nous quittons une zone de confort relatif pour entreprendre un nouveau projet ou nous ouvrir à de nouvelles opportunités. Par contre, si nous n'avançons pas dans la direction de ce qui nous appelle, nous nous épuisons beaucoup plus parce que, même si nous savons que nous devrions aller de l'avant, nous employons toute notre énergie créative à résister au lieu de créer. Tout cela exige beaucoup d'énergie ! Une des meilleures choses que vous puissiez vous dire lorsque vous prenez une nouvelle orientation, c'est qu'il n'y a pas de problèmes à ne pas être parfait immédiatement. Sauf si vous devez piloter un avion de ligne pour la première fois ou procéder à une opération du cerveau ! Nous sommes nombreux à souffrir en raison des fausses idées que nous nous faisons sur les attentes des autres à notre égard ou de la croyance que nous devons savoir que nous allons dans la bonne direction avant même d'avoir reconnu le potentiel de celle-ci. Pour pouvoir bien composer avec un nouveau début, soyez prêt à intensifier votre vivacité, votre réceptivité et votre intuition. Répétez-vous que vous apprendrez ce que vous avez besoin d'apprendre et que vous saurez composer avec tout ce qui se présentera. Affirmez sans arrêt que vous vous trouverez toujours au bon endroit, au bon moment.

- *Foncez.* Faites la liste des raisons qui font que, selon vous, ce nouveau début était une très bonne idée. Mettez-la dans un endroit où elle vous remontera le moral dans vos moments de doute.

- *Assurez-vous que c'est agréable.* Dans la vie, les changements nous proposent bien des choix. Il suffit de se fier à notre guide intérieur pour savoir lesquels sont justes pour nous. Cette situation ou cette personne vous fait-elle vous sentir bien ? Ressentez-vous de l'enthousiasme, même si la situation vous fait un peu peur ? Vérifiez de temps à autre pour voir ce que votre instinct vous dit. Est-ce que c'est intéressant et agréable ? Est-ce que j'apprends quelque chose de nouveau ?
- *Demandez de l'aide.* Les nouveaux commencements semblent toujours étranges. Vous n'aurez pas toutes les réponses d'emblée, mais d'autres pourraient les avoir et, en les questionnant, vous aurez une superbe occasion de donner le plaisir à quelqu'un d'autre de vous aider. Mais prenez par contre des décisions qui vous soient personnelles. Demandez à l'univers de vous donner exactement ce dont vous avez besoin. J'ai entendu parler d'un nombre incalculable de gens qui avaient demandé des choses aussi bizarres que de l'information sur la vie sexuelle des chameaux en Abyssinie et qui avaient trouvé des experts en la matière en demandant à deux ou trois amis s'ils « connaissaient quelqu'un qui connaissait quelqu'un ». Nous avons tous fait l'expérience de cette forme fascinante de synchronicité appelée « six degrés de séparation » , voulant qu'il n'y ait que six personnes entre nous et la personne exacte que nous voulons rencontrer. Si, par exemple, vous vouliez commencer une nouvelle carrière à la télévision, à qui vous adresseriez-vous qui pourrait connaître quelqu'un qui connaît quelqu'un qui est le cousin du réalisateur du *Tonight Show*? Rappelez-vous que nous sommes tous interreliés et que l'univers fait tout ce qui est en son pouvoir pour nous aider à réussir.

Aimez les choses telles qu'elles sont.

THADDEUS GOLAS[4],
The Lazy Man's Guide to Enlightenment

5

Entretenez votre vision

Un artisan tira un roseau de la roselière,
y perça des trous
et lui donna le nom d'être humain.
Depuis lors, ce roseau gémit d'angoisse
d'avoir été séparé des autres,
sans jamais faire allusion au talent
qui l'a fait naître flûte.

RUMI[1]

ENTRETENEZ LA VISION DE CE QUE VOUS VOULEZ

Lorsque vous entretenez la vision de ce qui vous interpelle vraiment, même si celle-ci est à l'arrière-plan dans votre esprit, soyez assuré que l'univers vous enverra des situations appropriées. Âgé de cinquante ans et vivant à New York, Paul Sladkus grandit dans le milieu du commerce des chaussures. Ce milieu lui plaisait relativement bien, mais son grand rêve était de faire carrière dans le milieu du spectacle. Il travailla pendant un certain temps du côté de la réalisation à la chaîne de télévision américaine CBS et finit un jour par diriger une entreprise florissante de commercialisation pour des stations radio d'ethnies diverses.

Même si Paul adorait toutes les facettes de son entreprise et tous les tours et détours qu'elle prenait, il avait toujours entretenu la vision de réaliser un jour une émission de nouvelles qui ne diffuserait que des nouvelles positives et inspirantes. « La plupart des changements dans ma vie se sont produits parce que j'ai suivi le courant, dit Paul. Il y a environ quatre ans, alors que je travaillais avec un de mes directeurs, je lui ai dit que j'aimerais beaucoup travailler sur des émissions de télévision prônant un esprit positif, mais que je ne pouvais me payer le luxe de m'acheter une chaîne de télévision ! Il m'a alors rétorqué : "Pourquoi est-ce que tu le fais pas sur Internet ?" J'ai trouvé l'idée intéressante et, même si je n'y ai pas donné suite à l'époque, la graine était semée. Il y a deux ans, j'ai sous-loué une partie de mes bureaux à une entreprise Internet. Le fait d'être constamment en contact avec ces jeunes spécialistes pleins d'énergie et d'expérience m'a incité à repenser sérieusement à mon idée. Le père d'un de ces jeunes m'a même lancé : "Pourquoi est-ce que tu ne le fais pas tout simplement ?" Et je l'ai fait ! Le 4 juillet 1998 (fête nationale américaine), j'ai donc lancé mon émission sur Internet, émission qui s'appelle *Good News Broadcast* (www.goodnewsbroadcast.com).

« Il y a des gens vraiment intéressants qui sont passés à cette émission, qui devient de plus en plus connue. Mon but est de trouver, recevoir ou produire des nouvelles non violentes, qui prônent la vie et qui éveillent et éduquent l'esprit. Que les gens qui veulent faire part de bonnes nouvelles m'appellent au (212) 647-1212 ou m'envoient leurs courriels à l'adresse goodnews@goodnewsbroadcast.com. »

Quelle journée splendide !
Pas âme qui vive dans le village
à faire quoi que ce soit !

SHIKI[2]

LE DÉSIR EST SOURCE DE RENOUVEAU ET DE CHANGEMENT

Le désir est une grande force motrice en nous sur le plan de la créativité. Loin d'être à l'origine de la souffrance, comme l'idéologie bouddhiste l'énonce, le désir est nécessaire pour que nous puissions changer et créer, pourvu que nous ne nous attachions pas à un résultat quelconque. La vie s'accompagne bien sûr de souffrance. En effet, nous souffrons lorsqu'il existe un grand fossé entre ce que nous avons et ce que nous voulons. Cependant, c'est grâce à ce même contraste que nous pouvons créer et apprendre. Le désir est le moteur qui dirige l'énergie vers l'univers et attire à nous changement et renouveau.

LA PENSÉE CRÉE

Chaque fois que nous pensons à quelque chose, nous dirigeons notre attention vers un objet. Prenons l'exemple des trois intentions suivantes :

Je veux trouver ma mission de vie.

Je veux que mon client X m'appelle et commande un autre (x, y, z).

Je veux écrire, mais je n'en ai pas le temps.

Parfois, nous n'obtenons pas ce que nous voulons parce que nos intentions ne sont pas assez claires. Quelle est selon vous la motivation centrale de chacun des énoncés précédents ? En ce qui concerne la première affirmation, l'intention est très directe et définie. Elle est axée sur l'établissement d'un lien avec un objet qui soit satisfaisant et en accord avec ce que vous aimez faire. C'est une déclaration qui se met à votre service et qui vous rappelle que vous êtes en train d'explorer diverses avenues afin de trouver celles qui vous sont appropriées.

Par contre, le deuxième énoncé sous-entend que l'abondance ne peut vous provenir que d'une seule personne. Il émane d'un sentiment de manque, d'une peur que l'abondance soit limitée. (Il peut cependant s'avérer que votre intuition vous envoie le message haut et clair que c'est le moment idéal de communiquer avec cette personne, mais pour une raison très différente que de vouloir qu'elle achète quelque chose !)

Le troisième énoncé contient un message ambigu pour l'univers, car l'intention d'écrire est diluée ou neutralisée par l'énoncé selon lequel on n'a pas assez de temps pour le faire. L'inconscient entend que vous n'avez pas assez de temps et s'organise pour que cela arrive dans votre vie. Une des lois universelles veut que l'énergie suive la pensée. Ce à quoi vous accordez de l'attention se manifeste dans votre vie. En effet, en fonction de la loi de l'attraction, ainsi que bien des maîtres que l'on dit souvent être empreints de sagesse éternelle l'enseignent, les semblables s'attirent. Nous attirons à nous les gens et les événements qui correspondent à la fréquence que nous émettons. La vibration énergétique qui émane de nous correspond au sens que nous avons de notre identité et de nos croyances.

SAVOIR OÙ L'ON SE SITUE

L'important n'est pas d'opposer systématiquement une chose à une autre, mais de savoir exactement où l'on se situe.

PEMA CHÖDRÖN[3],
Quand tout s'effondre

L'IMAGINATION CRÉE LA FORME

Valerie Rickel est la fondatrice de www.soulfulliving.com, site Internet primé par le *Los Angeles Times* en l'an 2000. Fort bien structuré, ce site propose une myriade de thèmes : auteurs inspirants, méthodes de guérison, produits divers et informations sur les événements axés sur la spiritualité. Après le décès de son père, événement catalyseur dans la vie de bien des femmes, il devint clair pour Valerie qu'elle voulait avoir un travail plus significatif. Elle avait réussi une carrière en marketing dans les centres commerciaux et elle envisageait maintenant de devenir conseillère en profession puisqu'elle aimait beaucoup orienter les gens et leur faire des recommandations. C'est ce que son site Internet lui permet de faire de bien des façons.

Cette transition s'amorça lorsque deux possibilités d'emploi tombèrent à l'eau. Dans un cas, ce fut en raison d'une opération à l'épaule et dans l'autre, parce qu'un nouveau centre d'achats fut vendu avant même qu'elle puisse accepter l'emploi. « La tension causée par la mort de mon père, mon opération et la déception de ne pas pouvoir décrocher ces emplois me poussèrent dans mes limites extrêmes. Je finis par placarder une note sur ma porte où était inscrite la phrase suivante : "Arrête de te battre et laisse venir les choses." »

Valerie commença également à envisager de mettre ses talents en marketing au service d'un organisme à but non lucratif, comme une université ou un musée des sciences. Elle se sentait appelée à se faire un nom dans le domaine de l'éducation, des arts ou des sciences. « À cette même époque, le flot de créativité était intarissable chez moi. Je n'arrêtais pas d'avoir des idées sur mon site. La passion m'habitait littéralement ! Un mois plus tard, un ancien patron très respectueux et généreux m'offrait un emploi fantastique et une promotion remarquable dans mon domaine. Cet emploi m'a permis de payer mes factures et de disposer de temps pour mettre mon site Internet au point.

« J'ai inauguré mon site en janvier dernier et réalisé un beau jour que j'avais effectivement créé le travail significatif que je voulais. Quel bonheur ! Je crois que j'ai trouvé ma mission de vie, c'est-à-dire créer ce qui me passionne le plus et le partager : vivre une vie où l'âme exulte. Et ce sont toutes mes expériences qui m'y ont conduite. La clé pour moi a été d'arrêter de me battre et de planifier, et plutôt de me concentrer sur ce que je voulais et de laisser la vie faire son œuvre ! »

Observer le besoin d'équilibre entre travail et vie familiale

Voici un autre exemple où la visualisation joua un rôle important pour amorcer un changement. C'est l'histoire d'une femme que j'appellerai Fran. Vice-présidente du service des ressources humaines d'une entreprise familiale dans le domaine alimentaire, elle m'envoya un courrier électronique relatant les effets positifs de sa détermination à entretenir sa vision. Elle me dit que, pendant des années, les affaires avaient constitué sa préoccupation majeure. En effet, elle assistait à tous les séminaires et à toutes les réunions d'affaires qui se présentaient et mettait toute son énergie à exceller dans son travail. « Je ne saurais dire exactement quand le changement s'est amorcé parce qu'il s'est effectué sur plusieurs années. J'ai simplement compris que mon travail ne me comblait plus et que je devais trouver un équilibre dans ma vie. »

Visualisation des résultats recherchés

Pour commencer, Fran ressentit le besoin pressant d'être auprès de ses enfants à leur retour de l'école. Dans une visualisation, elle les vit sauter dans ses bras à leur descente de l'autobus scolaire. « Le plus gros du changement fut de déterminer comment j'allais m'y prendre pour travailler moins d'heures avec mon père et mes frères. C'est dans ma façon de faire les choses que j'ai vu qu'un changement s'opérait en moi. Un jour, j'ai simplement senti qu'il était temps que j'aborde avec eux le sujet de mes heures de travail.

« Au lieu de me rendre au bureau la larme à l'œil et les émotions à fleur de peau, état dans lequel j'aurais perdu tout pouvoir personnel, j'ai tapé une courte lettre très professionnelle où je leur exposais mon désir de rester à la maison avec mes fils plutôt que de les laisser à la garderie. Dans cette lettre, je demandais de les rencontrer parce que je savais que nous devions discuter de mon salaire et de l'effet qu'une réduction de mes heures de travail allait avoir sur eux. Dans cette lettre, je leur faisais également part de mon appréciation pour leur dévouement envers l'entreprise et, vu que j'étais consciente qu'ils travailleraient plus que moi, je sollicitais leur compréhension et leur respect.

« Le matin du rendez-vous familial, j'ai envoyé de l'amour vers le bureau afin que, lorsque j'y arriverais, j'y sois dans un certain sens déjà présente. Mon guide intérieur m'a dit de simplement énoncer mon désir et ensuite d'être silencieuse. Et c'est ce que j'ai fait. » Cette réunion s'avéra en fait beaucoup plus positive que Fran ne l'avait prévu. Non seulement son père et ses frères tombèrent d'accord pour son nouvel horaire écourté, mais ils convinrent de continuer à lui donner son plein salaire.

Remercier Dieu d'avance

« Six mois plus tôt, mon mentor spirituel m'avait dit que, si je désirais du fond du cœur travailler moins d'heures, je devais en remercier l'univers d'avance. Alors, dès que cela me revenait à l'esprit, je remerciais Dieu de pouvoir être plus souvent avec mes fils. Je les visualisais descendant de l'autobus scolaire et arrivant en courant à la porte, où je les attendais. Ensuite, ça n'a été qu'une question de temps. Ce qui se passait déjà sur le plan spirituel se manifesta concrètement sous mes yeux. Et j'étais en partie responsable de cette réalité ! »

Il est important de vous rappeler que vous devriez prendre plaisir à faire cette visualisation, car si vous la faites froidement sans ressentir une certaine joie, elle n'aura pas grand effet.

FAITES ACTE DE PRÉSENCE ! APRÈS TOUT, IL S'AGIT DE VOTRE VIE !

Angeles Arrien écrit des livres et donne des cours sur la voie à quatre volets du chaman, ce dernier étant en fait la personne sage qui a conscience de ce qu'elle est et qui s'exprime dans l'authenticité. Selon Arrien, les changements de la vie nous remettent habituellement sur notre véritable voie lorsque nous faisons les quatre choses suivantes : 1) lorsque nous faisons preuve d'authenticité dans la vie ; 2) lorsque nous prêtons attention à nos sentiments, nos émotions et aux synchronicités qui se présentent à nous ; 3) lorsque nous disons la vérité sur ce que nous voulons vraiment, et ; 4) lorsque nous cessons de vouloir que les choses se passent d'une façon particulière et que nous lâchons enfin prise.

L'authenticité

La qualité de notre vie s'améliore lorsque nous sommes vraiment nous-mêmes, que nous sommes détendus, heureux et confiants. Nous sommes authentiques dans la vie lorsque nous savons qui nous sommes et que nous nous vouons à ce que nous faisons. Nous sommes authentiques lorsque quelque chose nous importe vraiment ou que nous faisons de notre mieux dans une situation quelconque. Par contre, nous manquons d'authenticité lorsque nous travaillons trop, sommes soucieux ou jaloux, faisons du ressentiment ou avons peur de l'inconnu. Nous manquons d'authenticité lorsque nous essayons de donner l'impression que nous sommes présents mais que nous faisons le minimum, lorsque nous espérons que personne ne remarquera que nous n'écoutons pas ou que nous ne participons pas vraiment. Lorsque nous sommes dans un état d'esprit qui nous fait penser que la situation ne compte pas réellement ou que nous passons seulement le temps, c'est que nous résistons peut-être à entrer dans l'inconnu et à ne pas vouloir voir le changement comme bénéfique. Pourquoi faire des vagues alors que nous fonctionnons à peine ou que nous réprimons nos désirs ?

Dans quel domaine de votre vie êtes-vous vraiment authentique ? Et dans quel domaine vous contentez-vous de bien paraître ?

L'attention

Prêter attention à ce qui se passe dans notre vie est une attitude qui nous maintient à l'affût de la découverte. Nous sommes probablement nombreux à remarquer tout d'abord les moments où nous ne prêtons pas attention, où nous sommes « « hors service ». En général, lorsque nous ne sommes pas authentiques, nous ne prêtons guère aussi attention à ce qui se passe réellement en nous. Nous ressentons de l'ennui, sommes épuisés, déprimés, désemparés ou confus. C'est en prêtant davantage attention à nous-mêmes et à notre situation que nous reprenons notre pouvoir. Les solutions peuvent alors émerger ou devenir possibles. Si nous résistons à ce que nous savons d'intuition, nous ne prêtons pas vraiment attention à ce que nos émotions nous disent : Ce travail ne me convient plus ; je veux vraiment suivre un cours de création littéraire ; il est temps de mettre fin à ce manège et de faire quelque chose de plus valable que de juste exister. Demandez-vous ce que vous avez derrière la tête ou quel était ce rêve que vous aviez à l'âge de douze, vingt ou trente ans. Pour aller de l'avant, vous devez prendre note de l'idée ou de l'émotion qui essaie de solliciter votre attention maintenant ou depuis quelque temps.

Une autre façon de prêter attention aux choses est de prendre la décision de remarquer ce qui capte votre intérêt au cours de la journée. Avez-vous tendance à lire des articles de journaux relatant l'histoire de gens qui se vouent à la sauvegarde de la forêt pluviale ou qui font des percées dans le domaine médical ? Qu'est-ce que cela signale en ce qui concerne votre vie ? Quelle parcelle de vérité vous fait signe qui peut vous indiquer dans quel sens aller pour réaliser votre mission de vie ?

Afin d'augmenter votre capacité à prêter attention à ce qui se passe, attribuez-vous une tâche. Demandez-vous une question directe du genre « À quoi devrais-je accorder mon attention ces jours-ci ? » Inscrivez quelque part les éléments qui, chaque jour, piquent votre curiosité, vous font rire, vous intriguent, même si c'est de façon très subtile. Votre intuition sait comment trouver les réponses que vous cherchez si la question est judicieuse et directe.

Remarquez les gens à qui vous avez tendance à penser au cours de la journée et dites-vous qu'il y a peut-être une raison pour laquelle vous avez pensé à cette personne. Allez un peu plus loin en lui passant un coup de fil ou en lui écrivant un petit mot. Nous ne savons jamais pourquoi une chose est portée à notre attention, mais la vie devient une aventure lorsque nous nous arrêtons pour voir et écouter ce qui se passe autour de nous. La décision que vous prenez d'être éveillé et de faire acte de présence dans votre vie est une des plus importantes façons de garder le contact avec votre guide intérieur. La personne éclairée – le chaman – sait qu'il n'y a pas de hasards et que le chemin que nous foulons recèle plein d'indications, pourvu que nous prenions le temps d'observer ce qui se cache derrière les apparences.

La vérité

Pour aller de l'avant, vous devez tout d'abord dire la vérité quant à ce que vous voulez réellement. Alors seulement pourrez-vous attirer à vous les expériences justes et appropriées. Nous passons beaucoup de temps à parler de ce que nous ne voulons pas et à nous répéter sans arrêt des histoires qui nous cloisonnent. Par exemple, nous nous sommes tous entendus dire : « Je ne sais pas ce que je veux faire », « Je suis coincé », « Je ne sais pas par où commencer», «Si j'avais de l'argent, les choses seraient différentes», «J'ai bien trop de responsabilités pour tout laisser tomber et faire autre chose», «Je ne finis jamais rien», «Je suis trop impatient», «Je suis vraiment frustré», «J'ai de la difficulté à passer à l'action.» Comme nous focalisons seulement sur la vision que nous avons du problème et que nous lui laissons avoir de l'ascendant sur notre humeur, il finit par justifier le fait que nous n'allions pas de l'avant.

Lorsque vous voyagez, vous avez une destination en tête, disons New York. Pour vous y rendre, vous achetez un billet d'avion ou vous sautez dans votre voiture. Le désir d'aller à New York se réalise par l'intention d'atteindre votre destination. Si, par contre, je dis que je veux aller à New York mais que j'ai trop peur de prendre l'avion, que le voyage reviendra trop cher, que c'est trop loin pour y aller en voiture ou encore que j'aimerais bien y aller mais que mon patron ne me donne jamais de congé, je dilue ou j'efface mon intention et bien entendu je ne m'y rendrai jamais.

C'est le même genre d'histoire que nous nous racontons quand il s'agit de faire le saut dans l'inconnu: «Je ne sais pas quelle est ma passion», «Je ne sais pas ce qui me plaît», «J'essaie seulement de travailler pour payer mon loyer en ce moment», «Je ne peux me payer le luxe de trouver ce qu'est ma véritable mission de vie», «Je viens de prendre ma retraite et je ne veux pas me retrouver de nouveau pieds et poings liés», «Je veux me marier, mais je ne rencontre jamais d'hommes (de femmes).»

Il se peut fort bien que, lorsque nous étions enfants et désemparés, les autres aient fait preuve de sympathie ou encore que nous nous soyons faits tout petits et insignifiants pour éviter d'être le centre de l'attention. Une partie de notre tendance actuelle à rester petit ou invisible, ou encore à mettre sur le dos des autres notre incapacité à aller de l'avant provient de ce vieux comportement. Lorsque nous nous plaignons et que nous nous exprimons de façon pessimiste face à la vie, les autres essaient souvent de nous encourager. Le fait d'être négatif peut devenir une excuse pour avoir de l'attention sans prendre le risque de faire quoi que ce soit. Étant donné que notre estime personnelle est basse, nous avons tendance à penser que ce sont seulement les gens spéciaux qui réussissent dans la vie. Ou bien nous attendons la révélation magique qui viendra clairement énoncer notre mission de vie. Cette forme de pensée, qui se fonde plus sur l'acceptation des limites que sur l'exploration des possibilités, nous maintient dans un sentiment d'impuissance et dans l'attente qu'une infusion de clarté nous frappe pour pouvoir poser un geste quelconque. Nous nous servons de l'excuse de la confusion pour rester dans l'inaction.

Il arrive parfois dans mes ateliers que, pour faire l'avocat du diable, je demande à une personne qui dit ne pas savoir ce qu'elle veut faire, si elle aimerait être camionneur. Ou encore si elle veut être secrétaire d'un PDG. Ou aide familiale. Ou chamelier.

En général, les gens savent très bien ce qu'ils ne veulent pas faire. Donc, cela revient à dire que nous avons effectivement une petite idée de ce que nous voulons. Nous évitons seulement de la reconnaître par peur de ne pas pouvoir la réaliser. Nous avons peur de prendre une décision parce que nous pensons qu'elle est définitive et oublions que nous faisons continuellement des choix tout au long de notre vie. La façon dont nous racontons nos histoires personnelles détermine notre ouverture à effectuer ou même à souhaiter des changements.

Le lâcher-prise

Jusqu'ici vous avez fait preuve d'authenticité, prêté attention et dit la vérité, tout en posant les gestes justes en fonction de votre discernement et de vos perceptions. À cette étape-ci, vous devez apprendre à ne plus vouloir contrôler les conséquences de vos actes et à faire confiance au fait que vous saurez quel geste vous devez ensuite poser. Lorsque vous envoyez votre curriculum vitœ, vous n'avez aucun contrôle sur l'endroit où il arrivera ni sur la façon dont il sera accueilli.

Lorsque vous faites une demande en mariage, vous ne savez pas si votre bien-aimée réduira vos espoirs à néant ou bien éclatera de rire tellement elle est heureuse. Quelle que soit la conséquence, si votre décision et vos gestes émanent d'un sentiment profond ou d'une impression vague, dites-vous que vous avez fait de votre mieux. Votre voie continuera de se révéler, à son rythme propre, et vous continuerez à récolter les informations qui vous permettront de prendre la décision suivante à la prochaine croisée de chemins. Remarquez la sensation de soulagement que vous ressentez lorsque vous réalisez que les résultats ne dépendent pas de vous !

REMARQUEZ LA FAÇON DONT VOUS RACONTEZ VOTRE HISTOIRE

Dans le poème de Rumi qui se trouve au début de ce chapitre, l'artisan vous a déjà tiré de la roselière et percé de trous. Ces trous, qui métaphoriquement représentent vos talents et vos expériences, sont ce qui font de vous un être unique. Est-ce que vous chantez ou vous vous lamentez ?

Une femme du nom de Sue me fit part de son insatisfaction au travail dans l'industrie de l'informatique, où elle occupe un poste d'analyste, de rédactrice et de conceptrice. Elle était confuse parce qu'elle ne savait pas quel travail lui conviendrait ni comment elle trouverait ce genre de travail. La correspondance que nous avons entretenue est un bel exemple de la façon dont beaucoup d'entre nous racontent une histoire qui nous empêche d'avancer. J'ai synthétisé nos dialogues informatiques et ajouté quelques remarques pour souligner certains points.

L'agitation et l'aspiration font partie du changement

Sue: J'ai l'impression que ma destinée ressemble à quelque chose qui sort de l'ordinaire et le fait de penser retourner dans le monde des affaires où l'argent fait la loi me remplit d'horreur et d'appréhension. Je n'ai jamais senti que j'appartenais au monde corporatif.

CA : Bien des gens ont l'impression de se perdre dans les rouages corporatifs de l'entreprise. Si nous voulons avancer, nous devons déterminer ce qui importe pour nous, ne serait-ce que de façon générale. Que voulons-nous ? Lorsque nous avons une idée de ce qui nous convient, nous pouvons établir des comparaisons avec ce que la vie met sur notre chemin. Bien entendu, il se peut que des choses arrivent que nous n'aurions jamais pu imaginer, c'est ce qui est vraiment intéressant.

Ce que vous dites au sujet du travail dans le monde des affaires instaure une intention très claire de ce que vous ne voulez pas. Rappelez-vous que votre inconscient comprend tout ce que vous dites comme étant ce sur quoi vous centrez votre attention et, par conséquent, créez. Il n'entend pas les mots « je ne veux pas ». Il réagit en fonction de ce sur quoi vous dirigez votre attention. Par conséquent, votre déclaration sur le monde corporatif dirige l'énergie sur ce que vous ne voulez pas, c'est-à-dire un horrible boulot où l'unique objectif est de gagner de l'argent !

Allez dans le sens de la résistance

CA : Pour commencer, penchons-nous sur votre commentaire. Vous ressentez horreur et appréhension face à votre travail. Voilà qui est intéressant. La force avec laquelle vous faites cette déclaration me donne à penser que la peur de vous sentir prisonnière du monde corporatif appartient à une peur plus grande qui vous paralyse.

Une façon d'avancer serait d'aller dans le sens de votre peur. Je me demande si vous n'auriez pas besoin de faire un apprentissage ici. Si vous acceptiez par exemple un emploi temporaire dans une entreprise, vous pourriez résoudre votre problématique plutôt que la fuir. Si vous choisissiez de faire ce genre de travail, vous n'auriez plus l'impression d'être prise au piège puisque c'est vous qui auriez fait ce choix. Que diriez-vous d'accepter un emploi de ce genre et d'en faire une pratique spirituelle pendant un temps limité, disons un an ?

Sue: Quelle suggestion intéressante et inspirante ! Un grand sourire m'est venu aux lèvres et j'ai frissonné quand je l'ai lue. Je pense que vous avez absolument raison. J'ai senti que cela sonnait juste pour moi aussi et donnait à ma recherche d'emploi un nouveau sens.

Reconnaissez qui vous êtes

Sue: Je me considère comme une artiste, aussi bien dans le sens où je suis motivée à bien articuler mon monde intérieur (dans quelque contexte que ce soit), que dans le sens où j'aime créer sur le plan visuel des objets à partir de divers matériaux.

CA : Bien. Vous parlez maintenant de ce que vous êtes et de ce qui vous anime. Combien de temps consacrez-vous à cette activité artistique dans votre vie ? Écrivez-vous ? Faites-vous de la photographie ? De la peinture ? Des collages pour attirer sur votre route ce que vous désirez ? Apprenez-vous de nouvelles formes d'art, comme la céramique ou le chant ?

Soyez précis quant à ce qui vous anime

Sue: J'ai l'impression que je dois accorder plus de temps à mes intérêts artistiques et m'entourer davantage de gens avec qui les partager. Peut-être même que je devrais louer un atelier de travail ! J'ai un profond attachement pour tout ce qui vit, en particulier les animaux et les zones vertes. En fait, j'aimerais contribuer à leur bien-être.

CA : Pourriez-vous être plus précise ? Trouvez trois choses que vous pourriez faire pour gagner de l'argent en prenant soin d'animaux ou de biens fonciers ?

Sue: Wow ! C'est tout un défi! Je vais consulter un livre que j'ai sur les diverses professions. Je me considère aussi comme une spécialiste de la communication et de l'écriture, et comme une designer (j'aime donner une belle forme à quelque chose de fonctionnel) et aimerais d'une façon ou d'une autre faire de cette planète un monde meilleur.

CA : Vous venez donc de définir plusieurs domaines particuliers où vous excellez et un désir d'ordre général, qui est de faire de cette planète un monde meilleur. Vous êtes la seule à savoir comment vous vous sentez en ce qui concerne vos talents particuliers, celui d'écrivain par exemple. Vous sentez-vous vraiment à l'aise quand vous dites cela ou bien êtes-vous penaude de ne rien avoir écrit depuis longtemps ou de ne pas encore avoir publié de livre ? La coloration émotive qui sous-tend vos déclarations constitue en fait la façon dont vous vous sentez à votre sujet. Si vous ressentez un tant soit peu d'insécurité, votre intention sera diminuée. Après tout, pourquoi votre inconscient voudrait que vous vous attiriez quelque chose qui vous inspire de l'insécurité ?

Il vaut mieux pour commencer faire des déclarations générales quant à la façon dont vous désirez changer votre vie. Vous pourrez le faire de manière plus spécifique quand vous serez plus sûre de vous. Par exemple, quand vous pourrez faire une déclaration de ce genre : « Mes revenus augmentent régulièrement et j'aime mon travail. » Posez de petits gestes qui vous font vous sentir bien. Dans un sens, quelle que soit l'activité que nous entreprenons, qu'il s'agisse de construire une salle d'opéra ou de donner refuge à un petit chat, nous avons l'occasion de changer le monde. Et nous changeons le monde lorsque nous développons une attitude positive et que nous faisons preuve de compassion envers les autres. J'aimerais vous suggérer de vous concentrer sur ce que vous aimez faire plutôt que de vous inquiéter de faire de ce monde un monde meilleur.

Sue: Très juste ! Cela me parle beaucoup. Je pense que faire le bien pour faire le bien – si cela n'inclut pas quelque chose que l'on aime – peut s'avérer vide de sens, même si les intentions sont bonnes. Je sens un appel à enseigner ou à transmettre mes connaissances et mes expériences.

CA: Une fois de plus, pouvez-vous être plus précise en ce qui concerne ce désir ? Vous voyez-vous enseigner à des enfants ? À des adultes ? Jouez avec cette idée. Si quelqu'un vous donnait une bourse de cinquante mille dollars pour enseigner, que feriez-vous de cet argent ? Imaginez la scène. De quoi avez-vous besoin pour vous former afin de pouvoir travailler dans le domaine de l'éducation ou de la communauté ?

Sue: D'accord ! L'enquête se poursuit ! J'aime beaucoup aider les autres à trouver les meilleures solutions possibles. Bon, d'accord, je sais tout cela mais je ne sais pas quoi en faire. Mon problème principal a toujours été de passer à l'action.

Évitez de faire de grandes déclarations qui ne vous servent pas

CA: J'ai l'impression qu'il s'agit ici de votre croyance première : vous pensez que votre problème de fond est et a toujours été la procrastination. Cette déclaration ne vous aide en rien, car, non seulement vous accordez une grande quantité d'énergie à une croyance restrictive, mais vous la rendez éternelle en disant qu'elle est et a toujours été. Je suis sûre que vous avez posé un grand nombre de gestes ce mois-ci mais que vous préférez vous considérer et vous définir comme quelqu'un qui fait de la procrastination.

Sue: C'est un fait que j'ai *vraiment* de la difficulté à passer à l'action.

CA : Les croyances ont la vie dure, n'est-ce pas ? Votre dernière remarque souligne *vraiment* la croyance que vous avez de ne pas passer à l'action ! Votre point de vue est également tourné vers le passé. Vous dites ce que vous ne voulez pas et pour quelle raison vous ne pouvez pas aller de l'avant, mais vous ne faites aucune mention de votre enthousiasme à explorer certaines nouvelles activités qui pourraient être stimulantes et agréables.

Sue: Je ne suis pas certaine de comprendre. Je sais simplement que je n'ai pas amorcé de travail ou activité à but non lucratif qui pourrait me satisfaire en fonction de ma voie véritable... quelle qu'elle soit !

CA : En ce moment, ne vous préoccupez pas de savoir ce qu'est votre véritable voie parce que vous seriez tentée d'arrêter trop prématurément votre choix sur une chose en particulier. Vous vous trouvez actuellement dans la phase d'exploration et d'expérimentation. Votre but actuel pour l'instant est de vous détendre, d'explorer et d'apprécier ce que la vie a à vous offrir. Pourquoi ne pas considérer cette période simplement comme une période durant laquelle faire de nouveaux choix, sans avoir à l'esprit un engagement à long terme ?

Ce serait bon de tenir un journal pendant cette phase. Quelques notes rapides avant de vous coucher ou au réveil. Écrivez chaque jour un énoncé clair comme le suivant : « Je veux une orientation claire qui aille dans le sens de mon chemin de vie. » Si vous pensez que vous devez suivre un cours ou décrocher un diplôme, établissez une date où vous aurez rassemblé tous les renseignements nécessaires pour être fin prête à prendre une décision au moment où les cours commenceront.

Prenez davantage conscience de la négativité de vos déclarations. Si vous les couchez sur papier quand vous vous entendez les prononcer, vous verrez quelles sont les croyances qui vous limitent et par lesquelles vous percevez la vie et vous-même. Pour vous aider, entreprenez de reformuler vos déclarations. Par exemple, vous pourriez remplacer la déclaration « Mon problème, c'est que je ne passe jamais à l'action », par la déclaration suivante : « Je commence à me faire confiance pour agir quand cela me semble juste. »

Restez dans le processus, ne cherchez pas la réponse avec un grand R

CA : En premier lieu, le changement provient du fait que nous prenons conscience des comportements, du langage et des croyances que nous « employons » pour créer notre réalité. En second lieu, le changement s'effectue lorsque nous commençons à vraiment prêter attention à nos intuitions et idées nouvelles. En troisième lieu, suite à ces prises de conscience, le passage à l'acte nous fait avancer. Et enfin en quatrième lieu, il faut prendre le pouls de la situation, évaluer et continuer d'être à l'écoute de nos intuitions. C'est un processus qui ne finit jamais. En effet, le passage dans l'inconnu est un processus, pas une destination.

Bénévolat et expérimentation

CA : Si vous n'avez pas la moindre idée de la façon dont vous devez démarrer, commencez simplement par colliger des renseignements. Faites de l'exploration votre intention. Par exemple, vérifiez les postes offerts dans les organismes de bénévolat. C'est un moyen peu risqué de découvrir ce qui vous convient. Ou encore vous pourriez faire passer une annonce dans les journaux. Rédigez votre propre description de tâches. C'est une fantastique façon d'exprimer votre intention sur papier.

Sue: C'est une bonne idée ! Depuis aussi longtemps que je peux m'en souvenir, je suis habitée d'un sentiment de frustration intense et meurtrier.

CA: Cette « frustration meurtrière » a de quoi intimider ! Avez-vous approfondi la chose avec un thérapeute pour définir quels sont vos modèles en ce qui concerne la frustration ? Celle-ci peut très bien être une façon de vous étouffer vous-même et de vous rapetisser pour vous sentir en sécurité.

Sue: En fait, je vois régulièrement un thérapeute en ce moment. Par contre, je ne l'ai jamais entendu interpréter ces déclarations de cette manière. Votre interprétation me semble juste en ce qui me concerne. Je lui en parlerai. J'ai essayé d'entrer dans des moules qui ne me conviennent pas.

CA: Je peux très bien apprécier votre degré de frustration. Ce qui est à l'œuvre ici, c'est le phénomène d'individuation, de découverte de la personne que vous êtes réellement plutôt que celle que vous avez accepté d'être pour plaire aux autres. Il me semble que l'heure est venue de faire le ménage dans votre système de croyances.

Arrêtez de vouloir résoudre le problème, et ouvrez-vous à l'imprévu

CA: Mon impression est que vous vous sentez bloquée pour deux raisons. La première, c'est que vous avez peur de faire une erreur; alors vous ne faites rien. La deuxième, c'est que vous fonctionnez à partir de la fausse prémisse qu'il n'existe qu'une réponse juste à votre question. Vous vous sentez bloquée parce que vous ne considérez pas encore votre cheminement comme une exploration continue. Cela aide de se remémorer que le résultat juste n'existe pas.

Sue: J'ai la nette impression que je travaille sur mes croyances depuis un bout de temps. Est-ce que c'est nécessairement un lent processus ? C'est mon impression en tout cas ! Je n'ai pas suivi ma véritable voie jusqu'ici (quelle qu'elle soit !). Aidez-moi s'il vous plaît ! (Ici, Sue répète une fois de plus le même jugement négatif: elle n'a pas suivi sa voie et elle ne sait pas en quoi celle-ci consiste.)

Ca: Vous savez, nous pensons toujours que nous devrions aller plus vite que nous le faisons. Il n'y a rien de mal à ce qu'un processus soit lent. En fait, nous n'avancerons ou ne changerons qu'au rythme que nous pouvons soutenir. Donnez-vous la permission d'être aussi lente que possible et observez quelle impression cela vous fait.

Votre vie est un chemin qui se révèle au fur et à mesure. Ce sur quoi vous êtes en train de travailler à ce stade – le dépassement de certaines de vos croyances – sera intégré une fois que vous serez moins critique à votre égard. Bien entendu, de nouvelles situations se présenteront qui amèneront d'autres complexités. Ce n'est ni bon ni mauvais, c'est seulement un autre apprentissage. C'est donc à vous de prendre la décision de faire des choses que vous aimez.

SI UNE CHOSE EST EN HARMONIE AVEC VOTRE CHEMINEMENT, VOUS L'ATTIRERAZ À VOUS

Certaines personnes vivent sans jamais se poser les questions suivantes :

- Est-ce que je veux changer ?
- Qu'est-ce qui manque dans ma vie ?
- Quelles sont mes valeurs ?
- Comment puis-je changer d'orientation ?

PATTY MONTGOMERY, animatrice d'atelier

Sue: Oui, je vois. C'est... fantastique! Tout ça m'emballe beaucoup. En réalité, je peux intellectuellement concevoir mon cheminement comme une voie d'exploration continue, mais c'est une chose que je n'ai pas encore acceptée. J'y travaille! Merci.

ÉCRIVEZ DANS VOTRE JOURNAL

Dans les chapitres précédents, j'ai parlé des diverses façons d'amener un changement positif dans votre vie. Tout d'abord en visualisant ce que vous voulez pour susciter des sentiments de joie et de bonheur. Et ensuite, en employant un langage positif qui exprime clairement ce que vous voulez. Vous pouvez aussi employer un troisième moyen qui est très puissant: l'écriture. Pour la plupart, nous avons déjà fait des listes de ce que nous voulions quand nous étions à la recherche d'une nouvelle maison ou d'un nouveau travail, ou encore si nous avons fait paraître une annonce dans la rubrique Rencontres. L'établissement de listes par écrit est la méthode la plus simple qui soit pour créer le changement. À l'étape suivante, vous pourriez écrire de charmants scénarios. En faisant cela, vous ajoutez à votre liste une couleur qui vient vivifier les idées que vous y avez énumérées. Vous laissez ainsi savoir à l'univers pour quelle raison vous voulez ce que vous voulez. Enfin, vous pouvez dresser une liste des gestes à poser pour ce que vous voulez entreprendre ou explorer. Une telle liste a deux effets. Tout d'abord, elle met en action la logique, et ensuite, elle aide à débarrasser l'esprit de l'anxiété qui se présente souvent avant que votre désir ne se manifeste.

Dans les moments de transition, il est utile de délibérément intensifier votre attention sur la façon dont vous voulez vous sentir après la transition. En mettant sur papier ce que vous voulez, vous préparez la voie à toutes sortes de synchronicités. Ainsi, chaque soir avant de vous endormir, vous pouvez déléguer à votre inconscient la responsabilité de la créativité.

Écrire dans votre journal vous permet de dialoguer avec vous-même et d'entendre votre petite voix intérieure souvent négligée et réprimée. Vous pouvez laisser cette voix inconsciente s'exprimer en lui demandant ce qu'elle veut de vous. Pourquoi ne pas aussi prendre quelques minutes de temps en temps pour écrire dans votre journal ce qui a besoin de changer dans votre vie. Vous serez surpris des idées et des réponses qui vous viennent.

IL EST IMPOSSIBLE DE VIDER LE PANIER « À FAIRE »

Bien des gens vivent comme si le but secret de la vie était d'avoir tout fini.

De par sa nature, votre panier « à faire » doit obligatoirement contenir des choses à accomplir. Il n'est pas censé être vide.

Si je me remémore (souvent) que le but de la vie n'est pas que tout soit fait mais que je dois apprécier chaque étape tout au long du chemin et vivre dans l'amour, il m'est beaucoup plus facile de contrôler mon obsession à vouloir en finir avec tout ce qui est sur ma liste de choses à faire.

RICHARD CARLSON[4],
Ne vous noyez pas dans un verre d'eau

Le truc, c'est de ne pas vous sentir astreint à votre liste de choses à faire par la culpabilité lorsque vous ne réussissez pas à tout faire. En fait, vous ne réussirez jamais à en finir avec votre liste. Pourquoi ? Parce que la vie est un processus continu de création de nouveaux désirs et de mouvement qui suit une direction en évolution constante. Mettre ses idées sur papier est par contre un outil puissant pour justement diriger ce mouvement. Bien des gens qui ont réussi dans la vie écrivent leurs objectifs pour focaliser leur attention. Certains prétendent même que le fait d'avoir leur liste sur papier l'élimine de leur esprit et l'en libère. Cette liberté d'esprit nous permet de rester ouverts aux nouvelles possibilités qui s'avéreront peut-être meilleures que celles que nous avions envisagées pour atteindre nos objectifs. Il ne faut pas être axé sur la tâche au point de ne pas laisser de place aux événements spontanés. Par exemple, si votre enfant tombe malade à l'école, il vous faudra probablement annuler toutes les réunions que vous aviez et accorder votre attention à cette nouvelle priorité, ou bien trouver un moyen qui vous semblera approprié pour corriger la situation. La personne sage considère toute interruption comme un événement qui a sa raison d'être et qui attire notre attention sur quelque chose d'important. Afin de sentir que vous êtes en harmonie avec votre vie au cours des changements qui surviennent, vous ne devriez pas vous fustiger à la fin de la journée pour ce que vous n'avez pas fait. Plus vous pouvez rester dans la fluidité du moment présent, plus votre vie sera riche.

Quand vous décrivez en détails ce que vous voulez comme si vous l'aviez déjà et comment vous vous sentirez quand vous l'aurez, vous envoyez un puissant message à votre subconscient. Vous lui dites que vous prenez toutes ces idées très au sérieux. Assurez-vous d'écrire au présent et d'employer des formulations vivantes et imagées. Par exemple, si vous cherchez un logement, décrivez-le comme si vous étiez assis dans un fauteuil s'y trouvant et que vous preniez le thé tout en admirant le coucher du soleil après une journée de jardinage. Écrivez une lettre enflammée à votre âme sœur et dites-lui à quel point vous êtes impatient de la rencontrer et de partir à l'aventure avec elle. Faites de la joie et de l'enthousiasme le thème dominant de vos écrits plutôt que de focaliser sur la rapidité avec laquelle les choses devraient se manifester.

Ce que vous écrivez devrait vous exalter et vous faire anticiper dans la joie ce qui est à venir. La meilleure attitude à adopter, c'est d'avoir confiance que votre désir est déjà en train de se réaliser.

Quels changements voulez-vous effectuer dans votre vie ? Dans votre quartier ? Dans le monde ? Inscrivez-les dans votre journal et regardez-les se produire.

DE L'ESPRIT DE COMPÉTITION
À L'ESPRIT DE CRÉATIVITÉ

Une personne peut créer par la pensée. En effet, en transférant ses pensées sur la substance sans forme, elle peut manifester ce à quoi elle pense. Pour cela, il faut passer de l'esprit de compétition à l'esprit de créativité, sinon on ne peut être en harmonie avec l'intelligence sans forme, qui est toujours créative et jamais compétitive en esprit.

C'est la gratitude qui harmonise l'esprit avec l'intelligence de la substance et qui fait que les pensées d'une personne sont reçues par ce qui est sans forme.

On ne peut jamais trop faire remarquer à quel point il est important de contempler souvent l'image mentale en question et de l'accompagner de foi inébranlable et de gratitude fervente.

WALLACE D. WATTLES[5],
The Science of Getting Rich

CONFECTIONNEZ UN TABLEAU DE VOTRE VISION

Lorsque nous programmons notre inconscient avec des symboles visuels puissants, entre autres les collages, nous accélérons le processus d'attraction. Par exemple, Melanie Jones a regroupé des images et mots découpés dans des magazines pour l'aider à réaliser son rêve. Elle a démissionné de son emploi dans le domaine de la vente parce que son cœur n'y était plus. Elle travaille maintenant en milieu scolaire dans le cadre d'un programme qu'elle a créé et intitulé *Speak to the Children* (Parlez aux enfants). « Environ dix mois avant de quitter mon emploi, explique Melanie, j'ai réalisé un immense tableau de ma vision avec trois grands morceaux de carton d'un mètre cinquante sur un mètre. Les premières affirmations que j'y ai inscrites sont: “Je suis prête pour un changement”, “L'aventure commence” et “Prends ta vie en mains.” À mes yeux, un tel tableau est comme une histoire que vous vous racontez, une merveilleuse nouvelle histoire. Je crois fermement que le fait d'avoir transposé mes pensées en mots et en images m'a amenée là où je suis rendue aujourd'hui, y compris la belle relation que j'ai avec mon ami. La moindre des choses pour laquelle j'ai découpé des images s'est manifestée dans ma vie. J'ajoute constamment de nouvelles images de voyage, de gens et d'enfants. »

Les tableaux de vision et les collages permettent à certaines parties de nous de s'exprimer, beaucoup plus qu'une liste ou que ce que notre logique nous dit qu'il est possible de faire. Par exemple, un homme appelé Joe, dans la cinquantaine avancée, vint assister à un de mes ateliers. Il s'était produit un grand changement dans sa vie une année auparavant, alors qu'il avait dû placer sa femme dans une résidence pour personnes atteintes de la maladie d'Alzheimer. Il veut, dans les années à venir, réaliser un nouveau projet interculturel qui favoriserait le dialogue entre divers responsables de collectivités du monde entier. Son collage exprimait ce qui était important pour lui par des images de gens travaillant ensemble et par des mots comme « vérité », « choix », « endroits spéciaux » et « gens uniques ». Il trouva également une image de femme assise pour représenter sa femme (il aurait aussi bien pu coller la photo de sa femme à la place). Il intitula son collage *Eternal Man Woman*.

Autre participant à cet atelier, Henry était un prêtre catholique qui se demandait s'il devait quitter la vie religieuse. Sa vision est de devenir professeur et peut-être aussi de se marier et d'avoir des enfants. Il intitula son collage *Soft and Strong*

(Douceur et force). Les images choisies exprimaient son aspiration à l'organisation (images de bibliothèque), l'amour (image d'une belle femme), la vitesse (image d'une voiture de sport), un foyer chaleureux et de bons rapports entre deux personnes (image de deux personnes debout ensemble).

LE RÉSULTAT COMPLET

Lorsque vous concevez ce que vous désirez, assurez-vous que le résultat de ce que vous voulez figure intégralement dans votre représentation. C'est-à-dire que vous avez l'ensemble, y compris les circonstances qui entourent la manifestation de votre désir.

Au cours d'un atelier, une femme exprima le désir d'être plus spontanée. Lorsque je lui ai demandé si elle sentait une retenue quant à la spontanéité, elle pensa un peu et répondit : « Oui. J'ai peur que les gens ne m'aiment pas si je suis spontanée. »

« Vous voulez donc deux choses, lui dis-je. Être spontanée et que les gens vous aiment ainsi. Est-ce que c'est plus exactement le résultat que vous voulez obtenir ? »

Sans hésitation, elle répondit : « Tout à fait ! C'est exactement ce que je veux. Je n'avais jamais envisagé la chose sous cet angle. »

Lorsque vous créez la vision de ce que vous désirez, il est important que vous preniez l'habitude de la voir dans son ensemble et non pas seulement en partie. Par conséquent, mettez dans votre vision ce que vous désirez manifester, les circonstances et les qualités de ce que vous voulez manifester et tout le contexte dans lequel vous voulez voir votre vision se réaliser.

ROBERT FRITZ[6],
The Path of Least Resistance

Les titres des autres collages confectionnés au cours de cet atelier étaient *Light, Air and Action* (Lumière, air et action); *The Good Life* (La belle vie); *Boundless* (Sans limites); *Focusing in on Me* (Descente en moi); *The Art of Living* (L'art de vivre); *Self-Remade CEO* (PDG à la force des poignets); *To Marry a Musician* (Épouser un musicien) et *Home* (Foyer).

LA PRIÈRE

La prière est probablement la plus vieille façon d'entretenir une vision. Elle est l'éternel moyen que nous avons de communiquer nos volontés, désirs, peurs, préoccupations et gratitude à l'esprit qui est en nous et partout. Même si la prière est universelle, elle est unique à chaque individu. Selon un sondage national effectué aux États-Unis par la Unity School of Christianity[7], soixante dix-neuf pour cent des Américains croient que la prière et la méditation peuvent influer positivement sur leur santé physique. Quatre-vingt-huit pour cent d'entre eux croient que la prière et la méditation peuvent influer positivement sur leur santé affective.

L'ouvrage de Rosemary Ellen Guiley, intitulé *The Miracle of Prayer: True Stories of Blessed Healings*, (Le miracle de la prière: histoires vraies de guérison) présente d'incroyables histoires relatant l'exaucement de prières. « Le terme *prière* veut dire *faire un vœu votif*, et vient du latin *precarius*, qui veut dire *obtenir en mendiant.* Nous faisons tous quotidiennement des prières votives, sans formalités, chaque fois que nous voulons que quelque chose se déroule bien dans notre vie ou que quelque chose change. »

La motivation qui sous-tend la prière joue un rôle important en ce qui concerne les résultats que l'on veut obtenir. Rosemary Guiley cite le psychiatre Daniel J. Benor, également guérisseur et chercheur avant-gardiste dans le domaine de la guérison autre qu'allopathique. Selon lui, il y aurait trois niveaux de prière. « Le premier est celui de l'affirmation de votre volonté:

"Guéris, bon sang, guéris !" Le second est la prière qui essaie de comprendre la maladie et ses causes sous-jacentes, ainsi que d'en tirer des leçons sur le plan spirituel. Le troisième niveau de prière est celui de l'abandon à la volonté de Dieu. » Benor et d'autres experts sur le pouvoir de la prière, comme Larry Dossey et Bernie Siegel, s'entendent pour dire qu'il n'existe pas de façon unique de prier. Si nous ne prions pas seulement avec nos intérêts à l'esprit, mais pour le bien de tous les êtres sensibles, nos prières ont beaucoup plus de portée.

La prière est ce qui nous relie au Grand Tout. Lorsque, en silence, nous nous offrons en toute humilité et avec gratitude, et que nous avons confiance que tous nos besoins seront comblés, nous prions. La plupart du temps, nous prions pour obtenir une faveur. Mais être assis dans le calme et sentir le lien qui nous unit à quelque chose de beaucoup plus vaste que nous, c'est aussi prier.

Dirigés vers l'univers, les champs énergétiques des prières touchent les gens et les circonstances, simplement du fait que l'on pense à eux. Les prières signalent aux êtres supérieurs qui évoluent dans le royaume spirituel que nous avons besoin d'aide et les réponses que nous recevons nous arrivent sous forme de synchronicités.

Une femme du nom de Rebecca m'écrivit pour me raconter sa rencontre avec un étranger nommé Bob, qui semblait arriver à point nommé dans sa vie pour lui transmettre le message que la prière et l'amour étaient importants. Elle venait alors de finir de lire un livre sur les champs des prières et leurs effets dans le roman de James Redfield[8] intitulé *Le secret de Shamballa*, qui fait suite à *La prophétie des Andes*.

« Mon fiancé et moi, raconte Rebecca, venons de partir dans une nouvelle aventure ensemble. Nous avons ouvert, en tant qu'associés, un petit bar. C'est quelque chose dont j'ai toujours rêvé. Nous avons pris le risque de réaliser notre rêve, tout en sachant pertinemment que nous ne devrions pas compter les heures, travailler dur et prendre un grand nombre de responsabilités. L'argent et le succès ne se sont pas manifestés immédiatement !

« J'étais découragée, stressée, frustrée, isolée et j'avais peur de ne pas réussir. Un samedi après-midi, alors que c'était très tranquille et que je m'occupais du bar, un homme que je n'avais jamais vu est entré et s'est attablé avec deux habitués. Je me suis mise à écouter leur conversation. Une demi-heure plus tard, les deux habitués sont partis et Bob est resté. Il s'est présenté et a commencé à me raconter les événements incroyables qui s'étaient produits dans sa vie. Au début, je n'ai rien voulu entendre parce que j'étais jalouse et un peu prise dans mes propres peurs. Il m'a raconté qu'un homme très fortuné l'avait embauché pour déménager ses meubles, rénover sa maison, etc. Après avoir demandé à Bob de faire mille petits travaux pour lui, cet homme lui paya un cours pour étudier dans le domaine des finances corporatives. Une fois que Bob eut fini son cours, cet homme l'embaucha dans sa compagnie parce qu'il aimait son enthousiasme.

« Bob m'a dit que, en moins d'un an, il deviendrait millionnaire et qu'il ne pouvait encore croire tout ce qui venait de lui arriver. Il en était encore tout abasourdi. Une fois, alors qu'il était très pauvre, il avait dit à sa mère qu'il lui achèterait une maison un jour. Et maintenant il peut le faire !

« Je lui ai raconté l'histoire de mon petit commerce et fais part du sentiment que j'avais d'être un peu dépassée par les événements. Il m'a félicitée de mon mariage imminent et m'a dit que je pourrais traverser n'importe quoi pourvu qu'il y ait de l'amour dans ma vie. Il m'a aussi raconté que ce qui l'avait le plus aidé dans ses moments difficiles et l'avait amené là où il était rendu, c'était la prière. Mon cœur a fait un bond, car à peine quelques jours plus tôt, j'avais commencé à lire *Le secret de Shamballa* et que je commençais à comprendre ce qu'étaient les champs de prières. Bob m'a recommandé de continuer à prier et de faire de l'amour une constante dans ma vie. Ses paroles venaient souligner les vérités que j'avais lues dans cet ouvrage. Cette rencontre fut une synchronicité, je le compris immédiatement, et elle me donna accès à une partie de moi-même à laquelle j'aspirais avec nostalgie depuis un certain temps. Ce pur étranger m'a tirée de ma léthargie. »

SE RISQUER DANS L'INCONNU

Il y a du risque partout et la vie elle-même est risque. Plus vous aspirez à une vie édifiante, plus les risques sont grands. Vous êtes sur une voie dangereuse. Mais rappelez-vous qu'il n'y a qu'une erreur à faire dans la vie : celle de ne pas bouger du tout, d'avoir peur et de rester assis. D'avoir peur que quelque chose tourne mal si vous bougez... C'est la seule erreur que vous puissiez faire. Vous ne courrez aucun danger, mais vous n'évoluerez pas.

OSHO[9],
The Path of Yoga

Dans le roman *Le secret de Shamballa,* l'auteur décrit merveilleusement bien la puissance de la prière et le personnage principal apprend à contrôler et à renforcer son champ énergétique. Selon James Redfield, il existe quatre niveaux dans notre champ énergétique, niveaux qui peuvent affecter non seulement notre propre vie, mais également, dans une large ou moindre mesure, déclencher des changements positifs chez toute la race humaine.

Premier niveau

Au premier niveau, l'expérience nous fait comprendre que cette énergie est réelle et nous réalisons que nos prières sont souvent exaucées. Plus notre entendement spirituel grandit, plus nous saisissons que chacun d'entre nous évolue dans un champ énergétique qui nous relie tous les uns aux autres.

Lorsque nous nous nourrissons d'aliments sains, de pensées pures, d'attentes positives et du désir de contribuer à l'amélioration des conditions où que nous soyons, c'est que nous désirons de façon active améliorer la qualité de notre champ énergétique personnel. Nous effectuons des changements dans notre vie, à l'instar de Rebecca et de son fiancé, en nous dirigeant vers ce qui nous attire, qu'il s'agisse d'une nouvelle entreprise, d'un nouveau champ d'exploration ou de tout autre domaine pour nous améliorer nous-mêmes. Ce qui indique que notre taux vibratoire est plus élevé, c'est le fait que nous voyions la beauté dans notre milieu de vie et que nous nous sentions reliés à quelque chose de plus grand que nous. Nous devenons plus aimants, plus compréhensifs, plus ouverts et plus responsables.

Second niveau

Au second niveau, nous aspirons profondément à évoluer dans la synchronicité et nous intensifions notre taux vibratoire en restant alertes et conscients des signes, messages, informations et possibilités qui croisent notre chemin. Le champ énergétique de notre prière prend davantage d'expansion lorsque nous nous harmonisons avec le mouvement universel. Puisque nous guettons consciemment tout signe provenant de l'intelligence universelle, la fluidité de notre énergie augmente.

Troisième niveau

Au troisième niveau, nous savons automatiquement que la meilleure chose à faire est de maintenir notre énergie aussi positive que possible, autant pour nous que pour les autres. Au lieu de ressentir le besoin de contrôler les autres et les circonstances, nous sommes davantage disposés et capables de suivre le courant. Nous avons confiance qu'un plan autre fonctionnera mieux et avec une meilleure coordination que ce que nous avions prévu au début. Lorsque nous rencontrons d'autres personnes, nous comprenons qu'il est dans notre intérêt (et dans celui des autres) d'avoir une attitude édifiante. Lorsqu'une énergie positive émane de nous dans quelque interaction que ce soit, toutes les personnes concernées ont plus facilement accès à leur intelligence supérieure.

Quatrième niveau

Au quatrième niveau, nous devons faire deux choses simultanément. Tout d'abord, maintenir un courant d'énergie positive, même lorsque certaines situations suscitent de la colère ou de la peur. Cette habileté implique que nous donnions le ton avant d'être emportés dans la confusion et laisser l'humeur ou le comportement des autres le faire à notre place.

Ensuite, il y a une sorte de paradoxe à ce niveau, en ce sens que nous devons pouvoir maintenir une attitude de neutralité face au résultat tout en ayant confiance et en entretenant l'attente que le processus soit en œuvre en tout temps pour notre bien. C'est un peu comme si nous disions que nous avons faim

LE CHANGEMENT,
UN MORCEAU QUI S'AJOUTE À L'ENSEMBLE

Les Amish terminent les bords de leurs courtepointes, alors que je laisse les miens ouverts.

Si je veux que la courtepointe s'anime, que ma vie s'anime, je dois laisser de la place à l'imprévu.

Ce qui m'a le plus surprise, et ce fut une véritable révélation, c'est de comprendre que quoi qu'il arrive de catastrophique ou de merveilleux, ce n'est qu'un autre morceau de l'ensemble.

SUE BENDER[10],
Plain and Simple

et que nous voudrions manger une pomme, mais que nous soyons prêts à manger tout ce qui se présentera. Même sans accomplissement immédiat, nous savons maintenir une attitude d'attente positive envers le processus.

Pour que la confiance règne, nous devons maintenir une intention de succès, même si la situation du moment ne ressemble en rien à ce que nous souhaitons. Par exemple, vous voulez trouver l'âme sœur et vous ne rencontrez absolument personne dans le moment. La tendance habituelle est de reporter toute l'attention sur le fait qu'il n'y a personne dans votre vie (c'est la réalité du moment présent). Cependant, en fixant votre attention sur le manque, en fonction de la loi de l'attraction, vous attirez encore plus de manque. L'attention accordée au manque crée un champ de prière négatif. Au quatrième niveau, vous apprenez à entretenir la vision de ce que vous voulez sans perdre votre attitude d'ouverture positive, même lorsque vous êtes confronté à une réalité qui lui est contraire.

Parfois, nous remarquons que le changement se produit (par exemple, nous rencontrons l'âme sœur) quand nous nous y attendons le moins. Cela se produit quand nous n'avons pas mis l'accent sur l'absence d'un compagnon ou d'une compagne. En fait, lorsque nous amoindrissons la vibration propre à l'inquiétude et à l'attitude de victime, nous permettons à notre désir initial d'être comblé. Sur le plan spirituel, le défi est de continuer de prier tout en évitant de critiquer nous-mêmes, les autres ou notre situation. Nos guides spirituels et nos anges ne peuvent pas nous aider lorsqu'il émane de la négativité de nous.

Mon amie Dianne Aigaki a récemment accompagné un groupe de cinq lamas tibétains de haut rang dans le cadre d'une tournée d'enseignement et de guérison aux États-Unis. Elle m'a tenue au courant de certaines de leurs activités, entre autres la création de mandalas sacrés en sable, l'animation de méditation et la démonstration d'une variété de techniques d'art sacré. Mais le plus intéressant, ce furent les cérémonies de guérison organisées pour des gens très malades. Par exemple, une femme avait des tumeurs cancéreuses au cerveau, au foie et à

CONCENTRATION

La concentration peut se comparer à un diamant. C'est une convergence scintillante de notre énergie, de notre intelligence et de notre sensibilité. Lorsque nous nous concentrons totalement, la lumière de nos talents scintille de mille couleurs et touche tout ce que nous entreprenons. Le mouvement d'entraînement et la clarté qui sont alors le propre de notre énergie nous permettent d'effectuer chacune de nos activités rapidement et aisément. Nous réagissons alors avec plaisir et enthousiasme aux défis que notre travail comporte.

TARTHANG TULKU[11],
Skillful Means

d'autres organes. Elle n'avait suivi aucun traitement allopathique et était extrêmement malade. Dianne lui suggéra de créer un cercle de support en invitant à la cérémonie autant de personnes de sa famille et d'amis positifs qu'elle le pourrait.

Le jour du rituel, le plus vieux lama entama la cérémonie en demandant à la femme en question « pour quoi » elle voulait guérir. À quoi consacrerait-elle sa vie si elle retrouvait la santé ? Le moine lui expliqua qu'elle ne guérirait pas nécessairement de sa maladie à moins qu'elle n'inclue dans sa demande la guérison pour tous ceux qui souffrent. Il lui expliqua qu'il était extrêmement important qu'elle ne demande pas des bienfaits seulement pour elle et sa famille, mais au contraire qu'elle le fasse pour tous les êtres vivants.

Une semaine après la cérémonie, son médecin ne trouva plus aucune tumeur au cerveau et au foie, et seulement une tumeur qui avait rétréci au point de devenir une petite tache en voie de disparaître.

On pourrait déduire que si la guérison ne s'effectue pas, c'est que quelque chose ne va pas ou que l'on a « mal prié ».

Quand nous sommes malades, nous devons faire preuve de compassion à notre égard et ne pas entretenir de vibrations négatives, comme le regret ou le reproche. Nous devons également nous rappeler qu'il y a un temps pour chaque chose : un temps pour guérir et un temps pour lâcher prise. Alors, il se peut que nous ayons prié pour qu'une personne guérisse et qu'à la place, elle décède parce que le moment est venu pour elle de quitter ce plan d'existence. La mort n'est pas un échec, mais une renaissance à l'esprit. Lorsque nous voulons aider les gens et que nous les aimons, nous pouvons prier pour qu'ils reçoivent ce qui est pour leur bien seulement. Nous pouvons prier pour que leurs souffrances diminuent et demander que ce qui est juste pour eux leur arrive.

Les livres sur les guérisons par les vibrations, entre autres ceux de Larry Dossey, *Ces mots qui guérissent*, de Deepak Chopra, *La guérison ou « Quantum Healing »*, et de Bernie Siegel, *L'amour, la médecine et les miracles*, présentent tous trois des études de cas sur la prière dirigée et sincère. Selon Rupert Sheldrake, l'auteur de livres controversés sur le mental collectif comme *A New Science of Life* et *The Presence of the Past*, il existe des champs morphogénétiques universels qui sont en fait le prolongement de nos intellects individuels, des accumulations de formes-pensées et des configurations de comportements. Sheldrake avance l'hypothèse que ces configurations structurent les champs de la pensée et expliquent la simultanéité dans le domaine des découvertes et des inventions, ainsi que les transformations évolutives chez les humains et les animaux. Ces champs jouent le rôle de lien entre les humains, les animaux et le monde immatériel. Toujours selon Sheldrake, ce sont avec ces champs que les prières entrent en résonance. Il n'y a qu'un pas pour supposer que les changements survenant dans notre vie soient déclenchés par les changements survenant dans toute la race humaine.

FAITES BOUGER LES CHOSES

Chaque fois que vous faites des recherches sur un thème, que vous faites des appels au nom de quelqu'un que vous connaissez ou que vous reprenez contact avec des gens à qui vous n'avez pas parlé depuis un certain temps, vous faites bouger les choses dans la grande « marmite universelle », qui vous révélera à un moment donné la recette exacte dont vous avez besoin. Si vous avez un but, placez-le devant vous dans votre champ énergétique et donnez aux champs morphogénétiques l'occasion de le réaliser.

INSTAUREZ UN CENTRE MAGNÉTIQUE EN VOUS

Les forces agissantes qui se présentent sur notre route sont en grande partie déterminées par les centres magnétiques que nous créons en nous. Par exemple, si nous aspirons à réussir sur le plan matériel, nous instaurons en nous un centre magnétique capable de nous procurer davantage de possibilités d'enrichissement.

La façon dont nous utilisons notre temps, les groupes dont nous faisons partie, les passe-temps auxquels nous nous adonnons, les films que nous regardons et les livres que nous lisons, déterminent les fréquences sur lesquelles chacun de nos centres magnétiques est syntonisé.

Si nous nous vautrons dans des activités superficielles et idiotes, nous attirerons à nous des forces agissantes de basses fréquences qui nous maintiendront dans l'inertie.

DAVID SAMUEL[12]
Practical Mysticism

Si vous aspirez à un grand changement dans votre vie, comme un nouvel emploi, un nouvel appartement, un nouveau partenaire de danse ou un voyage à Las Vegas, pourquoi ne pas faire paraître une annonce dans un journal local ? Dites exactement ce que vous cherchez et laissez venir. Quand et si vous recevez une réponse, servez-vous de votre intuition ainsi que de votre logique pour vous assurer que l'information est sérieuse et honnête. Énoncer votre besoin dans un journal constitue une affirmation et une intention puissantes, même si ce que vous voulez vous parvient d'une manière imprévue. Quand vous remuez les choses dans un domaine, c'est toute votre vie qui s'en ressent puisque tout est interrelié dans la vie.

APPRÉCIEZ LES CHOSES DE LA VIE

Pensez aux choses qui vous sont les plus précieuses. Se présentent-elles sous l'apparente forme de dichotomies, comme le confort matériel *et* la croissance spirituelle ? La liberté *et* la sécurité ? La routine *et* l'aventure ? Les relations familiales *et* la vie personnelle ? À la base de chacune de ces associations se trouve un lien avec ce qui vous importe le plus. Lorsque vous sentez ce lien, vous êtes en contact avec ce qu'il y a de plus profond dans la vie.

L'aspiration, l'intention et le désir engendrent un renouveau d'énergie vitale. Lorsque vous sentez le lien qui vous unit aux autres, à la nature, à la beauté, c'est que vous êtes en contact avec vos racines spirituelles. Ces moments servent d'assises à la prochaine phase de votre vie. Vos croyances et vos pensées sont les instigatrices de la prochaine expérience et des prochaines avenues de changement qui s'ouvriront à vous.

Quand vous appréciez ce que vous avez déjà, votre cœur s'ouvre. Lorsque vous cherchez à changer positivement les choses dans votre vie, vous devez prendre soin de vous dans les moindres détails. Votre inconscient prend note de tout ce qui survient sur votre route ou de tout ce que vous apprenez, même quand vous ne savez pas que vous savez. Il vous suggérera l'inspiration juste, la solution appropriée ou le commentaire voulu au moment opportun. Toutes les idées et toutes les histoires que vous avez lues dans ce livre et dans plusieurs autres, sont à votre disposition sans que vous ayez quoi que ce soit à faire. Chaque expérience, chaque conversation vous change.

Prenez le temps d'imaginer votre vision. Rehaussez-en la couleur en écoutant votre musique préférée, chanson d'amour, symphonie, son d'une chute d'eau ou vibrations sonores de bols tibétains. Entretenez votre inspiration en lisant des livres édifiants ou en revoyant un film qui relate un changement chez un personnage qui suit l'inclination de son cœur. Gardez le silence et ouvrez-vous au mystère.

LA QUÊTE DU PLAISIR

Le vent court sur mon bras dénudé,
mes poils bougent, se touchent les uns les autres
et se hérissent même !
L'air souffle le long des dédales de la forêt de mes bras,
m'envoyant dix mille minuscules décharges de vent
devenu ondes nerveuses par le corps.
Si j'y prête attention, je me demande :
Est-ce qu'il s'agit de fraîcheur ? De douleur ?
Est-ce trop insupportable ?
Ou bien apaisant, chaotique ou plaisant ?
Ou bien est-ce un moi que je ne connaissais pas ?
Si je ne bouge pas et que je suis le vent,
je reviens à son origine et à sa destination,
je reviens au bercail.

PENNY PEIRCE

6

Guettez les réponses

Et il peut aussi arriver que, en cherchant telle ou telle information, autre chose se présente qui, vous ne pouviez absolument pas le savoir, était là à vous attendre.

ANNE LAMOTT[1],
Bird by Bird

BRANCHEZ-VOUS SUR VOTRE GUIDE INTÉRIEUR

La vie procède de façon mystérieuse et nous sentons intuitivement qu'elle nous pousse pour une raison, pour peu que nous soyons ouverts à ce mystère. Pour nous brancher sur notre raison d'être, il nous faut continuellement guetter la sagesse universelle, ainsi que les signes qui nous indiquent quelle direction prendre.

Si vous vous demandez quelle est la prochaine étape à entreprendre pour vous, il vous suffit de solliciter des signes clairs de la part de l'univers. Le musicien Steve Cooper, par exemple, est à l'écoute des synchronicités et semble en fait converser avec la vie, comme l'anecdote suivante sur des plaques d'immatriculation l'illustre. « Ma compagnie d'assurance-santé a fait faillite la semaine passée, raconte Steve, et j'ai rencontré un agent d'assurance pour changer la formule de ma couverture. En repartant en voiture, je me suis demandé si la compagnie déciderait de m'assurer et, quelques minutes plus tard, j'ai remarqué que sur la plaque de la voiture en avant de moi était inscrit le mot ASSURÉ. Encore quelques minutes plus tard, j'ai entendu à la radio que la Bourse avait connu une journée déplorable et je me suis dit que c'était peut-être la fin d'un long marché à la hausse. Moins d'une minute plus tard, j'avisais une plaque d'immatriculation où figuraient les mots MARCHÉ À LA HAUSSE.

Le troisième événement de cette même journée coïncidait avec le fait que je cherchais une compagnie de mise en scène installée dans les locaux d'un théâtre où je me produis en spectacle. J'ai essayé de la trouver sur Internet, sous la dénomination de Center East Theater, mais sans succès. En revenant chez moi, j'ai remarqué une autre plaque où étaient inscrits les mots CENT N RE (ce que le propriétaire de la voiture voulait dire par ça, je ne le sais pas) et j'ai réalisé que le nom de ce théâtre s'épelait en fait Centre East et non Center East. En arrivant chez moi, j'ai vérifié dans le bottin et je l'ai trouvé ! »

Au cours d'une autre journée, Steve remarqua successivement deux plaques d'immatriculation. Sur la première était inscrit le mot CHIENS, ce qui lui rappela qu'il devait amener son chien chez le vétérinaire et sur la seconde, le nom Mary E., qui lui rappela qu'il devait acheter un cadeau pour sa femme prénommée Mary Ellen. On pourrait prétendre que ces synchronicités sont le pur fruit du hasard et sans importance, cependant, lorsqu'elles deviennent un phénomène constant, on peut se questionner sur notre rapport avec l'intelligence universelle.

LES RÉPONSES SONT PARTOUT

Steve Cooper est passé maître dans l'art de demander de l'aide et de voir des synchronicités partout. En suivant son intuition, il a établi des contacts qu'il n'aurait jamais établis s'il avait suivi la voie de la logique. Ces synchronicités prennent diverses formes: une publicité à la radio qui indique comment se rendre à une compagnie à laquelle il se rend lui-même et dont il a oublié l'adresse; un vidéo promotionnel où figure le bassiste d'un groupe sur lequel il voulait en savoir davantage ce jour-là. D'autres synchronicités du genre ont propulsé Steve dans sa carrière. En effet, d'incroyables coïncidences lui ont permis de rencontrer des gens qui représentaient les héritiers de son ancienne idole musicale, Lawrence Welk. La rencontre avec ces gens lui donna l'occasion inespérée d'étudier les arrangements originaux de Welk et même de travailler avec certains membres de cet ancien groupe. Ces synchronicités illustrent bien le pouvoir magnétique qu'a le dévouement à une passion et l'entretien d'une intention.

Pris individuellement, ces événements peuvent sembler insignifiants. Cependant, la moindre petite question que nous nous posons fait partie de nos grands questionnements sur notre mission de vie. Chacun des choix que nous faisons nous change, nous et le cours de notre vie. La finalité de notre vie est inextricablement liée à nos gestes quotidiens.

Afin d'accélérer l'apparition de synchronicités qui pourraient vous permettre d'effectuer des changements positifs dans votre vie, surtout si vous vous sentez bloqué, prenez l'habitude d'écrire une question simple dont vous saurez reconnaître la réponse lorsqu'elle vous arrivera. Attendez ensuite que l'information appropriée se présente.

Suivez l'énergie

S'harmoniser veut dire savoir remarquer ce qui intensifie votre énergie et suivre cette direction. Parfois, le chemin qui s'amorce devant vous suscite anxiété ou peur. Malgré cela, si vous prenez le temps d'interroger votre cœur et que vous plongez dans la peur, vous trouverez l'harmonie ainsi que ce qu'il y a de mieux pour vous. La vie abonde en faux départs, en régressions, retraits, gestes impulsifs, premières impressions, risques calculés et regrets empreints de panique. Tout cela fait partie du flux créatif vital. Il faut s'en réjouir, y prendre plaisir et s'en émerveiller.

Les cerisiers en fleurs,
oui, ils sont magnifiques,
mais ne manquez pas la lune ce soir !

So-In[2]

METTEZ-Y PLUS DE CŒUR !

C'est le propre de la nature humaine que de désirer autre chose que ce que l'on a. Par contre, il semblerait qu'il y ait toujours une logique naturelle, ainsi que des raisons, à la situation où nous nous trouvons. Par conséquent, si vous ressentez de la frustration dans une situation donnée, envisagez de vous fondre dans celle-ci plutôt que de lui résister, et ce en y mettant plus de cœur. Faites-vous ami avec la situation telle qu'elle est en sachant qu'elle a sa raison d'être dans votre vie. La pratique de l'acceptation n'est cependant pas de bon aloi si vous vous trouvez dans une situation d'abus quelconque.

S'INQUIÉTER NE VEUT PAS DIRE PENSER

Lorsque je m'inquiète, je me sens coupé de moi-même et cette sensation de coupure devient pratiquement parlant de l'isolement.

On ne peut aborder le futur dans un esprit d'anxiété ou d'égoïsme. Nous sommes sur terre pour réaliser des choses que seuls les êtres humains peuvent réaliser. Mais aucune d'elles ne peut se concrétiser à moins que nous ne puissions penser comme des personnes sages peuvent le faire.

Jacob Needleman[3],
Time and the Soul

Une femme nommée Ava m'écrivit pour me dire qu'elle avait quitté son domicile aux États-Unis pour aménager au Mexique avec son époux. Pendant tout le temps de son séjour à Mexico, elle s'était mise en quête de trouver ce que serait sa prochaine carrière au lieu de s'occuper de sa réalité du moment, c'est-à-dire de sa vie de famille. « Lorsque je suis arrivée à Mexico, écrit-elle, je me suis sentie nue comme un ver. Tous les signes extérieurs de fierté et de réussite qui constituaient auparavant mon identité avaient disparu puisque j'avais abandonné ma carrière, ma renommée et mes activités. Ont suivi deux années de grincements de dents et de larmes alors que je ressassais sans arrêt les deux questions suivantes : "Est-ce suffisant pour moi de n'être qu'une mère et femme au foyer ?" et "Que devrais-je faire en ce qui concerne ma carrière ?" »

Ava comprend maintenant qu'elle n'a pas su voir les indices qui auraient pu répondre à ses questions. Par exemple, elle vivait sur la rue *Fuente de la Escondida* (qui veut dire « fontaine de celle qui se cache » en espagnol). Par ailleurs, à l'entrée du lotissement où se trouvait sa villa, il y avait une immense statue de femme folâtrant dans l'eau avec ses enfants. « C'est un symbole bien connu mais dont je n'ai pas saisi le sens en ce qui concernait le questionnement qui m'a habité pendant deux ans ! *J'étais* celle qui se cachait ! Pendant cette période, je n'ai pas réussi à comprendre que ma raison d'être était mon rôle de mère, un rôle qui aurait pu apporter sens et joie à ma vie. Et dire que juste devant chez moi il y avait la représentation concrète de deux choses qui auraient pu faire partie de ma vie si j'étais sortie de l'ombre !

Ava se débattit comme un diable pour découvrir quelle carrière elle pourrait embrasser et se résolut même par la volonté à faire de la rédaction technique. Elle accepta aussi de faire du bénévolat dans le domaine des finances et éplucha les petites annonces pour trouver un emploi lui convenant. Elle se plaignait toujours du fait que les offres d'emploi se limitaient uniquement à l'enseignement de l'anglais comme langue seconde. Elle voulait un vrai travail ! Avec le recul, elle voit exactement pourquoi elle s'est retrouvée à Mexico: elle aidait souvent les étrangers nouvellement arrivés à s'installer. Elle s'occupe maintenant de la deuxième question qu'elle se posait, sa carrière, puisqu'elle est retournée à Minneapolis pour suivre des cours d'enseignement de langue anglaise comme langue seconde et obtenir le diplôme correspondant. « Pendant trois ans, une formation sur le tas et de l'expérience m'ont été offertes sur un plateau d'argent quotidiennement et je n'ai pas su voir le cadeau dont la vie me faisait grâce », dit-elle.

SOYEZ OUVERT À LA NOUVEAUTÉ

Soyez particulièrement réceptif lorsque vous pensez savoir à quoi vous attendre parce que c'est le moment où vous êtes le plus enclin à négliger les nouveaux indices. Cela est surtout vrai dans des situations familiales ou avec des gens avec qui vous avez passé beaucoup de temps. Demandez-vous ce qui a changé et non pas si quelque chose a changé... Ce processus entretiendra intérêt, présence et centration chez vous.

CHARLENE BELITZ et MEG LUNDSTROM[4],
The Power of Flow

FAITES QUELQUE CHOSE DE DIFFÉRENT

Que pouvez-vous faire lorsque votre enfant a des problèmes d'apprentissage et que vous n'avez pas la moindre idée de la façon d'améliorer la situation ? Mark, le fils de Jamie et Tim Saloff, avait des résultats médiocres à l'école depuis toujours, mais au cours de sa cinquième année de scolarité, son incapacité à apprendre à lire et à écrire, ses crises de colère et son repliement progressif sur lui-même déchiraient la famille tout entière. Les parents de Mark essayèrent tout ce qui aurait pu selon eux aider Mark, dont les problèmes de comportement et d'apprentissage étaient en apparence liés à un trouble du déficit de l'attention. On lui prescrivit des médicaments, ses parents lui payèrent un professeur particulier ainsi que les services d'un psychologue. Rien n'y fit et il continua de s'enfoncer. « L'école était comme un terrain de guerre, dit Jamie. Les professeurs et le directeur faisaient des pieds et des mains pour aider Mark, mais ils ne pouvaient lui donner ce dont il avait vraiment besoin. »

Lorsque Jamie et Tim entreprirent de prier pour recevoir de l'aide, des synchronicités commencèrent à arriver dans leur vie. Une amie de Jamie lui recommanda de lire un livre de John Holt intitulé *How Children Fail*. Selon Holt, lui-même ancien enseignant, ce ne sont pas les enfants qui échouent mais le système qui les encadre (à ne pas confondre avec les enseignants). Selon Holt, même les formes les plus respectées de scolarité bloquent le désir inné des enfants à apprendre. « En quelques années, dit Jamie, j'ai lu tous les livres de Holt et j'ai fini par envisager de plus en plus enseigner moi-même à Mark. Je craignais cependant de ne pas pouvoir lui transmettre certaines aptitudes essentielles. Après tout, que savais-je de l'enseignement ?

La nécessité nous pousse à trouver ce qu'il faut

Trois choses importantes se produisirent qui firent changer d'avis à Jamie quant à ses craintes et qui la forcèrent à chercher des réponses dans une autre direction. Tout d'abord, ce fut lorsque l'administration scolaire lui laissa entendre que Mark pourrait peut-être ne pas réussir à obtenir son diplôme d'école secondaire. Ensuite, il y eut une grande amie à elle qui décida de garder son enfant à la maison et de lui servir d'enseignante. « Pendant que mon fils s'éreintait pour finir sa cinquième année scolaire, la pire qu'il ait jamais eue, elle me disait que son fils excellait à la maison », dit Jamie.

Pour finir, ce furent les disputes et les menaces quotidiennes qui ruinaient la vie familiale. « Tous les soirs, Mark et moi nous disputions à cause des devoirs, que d'ailleurs ni lui ni moi n'estimions valables, dit Jamie. Chaque jour, Mark partait pour l'école non pas en recevant un sourire et un baiser, mais avec des menaces. À l'école, on le punissait pour ne pas avoir terminé ses exercices en l'excluant de ses activités favorites. Mon mari finit par me dire : "Tu dois faire quelque chose de différent, cette situation est en train de détruire la famille." C'est à ce moment-là que j'ai pris la décision d'enseigner moi-même à mon fils. »

Une confirmation sans équivoque de cette décision se présenta sous la forme d'un événement tragique. Le soir de la remise des diplômes de la classe du fils aîné de Jamie, Matthew, un élève tira un coup de revolver sur un enseignant et le tua. Toutes les familles concernées se retrouvèrent en état de choc. « S'il me fallait une preuve de la validité de l'école à la maison, c'était bien celle-là ! » dit Jamie.

Elle remplit donc les formulaires pour garder Mark à la maison, même si son mari avait certaines réserves. Par la suite, sa décision s'avéra être la bonne. Au cours de la première année d'école à la maison, Mark lut plus de vingt livres et écrivit deux histoires, un petit scénario et une lettre au maire où il dénonçait le vandalisme dans un terrain de jeu voisin. Il arrêta de prendre tout médicament et retrouva le calme. La deuxième année, aux dires de Jamie, Mark semblait être en paix avec lui-même. « Il a appris à se servir d'une machine à coudre et s'est confectionné les costumes de ses personnages préférés de bandes dessinées, dit Jamie. Il les a portés partout sans se préoccuper le moins du monde de se démarquer des autres enfants. En fait, les plus jeunes le considéraient comme leur mentor, les plus vieux, comme un leader et les adultes respectaient ses opinions, qu'il avait rarement peur d'exprimer. »

LE PASSÉ N'EST PAS GARANT DU FUTUR

Intitulé *Cradles of Eminence*, un rapport bien étayé et exceptionnel sur l'enfance de quatre cents contemporains connus, raconte que trois cinquièmes d'entre eux avaient de sérieux problèmes scolaires.

Thomas Edison a dit : « J'étais toujours le dernier en classe. » Quant à Albert Einstein, il a écrit : « Je préférais endurer toutes sortes de punitions plutôt que d'apprendre des bêtises par cœur. » Winston Churchill, à Harrow, refusa d'étudier les mathématiques, le grec ou le latin et fut mis dans une classe que l'on qualifierait aujourd'hui de rattrapage.

JAMES HILLMAN[5],
Le code caché de votre destin

La créativité devint une constante pour Mark, qui se mit à recycler des objets non utilisés dans ses moments libres. Il fabriqua une caméra vidéo à partir de deux caméras défectueuses et apprit tout seul à faire des films avec plans figés en regardant des dessins animés où on utilisait cette technique. « L'apprentissage est maximisé quand nous faisons quelque chose qui a de la valeur à nos yeux et qui correspond à nos intérêts réels », explique Jamie.

À un moment donné, le fils aîné de Jamie et Tim demanda lui aussi à ce qu'on lui fasse l'école à domicile, même si tout allait bien pour lui à l'école et qu'il y avait de nombreux amis. Cette demande prit Jamie par surprise au début, car le style d'apprentissage de Matthew différait beaucoup de celui de Mark. Elle n'était pas certaine de pouvoir lui créer un programme qui correspondrait à ses intérêts, qui se limitaient à l'époque à la *Guerre des étoiles* et aux dessins animés japonais. « Je lui ai donné un grand carton en lui demandant d'écrire au centre la question “De quelle façon est-ce que je peux parachever mon éducation, atteindre mes buts et réaliser ma raison d’être supérieure ?” Il n’était même pas sûr de savoir ce que voulait dire “raison d’être supérieure”. Je lui ai dit que cela n’avait aucune importance et qu’il devait seulement écrire tout ce qui lui venait à l’esprit, même si cela n’avait aucun rapport avec l’éducation.

« Environ quarante-cinq minutes plus tard, il m’a tendu le carton où figuraient des idées éparses comme la préparation et la dégustation de plats italiens, les rendez-vous avec les filles, un intérêt pour l’espace et les dieux grecs, ainsi que le désir de posséder sa propre boutique de cartes de collection. Pour commencer, je me suis demandé de quelle façon je pourrais bien utiliser ces intérêts pour son éducation... et j’ai fini par monter un programme pour toute une année. Par exemple, je lui ai offert l’ouvrage de Syd Field, *Screenplay : The Foundations of Screenwriting*, ainsi que le logiciel correspondant (Scriptware) pour écrire des scénarios. Je lui ai demandé d’écrire le scénario de son propre dessin animé, chose qu’il a adoré faire. Étant donné qu’il avait écrit qu’il voulait avoir sa propre boutique de cartes de collection, je lui ai acheté un livre (*Business Plans for Dummies*) qui lui a permis d’apprendre les mathématiques de base exigées par l’école et d’acquérir les notions nécessaires pour diriger une entreprise. Ce livre, ainsi que son emploi dans une boutique de cartes de collection, lui ont appris plus qu’un cours commercial n’aurait pu le faire. »

Selon Jamie et Tim, l’école à la maison s’est avérée une grande réussite pour toute la famille, dont les liens se sont beaucoup resserrés. Leurs garçons acquièrent de réelles aptitudes, s’expriment de façon créative, s’entendent avec leurs camarades et sont heureux.

Cette histoire prouve qu’un problème apparemment insurmontable au départ peut trouver ses réponses au fur et à mesure. Lorsque notre intention de mener une vie plus heureuse nous pousse vers l’inconnu, nos doutes se dissipent graduellement. En ce qui concerne la famille Saloff, les solutions se présentèrent lorsqu'elle commença à explorer l'inconnu que représentait l'école à domicile. C'est la nécessité qui amena ces gens à prendre plus de risques. Et les réponses leur arrivèrent une fois qu'ils décidèrent d'aller de l'avant pour répondre aux besoins particuliers de leurs garçons et pour retrouver l'harmonie familiale. Résultat: la transformation toucha tout le monde.

« Ce qu'il y a de fantastique dans l'éducation à domicile, c'est que toutes sortes d'appuis se présentent à vous au bon moment, dit Jamie. Par exemple, pendant que mon mari se rétablissait à la maison d'une grosse opération, il a pu aider notre fils à travailler ses mathématiques, ce qui a permis à Mark de faire de très nets progrès. Notre processus d'apprentissage est familial et nous a beaucoup rapprochés. »

Jamie suggère aux personnes intéressées de lire le livre de Debra Bell, *The Ultimate Guide to Homeschooling*, parce que ce dernier recommande entre autres aux parents de s'écrire une lettre définissant leurs valeurs et leurs objectifs dans le cadre de l'éducation à domicile. « Chaque fois que j'ai des doutes sur mes compétences en tant qu'enseignante (ce qui est habituel pour une mère qui enseigne à ses enfants), je relis ma lettre et j'arrête

TROUVEZ UNE AUTRE FAÇON

Un vieux dicton prétend que rien n'est plus dangereux qu'une idée lorsque c'est la seule que vous avez. Nous sommes tous prisonniers de nos points de vue et nous avons tendance à penser qu'ils constituent la seule façon correcte de voir les choses, surtout quand nous sommes bouleversés. Par conséquent, quand vous êtes au point mort ou malheureux, trouvez une autre façon de voir la situation dans laquelle vous vous trouvez. Pensez-y sous un autre angle.

BILL O'HANLON[6],
Do One Thing Different

de penser à ce que mes enfants n'ont pas appris pour me rassurer en pensant à ce qu'ils ont appris. Je crois fermement que mes fils ont reçu ce qu'il y a de plus important dans l'éducation, c'est-à-dire non pas la dextérité à mémoriser le contenu de manuels scolaires, mais la capacité à apprendre et à aimer apprendre. L'apprentissage autonome permet naturellement au pouvoir personnel et à l'authenticité de s'installer. »

SOYEZ IRRÉPROCHABLE

Francine Kelly, rédactrice et éditrice du magazine *Conscious Living Magazine* et propriétaire-PDG du Center for Conscious Living, connut une transition phénoménale lorsqu'elle quitta son emploi insatisfaisant de journaliste et conceptrice-rédactrice à New York il y a quelques années. « Avec le recul, j'ai l'impression que j'ai été guidée pour procéder à ces changements plutôt que de l'avoir fait intentionnellement, souligne Francine. C'est pendant que je visitais le Monroe Institute en Virginie (centre de recherches voué à l'étude de l'apprentissage accéléré et l'expansion de la conscience, fondé par l'auteur et chercheur Robert Monroe), en 1998, que l'intelligence universelle m'incita à créer un centre de retraites. » Les circonstances de sa vie l'avaient poussée à s'intéresser à la guérison et à la spiritualité. Elle avait grandi dans une famille d'alcooliques où on lui répétait souvent qu'elle était une imbécile et une incapable. Dans la trentaine et dans la quarantaine, Francine travailla comme journaliste et comme collaboratrice dans la conception-rédaction de documents publicitaires et médicaux. « Je ne croyais pas à ce que je faisais, dit-elle, et lorsque les contrats ont commencé à se raréfier, j'ai forcé les choses pour en obtenir d'autres. De toute évidence, je ne saisissais pas le message que je ne devais plus faire ce travail. »

Son propre alcoolisme l'incita à se soigner, il y a plusieurs années. Au plus profond de sa détresse, elle fit un pacte avec Dieu qu'elle se mettrait au service des autres.

À l'époque où son découragement allait grandissant, un nouveau domaine piqua son intérêt. Par hasard, elle tomba sur un journal traitant de santé et de croissance personnelle, ce qui l'amena à vendre de la publicité pour ce dernier pendant un certain temps. Même si ce premier essai dans le domaine de la publicité nouvel âge n'était pas la meilleure solution à long terme, il servit cependant à la mettre sur la voie à partir de laquelle un magazine national l'emploierait par la suite. Malgré le fait qu'elle ait remporté un prix pour ses réalisations, elle avait l'impression qu'on abusait d'elle dans la situation.

« Après cette expérience, j'ai pris la décision que je lancerais mon propre journal, *Conscious Living*, dit Francine. Au début, ce fut un tabloïd local gratuit et ensuite, un magazine d'envergure nationale distribué sur abonnement. Les ventes du premier numéro ont couvert tous les frais, chose quasiment impossible dans le monde des magazines. En effet, pour lancer un magazine, il faut entre un et trois millions de dollars. Je n'avais pas d'argent et je louais les ordinateurs ! De toute évidence, l'intelligence universelle voulait que ce projet se réalise ! »

Francine croit que, au début de la réalisation de tout projet, les deux clés du succès sont, par ordre, le dévouement à la mission de vie et l'efficacité. Le dévouement, c'est une forme d'intention, car la focalisation sur l'objet du dévouement attire des événements synchrones. C'est aussi un effort de discernement qui permet de choisir les choses vraiment significatives pour soi, plutôt que d'entreprendre simplement des activités lucratives. La confiance, la patience, l'estime personnelle et l'intégrité font également partie du dévouement.

Quant à l'efficacité, la deuxième clé du succès, elle fait entrer en jeu des habitudes où le bon sens règne, comme la vérification des faits, le suivi, la relance, la délégation de pouvoir et, une fois encore, l'usage de l'intégrité dans tous les rapports humains.

Comment composer avec nos peurs et nos doutes lorsque nous entreprenons la réalisation d'un projet ? « En ce qui me concerne, poursuit Francine, c'est en faisant confiance à l'aide divine que je compose avec les peurs inévitables qui surviennent quand j'entre en territoire inconnu.

« Comment faire la distinction entre ego et aide divine ? Eh bien, la volonté propre à l'ego est reconnaissable en ce sens qu'elle me semble plus axée sur elle, alors que la volonté divine m'invite plutôt à faire ce qui est juste. Même si nous savons quelle est la chose juste à faire, la peur entre en jeu pour mettre la volonté divine en échec. Alors, nous nous disons des choses du genre : "Ça ne marchera pas" ou "Je vais perdre de l'argent." Mais la volonté divine nous dit : "Quelque chose va marcher" même si cela semble impossible à ce moment-là et que tout le monde vous dit que c'est impossible ! J'aime beaucoup ce qu'une amie m'a dit un jour : "J'ai décidé dorénavant de n'employer que les anges au chômage !" »

Expression de la vision et observation des indices

Après avoir décidé de mettre sur pied un centre de retraites, Francine fit une méditation pour demander à ses guides où ce centre devrait s'installer. Un jour, alors qu'elle se trouvait dans une librairie, son attention fut retenue par des magazines. Elle remarqua une publication intitulée *The Sedona Journal of Emergence*. « Comme je savais que Sedona était censé être un haut lieu spirituel, dit-elle, il me semblait que c'était donc un bon endroit pour commencer mes recherches. Et j'ai acheté un billet d'avion. » Avant de partir pour l'Arizona, elle discuta avec son époux Bruce et ses autres collègues du magazine des qualités que l'endroit devait posséder. Ils en firent une liste. Selon Bruce, le centre devrait se trouver près d'une forêt nationale pour que personne ne puisse construire autour de la propriété. D'autres mentionnèrent le fait que le terrain devait être grand et situé sur le haut d'une colline.

« Lorsque je suis arrivée à Sedona, les miracles se sont enchaînés, explique Francine. Pendant que je feuilletais un magazine de biens immobiliers, mon regard fut guidé vers la photo d'une propriété en particulier. Je levai les yeux vers l'agent en m'enquérant de cette propriété. Cet endroit avait appartenu à un trafiquant de drogues qui était maintenant derrière les barreaux. Même s'il avait un passé un peu chargé, ce ranch possédait une piscine, un sauna, un bain tourbillon et une cuve thermale. De plus, comme il était sous scellé parce qu'il avait été saisi, son prix était très alléchant. Ce serait l'endroit idéal pour organiser des ateliers de fin de semaine et pour accueillir des gens axés sur la spiritualité lorsqu'ils visiteraient ce merveilleux coin de pays. Cette propriété répondait également à tous les critères de leur liste et bien plus encore.

Francine signa tous les documents le jour de son cinquantième anniversaire. Et après de grands efforts pour nettoyer l'endroit et trouver le personnel voulu, le Center for Conscious Living vit le jour. « Une de mes amies me rappelle tout le temps qu'il faut être irréprochable, absolument irréprochable lorsqu'on se fie à l'aide divine, dit Francine. Aucune manipulation et aucun mensonge ne sont possibles. La loi de cause à effet vous indiquera toujours ce à quoi vous devez faire attention. Par exemple, au cours d'un certain mois, j'avais omis de payer la facture de l'imprimeur. Il se produisit toutes sortes de problèmes dans d'autres secteurs, qui persistèrent jusqu'à ce que je m'occupe de cette facture. Une autre fois, alors que nous éprouvions

C'EST L'IMPERMANENCE
QUI REND LA TRANSFORMATION POSSIBLE

Si nous pratiquons l'art de vivre de façon attentive, nous n'avons aucun regret de voir les choses changer. Nous pouvons sourire, car nous avons fait de notre mieux pour apprécier chaque instant de notre vie et rendre les autres heureux.

THICH NHAT HANH[7],
Au cœur de l'enseignement de Bouddha

certaines difficultés, je me suis rendue compte que c'était probablement dû au fait que nous nous servions d'un logiciel de liste d'envoi piraté que nous avions obtenu pour rien. Comme nous ne pouvions pas nous permettre d'acheter la version officielle, nous avons cessé de nous servir de la version piratée et avons fait notre liste d'envoi à la main. Une fois la décision prise de procéder ainsi, tout s'est remis à marcher comme sur des roulettes. »

Francine explique que sa vie a totalement changé depuis qu'elle a commencé à se fier à son guide intérieur. Elle a vraiment l'impression d'œuvrer dorénavant dans le sens de sa mission de vie, du moins dans ce qui semble être sa mission dans cette phase de sa vie. « Depuis que je suis sobre, je ressens en moi la confiance que je n'ai jamais eue enfant, dit-elle. Je m'adresse à l'intelligence universelle qui me dit que je n'ai rien à craindre parce que j'ai mes guides. Dans le cadre de n'importe quel projet, je fais vraiment confiance à mon intuition en ce qui concerne la qualité de l'énergie. J'essaie aussi de faire preuve de discernement pour ce qui est de l'énergie des gens avec qui je suis en affaires et, si je ne me sens pas à l'aise, je me retire au lieu de poursuivre. » (Francine a déménagé son centre à Hawaï.)

Quelques trucs de Francine Kelly pour aller de l'avant

- Soyez honnête envers vous et ne niez pas ce que vous êtes et ce que vous sentez.
- Lorsque vous voyez chez vous des éléments que vous n'aimez pas, reconnaissez-les, acceptez que vous pouvez changer et poursuivez votre route. Ne restez pas aux prises avec l'autocritique.
- Dans de nouvelles situations, ne portez pas de jugements et faites preuve de discernement. Sachez reconnaître que les gens sont là où ils sont dans leur vie pour

une raison bien précise. Il ne vous revient pas de les changer ni de vous mêler de leurs affaires.

- Tenez compte de l'aide que l'univers vous envoie, même dans les endroits et les moments les plus invraisemblables.

MANIFESTATION DE LA CONSCIENCE

Ce qui importe en chacun de nous, c'est que la conscience puisse se manifester lorsqu'il se produit changement et transformation. Aussi longtemps que nous nous accrochons à notre ego et à nos problèmes personnels, il nous est impossible d'entendre la voix de l'univers.

JOSEPH CAMPBELL[8],
La puissance du mythe

7

Faites confiance au processus

Ne craignez pas de faire un changement soudain et radical si l'occasion se présente et que vous estimez, après avoir bien soupesé la situation, que c'est la chose à faire. Mais ne passez jamais à l'action de façon soudaine ou radicale lorsque vous doutez.

WALLACE D. WATTLES[1],
The Science of Getting Rich

APPRENEZ À VIVRE DANS L'INCERTITUDE

Le plus grand frein au changement auquel nous aspirons est notre désir de vouloir être sûr du résultat d'avance pour pouvoir: 1) éviter de faire des erreurs; 2) ne pas gaspiller de temps; 3) éviter de ressentir la peur ou l'anxiété, et; 4) ne pas faire pâle figure auprès des autres.

Nous sommes tous pour la plupart convaincus du fait que nous devons passer à l'action en fonction d'un plan logique et sous notre contrôle. Le désir de nous débarrasser de l'incertitude vient de l'ego. Par contre, une disposition à tolérer un certain degré d'incertitude nous confère de la flexibilité et, à long terme, permet à notre vie de se révéler sans trop de difficultés.

Une femme nommée Laurie m'écrivit qu'elle venait enfin de divorcer. « Cela m'a aidée de laisser les choses aller pendant un certain temps, de ne pas trop pousser. C'est étonnant de voir à quel point tout se met à bouger autour de vous lorsque vous

VIVRE DANS L'INCERTITUDE

J'ai appris dans la vie qu'il fallait pouvoir vivre avec un certain degré d'incertitude. Vouloir savoir comment tout tournera, c'est comme vouloir tout contrôler. Il est impossible de tout savoir et il faut se fier au processus.

J'ai aussi appris que si quelque chose veut faire surface chez moi, je me sens mal à l'aise intérieurement pendant un certain temps. Dans ces moments-là, je sais qu'il y a en moi quelque chose à quoi je dois accorder mon attention. Avant, j'avais l'habitude d'agir immédiatement. En fait, il n'y a rien d'autre à faire qu'attendre. La chose en question se révélera d'elle-même.

BLAISE, thérapeute et acteur

cessez de tout vouloir contrôler. En plein chaos, des gens tombés du ciel comme des anges sont venus à mon aide, sur tous les plans. »

RALENTISSEZ ET SORTEZ DE VOTRE LÉTHARGIE

Ce dont les gens se plaignent le plus, à part de vouloir plus d'argent, c'est le manque de temps. Lorsque nous demandons à quelqu'un « Comment allez-vous ? », la réponse habituelle est en général « Très occupé ».

Souvent, le fait de se tenir extrêmement affairé est une façon de ne pas faire face à l'incertitude qui accompagne la cessation de toute activité et l'examen de la direction que votre vie prend. Lorsque nous sommes pressés, nous sommes moins portés à donner suite à une suggestion pertinente ni même à remarquer quelque chose qui a à voir avec ce que nous cherchons.

Même si notre corps crie famine et réclame du repos, nous essayons tout de même d'ajouter encore une autre activité avant d'arrêter pour la journée.

Il est essentiel de se réserver du temps pour réfléchir, si nous voulons rester en harmonie avec la direction de notre vie. Sans cela, nous ne sommes guère plus que des robots productifs (ou improductifs), voués à la désintégration. En fait, la désintégration est peut-être le seul moyen de réaliser que nous devons effectuer des changements dans notre vie. L'activité effrénée a pour résultat d'obscurcir notre vision, et non de l'éclairer.

Pendant les années requises pour atteindre nos buts, il se peut que nous réalisions soudainement que nous avons dépassé les rêves que nous avions. Ces rêves que nous avons édulcorés ou mis en attente à cause de nos responsabilités familiales, notre sentiment de dévalorisation, notre peur de l'échec ou notre sentiment de résignation. Quelles que soient les circonstances de notre vie, il est toujours sain et sage de ralentir le rythme pour écouter et laisser s'exprimer la partie de nous qui a besoin de le faire. Chaque jour, nous avons besoin de temps pour intégrer les concepts et les impressions qui se présentent et, chaque semaine, nous devons nous réserver du temps pour refaire notre énergie et récupérer. La nature, la musique, le repos et le silence sont de grands guérisseurs.

Récemment, une veille connaissance m'appela pour me dire que sa meilleure amie, une avocate, avait consulté un médecin pour une douleur à la jambe qui, selon elle, pouvait résulter de la course à pied. Le médecin diagnostiqua un cancer avancé dans plusieurs endroits de son corps. La première chose que fit cette femme après ce diagnostic, ce fut de fermer son cabinet. Elle dit alors à mon amie qu'elle avait toujours détesté ce métier juridique. Treize semaines plus tard, elle devait décéder.

Lorsque nous nions nos désirs et les messages que notre petite voix intérieure nous envoie, nous ne réalisons pas dans quelle mesure nos pensées peuvent amener des bouleversements radicaux dans notre vie. Le prix à payer pour mener une telle vie effrénée semble démesuré par rapport au temps que nous devrions nous réserver pour bien manger, nous détendre en bonne compagnie et en famille, ou tout simplement pour apprécier l'instant présent.

Dorlotez-vous autant que vous le pouvez

Une infirmière du nom de Coleen m'écrivit un courriel dans lequel elle disait : « L'an passé, mon conjoint avec qui j'étais mariée depuis vingt-trois ans m'annonça qu'il pensait me quitter. Le jour suivant, quand je suis rentrée à la maison après une réunion difficile au travail, je l'ai trouvé en train de mettre des boîtes dans son camion. Même si c'est *moi* qui avais voulu le quitter à plusieurs reprises au cours des huit dernières années, j'ai été très saisie par son départ abrupt, qui me laissait avec trois adolescents, dont deux en difficulté.

« Ce sont les problèmes avec les enfants qui m'ont poussée à démissionner de l'emploi de nuit que j'occupais sans faille depuis douze ans. Mais la direction n'a pas accepté de me donner un emploi sur appel. Avec le résultat qu'en quelques semaines, j'ai perdu mon mari et mon emploi. Dans la même période, mon fils s'est mis dans le pétrin et a dorénavant un casier judiciaire. C'est ce qu'on appelle la nuit noire de l'âme !

« Heureusement que j'avais déjà entrepris un cheminement dans le sens de la guérison et que j'étudiais le toucher thérapeutique ! J'ai fait un autel au pied de mon lit, chose que je voulais faire depuis deux ans mais que je n'avais osé par crainte des remarques de mon mari. J'ai commencé à me dorloter : prendre de longs bains moussants, déguster du bon chocolat sans me sentir coupable et me faire livrer des plats tout prêts plus souvent. J'ai mis de l'ordre dans la maison : pièce par pièce, j'ai trié, jeté ou donné mes vieilles affaires. Du coup, la maison s'est ravivée et moi par la même occasion. Je me suis inscrite à un cours de peinture, ce qui a ranimé mon style. J'ai ralenti le rythme, je médite davantage et j'apprécie les couchers de soleil. Je rends grâce à Dieu plusieurs fois par jour de la façon dont ma vie s'est réorganisée. Je peux vraiment voir son œuvre partout. Ma seule crainte est de me retrouver prise dans la course quand je reprendrai mon travail. Mais, au moins, je connais maintenant la saveur de la liberté, et le défi de continuer dans la légèreté en vaut la peine. J'ai appris à ne pas prendre de décisions hâtives et à laisser la poussière retomber avant de me lancer dans une activité et de me remettre à courir. »

L'ESPOIR UNIFIE, LES ATTENTES DIVISENT

L'enseignante bouddhiste Pema Chödrön[2] dit ceci : « Cheminer spirituellement, ce n'est pas arriver au ciel pour enfin se la couler douce. En fait, c'est cette façon de voir les choses qui nous rend la vie misérable. Penser que nous pouvons trouver un plaisir qui dure et éviter la souffrance correspond à ce que le bouddhisme appelle *samsara*, c'est-à-dire un cycle qui se répète sans fin et nous fait atrocement souffrir. »

Osho[3], un grand maître spirituel du XXe siècle écrit : « L'esprit qui espère est un non-sens, car il ne mène à rien. Il ne fait que fermer vos yeux, vous empoisonner et empêcher la réalité de vous être révélée. L'espoir vous rend hermétique à la réalité. » Alors qu'Osho semble nous conseiller de nous méfier de l'espoir, je dirais que c'est plutôt l'attente qui est la forme limitative de l'espoir. Il faut comprendre cependant que nous pouvons certes espérer que la vie vaut la peine d'être vécue, que les mauvaises circonstances peuvent changer et que les choses peuvent s'améliorer. C'est le désir de contrôler les autres, de vouloir éviter la souffrance et la transformation ou de vivre avec les yeux rivés sur le futur qui nous empêchent de mordre à pleines dents dans la vie. Nous évoluons spirituellement lorsque nous gardons l'esprit et le cœur ouverts, que nous adoptons une attitude de gratitude et que nous avons confiance qu'arrivera à point nommé ce dont nous avons besoin.

Ceux qui enseignent la pensée positive nous disent d'imaginer une joute de tennis où nous frappons la balle à la perfection et que nous remportons la victoire. Les entraîneurs olympiques préparent leurs athlètes en leur faisant visionner des vidéocassettes de performances exceptionnelles qui se graveront dans leur esprit et que leur corps pourra reproduire en compétition ou durant des matchs. Les auteurs qui écrivent sur la pensée nouvelle préconisent l'émission d'une intention et l'instauration du ton voulu afin d'attirer des résultats qui concordent avec le désir. Tous les maîtres recommandent de remettre notre volonté personnelle entre les mains de la volonté divine afin de permettre aux résultats de se produire facilement et en fonction de l'apprentissage dont nous avons le plus besoin dans le moment.

AUJOURD'HUI

Vous espérez que quelque chose se produira demain, que les portes du paradis s'ouvriront demain. Elles ne s'ouvrent jamais aujourd'hui et quand le lendemain vient, ce n'est plus un lendemain, c'est un aujourd'hui. Mais à ce moment-là, votre esprit vous précède une fois de plus. Et vous continuez sans cesse à toujours vous précéder. C'est ce que rêver veut dire.

OSHO[4],
The Path of Yoga

UNE DANSE

Elizabeth Jenkins, auteure de l'ouvrage *Initiation : A Woman's Spiritual Adventure in the Heart of the Andes*, définit la dynamique entre l'émission d'une intention et son accomplissement comme une danse. Voici ce qu'elle mentionna au cours d'une interview : « Il y a un appel et une réponse. Il faut que vous ayez une intention, sinon il ne peut y avoir création. Donc, vous devez centrer votre attention sur ce que vous voulez et lancer un appel qui, sous forme de configurations ondulatoires mentales, part dans l'univers. Ensuite, l'univers répond. C'est comme une danse entre vous et le monde. Le truc, c'est de ne pas abandonner l'intention trop prématurément si vous n'obtenez pas de réponse immédiate ou parce que la réponse arrive sous une forme à laquelle vous ne vous attendiez pas. »

Émettez l'intention de réaliser votre plus grand rêve, sans aucune crainte ni doute. « La façon chamanique de faire, dit Jenkins, c'est de lancer une intention, disons, pour attirer votre âme sœur, le bon emploi, des gens intéressants ou le bonheur au quotidien. Ensuite, il faut avoir confiance que l'univers répondra à votre appel. Il faut émettre cette intention plus longtemps que vous ne le pensez. Le fait d'émettre votre intention signale à l'univers que vous avez confiance qu'il vous procurera ce dont vous avez besoin. Abandonner en cours de route vous plonge dans le doute. »

Elizabeth se rappelle avoir lu une anecdote au sujet de la grande clairvoyante et théosophe Alice Bailey qui décrivait le champ énergétique d'un homme émettant une intention.

L'INTENTION MAINTIENT UN ORDRE DANS L'INFORMATION

Nos intentions constituent la force qui maintient l'ordre de l'information dans la conscience. Nous nous servons de notre attention soit en la concentrant intentionnellement comme un rayon d'énergie, soit en la diffusant en des mouvements épars et aléatoires. Nos expériences prennent forme selon nos attentes et nos croyances, qui sont souvent des réactions au passé, ainsi qu'avec la direction de notre attention dans le présent.

JANE KATRA et RUSSELL TARG[5],
The Heart of the Mind

« Elle a vu la forme-pensée sortir de l'homme en question, ainsi que la réponse arriver de l'univers sous forme d'onde énergétique. Au même moment, l'homme a cessé d'émettre son intention et Alice Bailey a vu les deux champs d'énergie diverger au lieu de converger. Ils étaient sur le point de se rencontrer lorsque l'homme a relâché son intention. J'ai vraiment été impressionnée par ce phénomène. »

LA RÉCEPTIVITÉ EST LA JUMELLE DE L'INTENTION

À l'époque de la préhistoire, ceux d'entre nous qui étaient les chasseurs se préparaient à la chasse en se retirant dans le silence, la prière, les évocations d'images de gibier et la purification jusqu'à ce qu'il y ait harmonie entre eux et la volonté universelle. Nous suivions les pistes, observions, écoutions et attendions. Lorsque le gibier se trouvait à l'exacte portée de lance – tirant avantage de la moindre opportunité (comme disait Carlos Castaneda) – nous foncions sur lui. Nous étions préparés et la chasse était fructueuse.

« Si vous savez ce qui vous rendra heureux, dit Elizabeth Jenkins, c'est ce que vous devez chercher. N'oubliez pas que votre âme est en contact avec vos besoins et vos désirs profonds et que si vous réussissez à vous mettre en harmonie avec eux, vous évoluerez dans la fluidité. Je vais vous donner un exemple. Quand je suis revenue de ma formation chamanique au Pérou, j'aurais repris mon travail de conseillère si j'avais suivi les conventions habituelles. Mais j'ai senti que ce domaine était devenu vide de sens pour moi. Par contre, j'ai ressenti l'appel de la part de mon âme d'écrire un livre sur mes expériences. À ce moment-là, cependant, mes croyances sur mes talents de rédactrice et sur mon image personnelle ne me permettaient pas ne serait-ce que d'envisager l'idée. C'était bien trop grandiose pour quelqu'un de misérable comme moi ! Ma misère ressemblait un peu au grain de sable dans l'huître. Je pense d'ailleurs

La moindre chose change
tout le temps dans ce monde changeant.
Pourtant, la lune continue de briller
de la même lumière.

Prêtre SAIGYO[6]

que beaucoup de gens restent dans leur misère au lieu de faire éclater la bulle de l'image personnelle. Je me suis débattue avec la question pendant quatre ans. Un beau jour, je me suis simplement mise à écrire et j'ai pleuré comme une hystérique pendant plusieurs heures. Par cette catharsis physique, l'image personnelle restrictive et la peur se sont dissipées. Il faut grandir, même si cela fait mal parfois. »

LES SYNCHRONICITÉS ARRIVENT QUAND LES QUESTIONS SONT CLAIRES

Lorsque vous posez une question importante, il faut que vous le fassiez de façon claire pour que l'univers vous réponde. Et il le fera sans aucun doute. « Je ne sais pas quoi faire » n'est pas une question claire, seulement l'affirmation d'un doute.

Par contre, lorsque vous posez une question claire qui invite une réponse claire, par exemple « Montre-moi quoi faire pour avoir des rapports harmonieux avec mon conjoint », vous signalez votre intention d'avoir une réponse précise. Vous pourriez par exemple demander de l'aide pour pouvoir parler avec votre conjoint de ce qui a fait dérailler la relation, des informations sur votre évolution et celle de votre conjoint, et sur les possibilités de changement. Vous pourriez prendre conscience que vous devez changer d'attitude ou prendre davantage la responsabilité de votre propre bonheur. Ou encore que vous devez tous les deux accepter de vous quitter et de poursuivre chacun votre vie.

Lorsque nous voulons changer mais que nous ne sommes pas disposés à prendre les mesures qui s'imposent, nous faisons du sur-place. Il n'existe rien de plus épuisant que de ne pas prendre les mesures que vous savez devoir ou vouloir prendre.

Âgée de cinquante ans, Patricia est actuellement aumônière catholique et directrice des services de pastorale dans un hôpital. Tout au long de sa vie, elle a vécu d'intenses expériences spirituelles. « Quelque chose de bien plus grand que moi intervient quand j'en ai réellement besoin, dit-elle. À l'âge de six ans, je vivais avec mes parents dans une modeste maison, mais Dieu était toujours à mes côtés. Un jour, j'ai vu le film *The Inn of the Sixth Happiness* et j'ai su que je voulais consacrer ma vie à aider les enfants démunis.

« J'ai toujours eu l'habitude de prier au-dessus d'une mappemonde. À l'âge de vingt-neuf ans, un ami m'a un jour demandé de l'accompagner en Chine pour y faire entrer clandestinement des bibles. Au début, j'ai refusé. Mais en pleine nuit, je me suis réveillée avec le désir très puissant d'y aller. Pour m'inspirer, j'ai ouvert un livre au hasard qui m'a donné le message que je trouverais l'argent pour m'y rendre. Et c'est ce qui s'est passé.

« Dans l'avion de New York à Los Angeles, un agent de bord a appelé quelqu'un nommé Morton Sunshine. En entendant ce nom, j'ai ri un peu et l'homme assis à côté de moi m'a dit: “C'est un drôle de nom, n'est-ce pas ?” Puis, il a ajouté: “Vous êtes probablement trop jeune pour vous en souvenir, mais avez-vous déjà entendu parler du film *The Inn of the Sixth Happiness*? C'est moi qui l'ai réalisé.” » Patricia lui raconta qu'elle allait en Chine et que c'était justement ce film qui l'amenait là-bas. Quant à cet homme, il allait rendre visite à Ingrid Bergman, la vedette du film en question, parce qu'elle était malade et probablement en train de mourir d'un cancer. « Il m'a demandé si je voulais écrire un petit mot à l'actrice et j'ai dit oui. Dans ce mot, je disais à Ingrid Bergman que Dieu s'était servi de ce film pour me parler. »

LES ÉCHÉANCES INTENSIFIENT LE PROCESSUS D'ATTRACTION

Un jeune homme du nom de Jason m'écrivit pour me dire qu'il serait peut-être embauché comme assistant à la réalisation d'un film. Son ami Bob l'appela pour lui dire qu'il aurait le travail s'il avait un certificat de contrôleur en sécurité routière. « J'ai appelé plusieurs écoles pour vérifier s'il restait de la place dans leur cours, dit Jason, et partout on m'a répondu qu'il n'y en aurait pas avant un mois. J'avais besoin de ce certificat avant le douze du mois ou bien l'emploi me passait sous le nez. En dernier recours, j'ai appelé une école qui, selon moi, ne donnait probablement pas ce genre de cours. Mais le hasard faisant bien les choses, elle venait de commencer à l'offrir et quelqu'un s'était désisté trois jours avant le début des cours. Je me suis précipité à l'école pour m'inscrire. Quel coup de veine bizarre, me suis-je dit !

« Cet emploi a été un jeu d'enfant et Bob m'a fait d'autres propositions. Comme il avait besoin d'un coordonnateur à la réalisation, nous avons réalisé un vidéo en cinq jours, qui passera en ondes dans deux semaines. Nous avons deux autres vidéos en chantier avec le même artiste. En août, je serai assistant à la réalisation d'un grand spectacle télévisé qui a un budget de cent millions de dollars. Ce qu'il y a de formidable, c'est que je suis exactement où je suis censé être, c'est-à-dire en coulisses, à aider les autres et à me faire un nom. »

LA GRATITUDE ET L'APPRÉCIATION AUGMENTENT LA FRÉQUENCE DU POUVOIR D'ATTRACTION

Rendez souvent grâces pour ce que vous avez déjà. La gratitude est en effet une des meilleures façons d'élever notre esprit à une fréquence plus haute. Lorsque nous reconnaissons nos réussites, les petites comme les grandes, la bienveillance ou

VOUS ÊTES UN RÉCEPTACLE BÉNI

Considérez-vous comme un réceptacle plutôt que comme une victime. Tout ce que vous possédez dans la vie est le fruit des efforts des autres. Vos meubles, votre voiture, votre maison, vos vêtements et, oui, même votre propre corps sont tous d'une certaine façon des cadeaux venant des autres. Rappelez-vous-en tous les jours et la gratitude finira par remplacer le cynisme.

WAYNE W. DYER[7],
Accomplissez votre destinée

les bienfaits, nous préparons le terrain pour la venue d'autres événements positifs.

Transmettez cette énergie aux autres. Par exemple, si vous cherchez une maison ou un nouveau local pour vos bureaux, saisissez la moindre occasion d'aider les autres à trouver ce qu'ils cherchent. Faites de la place à vos amis à table à la cafétéria, aider quelqu'un à déménager ou à se trouver un appartement. Ne vous contentez pas de parler de ce que vous faites, soyez disposé à soutenir les autres.

LA FLUIDITÉ

Lorsque nous sommes fatigués, frustrés et découragés, nous blâmons généralement les événements: « J'ai des factures à payer », « Le milieu des affaires, c'est l'enfer ! » Nous craignons en notre for intérieur d'être condamnés à la médiocrité ou de manquer d'intelligence ou de détermination pour aller de l'avant. Lorsque nous occupons des emplois qui nous vident parce qu'ils sont ennuyants et insatisfaisants, nous avons le sentiment de ne pas savoir comment nous y prendre. Si vous considérez la situation du moment comme une « tranche » du mouvement constant qu'est la vie dans sa fluidité, les choses seront plus aisées.

La fluidité est un processus, pas un but. Un jour, dans un atelier que j'animais, j'aidai une jeune actrice à rédiger un énoncé d'intention. Elle n'était pas à l'aise à faire une affirmation telle que « Je réussis à merveille dans ma carrière d'actrice ! » parce que, selon elle, elle n'avait pas encore vraiment atteint le succès. Cependant, quand je lui demandai si elle sentait qu'elle était effectivement dans le mouvement en ce qui concernait sa carrière d'actrice (elle passait des auditions, prenait des cours et rencontrait quotidiennement des acteurs et des gens du milieu du cinéma), elle me répondit immédiatement que oui. Son énoncé d'intention devint alors « Je suis dans le mouvement en ce qui concerne ma carrière d'actrice. » Cette affirmation est un bon exemple d'ouverture sur le plan de la vision. Étant donné qu'elle perçoit cette affirmation comme vraie, cette femme se sent bien. Et quand elle se sent bien, elle est détendue, ouverte et apprécie le processus. Peu importe ce qui arrivera plus tard, elle suit le mouvement de ce qui la rend heureuse. Elle n'est pas prise au piège des attentes.

Les dix principes de la fluidité

Le premier principe pour rester dans le mouvement et la fluidité, c'est de s'amuser. On pourrait classer le plaisir dans la même catégorie que la passion. Quand vous vous amusez, vous êtes automatiquement en contact avec une partie de votre mission de vie. Le plaisir est très personnel et varie selon chacun. Il sert à indiquer que quelque chose résonne positivement en vous. Et lorsque vous vous amusez, la vie change également. Vous êtes heureux et vous rendez vos proches heureux. Le plaisir est une récompense en soi et fait partie intégrante de la vie de chacun. Par exemple, j'éprouve un grand plaisir à chercher la définition de mots dans le dictionnaire. C'est un signe qui indique que l'écriture fait partie de ma mission de vie. J'ai plaisir à m'asseoir devant une page blanche et à plonger dans le monde inconnu des mots à venir. Pour quelqu'un d'autre, vous par exemple, cette activité s'avérera terrifiante ou même impensable. Alors, ne vous y adonnez que si vous savez au fond de votre cœur que l'écriture est la prochaine étape de votre évolution.

Focalisez sur ce qui vous fait sentir bien. Ne gaspillez pas une autre minute de votre énergie vitale à discuter de problèmes que vous n'avez aucunement l'intention de régler. Pour ajuster votre focus, remarquez la quantité d'énergie que vous dépensez pour quelque chose dont vous aimeriez vous débarrasser. Observez comment cette chose se dissipe lorsque vous cessez de l'alimenter de vos pensées et de vos paroles.

Aimez ce que vous faites et faites ce que vous aimez. Si vous faites quelque chose que vous n'aimez pas beaucoup, de quelle façon pourriez-vous changer d'attitude ? Quelles sont les rectifications à faire pour augmenter votre degré de satisfaction ? Engagez-vous à trouver d'autres façons d'aimer et remarquez que l'inconnu devient alors plus stimulant que terrifiant.

Écoutez votre intuition. Qu'est-ce que vous remettez à plus tard ? Qu'est-ce qui mijote derrière votre tête ? Observez les idées récurrentes mais non réalisées qui semblent vous stimuler, même si une partie de vous les discrédite et en a peur. Dressez-en une liste. Essayez de détecter un signe derrière un coup de téléphone amical ou un livre qui vous tombe entre les mains. Pour le plaisir uniquement, parcourez les petites annonces et observez celles qui vous sautent aux yeux. Laissez les infimes pulsations de l'inconnu battre de plus en plus fort et vous guider vers la liberté et l'expression personnelle.

Ouvrez-vous aux nouvelles idées, car elles pourraient être des possibilités en puissance. Si l'idée qui germe dans votre esprit ou même votre plus grand blocage venait à faire partie du complot d'un film intrigant, imaginez le dénouement le plus fou possible. Tracez un cercle sur une feuille de papier, inscrivez le dénouement au centre de celui-ci et rangez la feuille en laissant le soin au réalisateur intérieur en vous de manifester une synchronicité hallucinante dans un moment de transcendance. Après tout, qu'avez-vous à perdre ? Seulement l'obstacle, l'empêchement.

Enfin, soyez disposé à faire tout ce qu'il faut pour effectuer les changements que vous voulez. Ayez l'intelligence de vous émerveiller devant la vie. Lorsque nous le faisons, nous nous sentons vivants, ouverts et spirituellement « branchés ». L'émerveillement et la curiosité augmentent la créativité et les changements positifs. En arrivant à Santa Fe, au Nouveau-Mexique, je ne connaissais personne. Mais j'étais par contre disposée à accepter n'importe quel emploi pour gagner ma vie. Je posai comme modèle pendant une courte période, j'appris à travailler l'argent, ce qui m'amena à gérer une boutique, et je servis aux tables dans deux cafés. Quelques années plus tard, alors que j'allais à l'université, je fis des ménages dans tout le comté, appris le métier de chef dans un restaurant et enseignai les rudiments de la cuisine à une gouvernante qui travaillait dans la famille (nombreuse) d'un cinéaste. (Elle en savait moins sur la cuisine que moi !) Je n'avais jamais cuisiné professionnellement auparavant, ni donné de cours de cuisine. La nécessité est une merveilleuse muse !

VOUS AVEZ TOUJOURS LE CHOIX

« Vous ne savez jamais quand une personne est prête à changer, raconte Terrance, le directeur d'un refuge pour sans-abri et d'un programme contre les drogues. J'ai compris que je pouvais aider les gens non pas en prêchant, mais simplement en me présentant aux rencontres. Parfois, il n'y a qu'une ou deux personnes. Je continue à y aller parce que je veux être présent au cas où quelqu'un serait prêt. »

Âgé de cinquante-deux ans, Terrance a contracté l'hépatite C et a un cancer du foie. Il fut chauffeur de camions pendant vingt ans parce que ce travail payait plus que le travail social. « En finissant mes études secondaires, j'étais déjà "accro" à l'alcool, la marijuana, les drogues psychédéliques, les barbituriques, le speed, l'héroïne, la cocaïne et le crack. Je suis stupéfait d'avoir pu absorber tout ça parce que j'étais encore plus “accro” aux sports qu’aux drogues et à l’alcool », dit-il. Il se souvient du petit garçon maigrichon qu’il était et qui avait un énorme besoin d’attention et faisait n’importe quoi – mentir, voler, tricher – pour l’obtenir. Il fut arrêté pour avoir vendu de la cocaïne et passa une année et demie en prison. Et tout ce que la prison réussit à lui apprendre, ce fut de ne pas se faire arrêter une seconde fois.

Pendant trente-deux ans, il abusa d’alcool et de drogues. Ces habitudes faisaient tellement partie de sa vie qu’il ne voyait même pas que son comportement était anormal. Il se maria à l’âge de vingt-six ans et eut un fils. Un second mariage lui donna une fille. « Je n’ai jamais pensé que j’avais un problème d’alcool ou de drogues. Vers la fin, comme je buvais environ deux litres de vodka par jour et que je fumais de la marijuana, j’ai commencé à perdre le contact avec mes enfants et à ne plus me présenter à des activités les concernant. C’est ce qui a vraiment commencé à me déranger. »

Un jour, pas différent des autres, Terrance s’était acheté une autre bouteille de vodka. « J’en avais pris seulement une petite gorgée lorsque mon beau-frère est arrivé. Je lui ai proposé d’en prendre une gorgée et de garder la bouteille. C’était quelque chose de nouveau pour moi, car je ne partageais ni drogues ni alcool avec personne. Peu après, je me suis rendu dans un centre de désintoxication. Je ne sais toujours pas pourquoi j’ai fait ça. Je pense que c’est ma conscience supérieure qui m’y a poussé. Même lorsque j’étais dans le centre, je ne ressentais aucun désir de sobriété. Je voulais seulement diminuer ma consommation de vodka à un demi-litre par jour. Je suis encore étonné d’avoir pu instaurer ces changements dans ma vie.

« Pour pourvoir rester dans le centre de désintoxication, je devais assister à des rencontres. Deux gars que j’avais connus au temps de la débauche et qui y assistaient aussi étaient dorénavant sobres. Tous les deux avaient les yeux brillants et sentaient la droiture. Il émanait d’eux une grande présence, ce qui me frappa. À deux occasions, ils me dirent tous deux que j’étais vraiment remarquable, que je pourrais aider bien des gens, que

> *Un mantra est un mot ou une suite de mots*
> *que vous répétez sans arrêt*
> *et qui calme l'esprit.*
> *« Notre père qui êtes aux cieux » en est un bon exemple.*
>
> ANONYME

je n'avais pas à vivre ainsi et, surtout, que j'avais le choix. C'est lorsque j'ai compris que j'avais le choix, que les choses ont basculé pour moi. Je n'avais jamais réalisé que j'avais effectivement le choix et que je pouvais changer ma façon de vivre. Ce programme de désintoxication m'a ouvert les yeux. »

Trois semaines après avoir appris qu'il avait le cancer du foie, Terrance eut un accident de voiture et dut démissionner de son emploi. « Au début, j'ai eu peur et j'ai été bouleversé lorsque j'ai appris que j'avais le cancer », dit-il. J'ai remis ma foi en question. Pourquoi est-ce que ça m'arrive à moi ? Je pense cependant que j'ai encore beaucoup à donner et je sais que cette maladie n'est qu'une autre expérience que je peux utiliser comme outil d'enseignement pour aider les autres. C'est l'occasion parfaite de réellement vivre ce dont je parle aux autres. On a dû me dire il y a des siècles que j'avais le choix, mais je ne m'en souviens pas. Maintenant, j'insiste auprès des jeunes pour leur dire qu'ils ont le choix entre rester où ils sont et faire ce qu'ils font ou faire quelque chose de différent. »

QUESTIONNAIRE POUR DÉTERMINER LA MAÎTRISE DE LA FLUIDITÉ

Évaluez votre disposition ou votre capacité actuelle à mettre les principes précédents en œuvre. Servez-vous d'une échelle allant de 1 à 10.

PRINCIPES POUR ATTIRER LE CHANGEMENT	1 à 10
• *Le désir crée le changement.*	
Évaluez le degré de votre désir à obtenir ce que vous voulez.	___
• *Nous créons avec chacune de nos pensées.*	
Combien de fois pensez-vous au résultat que vous voulez obtenir comme s'il s'était déjà manifesté ?	___
• *Espoirs et attentes*	
Jusqu'à quel point êtes-vous disposé(e) à lâcher prise et à rester dans le présent ?	___
• *C'est une danse.*	
Jusqu'où êtes-vous capable d'exprimer la façon dont vous voulez vous sentir et d'écouter quand l'intuition vous dit de poser de petits gestes ?	___
• *Confiance*	
Jusqu'à quel point avez-vous confiance que l'univers subviendra toujours à vos besoins ?	___
• *Les synchronicités arrivent lorsque les questions sont claires.*	
Jusqu'à quel point croyez-vous qu'il n'y a pas de hasard ?	___
• *Les échéances intensifient le processus d'attraction.*	
À quelle cadence vous ménagez-vous du temps pour entreprendre des activités qui vous apportent de la joie ?	___
• *L'imagination crée la forme.*	
À quelle cadence visualisez-vous ce que vous voulez ?	___
• *La gratitude et l'appréciation augmentent la fréquence du pouvoir d'attraction.*	
Combien de temps passez-vous en moyenne chaque jour à remarquer les bonnes choses ?	___

- *Les principes de la fluidité*

Quel est votre degré général de plaisir dans la vie ? ___

À quel point vous concentrez-vous sur ce qui est positif dans les conversations ? ___

Agissez-vous souvent en fonction de votre intuition ? ___

Quel est votre degré d'enthousiasme quand vous apprenez quelque chose de nouveau ? ___

Quel est votre degré d'ouverture à prendre de nouvelles mesures pour atteindre un but ? ___

Avec quel degré de facilité pensez-vous attirer ce que vous voulez ? ___

Jusqu'à quel point vous sentez-vous attirant(e) ? ___

Jusqu'à quel point êtes-vous disposé(e) à composer avec les défis d'un changement ? ___

Jusqu'à quel point êtes-vous disposé(e) à faire tout ce qu'il faut pour changer votre vie ? ___

Quel est votre degré de curiosité ?

- *L'acceptation de l'incertitude nous garde flexibles.*

Quel est votre degré de tolérance à l'incertitude ? ___

Êtes-vous disposé(e) à lâcher prise et à juste observer ce qui se passe pendant que vous attendez que des occasions se présentent pour passer à l'action ? ___

Quel est votre degré de patience ? ___

- *Vous avez toujours le choix.*

Avec quel degré de facilité feriez-vous un choix pour changer quelque chose d'important dans votre vie ? ___

TOTAL ___

Résultats	Interprétation
23-69	*Vous résistez au changement.* Vous avez tendance à considérer que ce sont les circonstances qui vous retiennent ou vous croyez qu'il vous manque ce qu'il faut pour avancer. Le changement se manifestera lentement et avec des difficultés qui exigeront de votre part que vous: 1) cessiez de blâmer les autres; 2) renonciez au passé, et; 3) remarquiez que vos croyances interfèrent avec vos désirs.
Que faire ?	• Choisissez celui des principes qui vous parle le plus et mettez-le en pratique jusqu'à ce que vous perdiez intérêt pour lui. • Couchez vos objectifs sur papier et imaginez comment vous vous sentiriez si vous les aviez atteints. Faites cela chaque jour pendant soixante secondes. • Trouvez jusque dans le moindre petit détail tout ce qui vous arrive de positif chaque jour. • Trouvez chaque jour, avant de vous endormir, dix choses pour lesquelles vous éprouvez de la gratitude.
70-120	*L'ambivalence vous habite.* Il se peut que vous vouliez quelque chose de façon consciente mais que vous ayez peur de le demander par crainte de devoir faire des changements que vous estimez être incapable de faire. Les changements adviennent au ralenti parce que vous diluez trop votre intention de changer.
Que faire ?	• Suivez tous les points présentés sous la rubrique « Vous résistez au changement ». • Décidez d'aller dans un endroit nouveau ou travaillez à vous améliorer (cours d'italien pendant

six mois, cours de chant ou de danse, apprentissage de cent nouveaux mots, pratique du yoga).

121-166 *Vous adorez le changement.* Que les changements dans votre vie se soient soldés par du positif ou du négatif, vous avez en général confiance que les choses iront mieux à un moment donné. Vous anticipez les changements avec impatience et vous vous emportez parfois. Vous êtes actif et en général positif, mais vous avez peut-être besoin de ralentir le rythme pour écouter davantage ce que votre intuition vous dit.

Que faire ?

- Couchez vos objectifs sur papier et imaginez la façon dont vous vous sentiriez si vous les aviez atteints. Faites cela chaque jour pendant soixante secondes.
- Rappelez-vous de vous lever chaque matin sur une note positive, de demander que les personnes justes se présentent dans votre vie et que tout se passe de façon harmonieuse.
- Passez vos problèmes ou les obstacles de votre vie en revue pour y trouver quelque chose de positif.
- Donnez-vous un objectif démesuré, trouvez une image qui le représente et que vous afficherez sur votre réfrigérateur.

167-230 *Vous maîtrisez le changement.* Vous naviguez facilement dans les eaux de la vie parce que vous comprenez que tout arrive pour une raison. La croissance personnelle et spirituelle sont vos dadas et vous désirez fortement parler et enseigner aux autres. Vous êtes prêt(e)!

Que faire ?

- Reconnaissez que votre intuition vous souffle d'accepter des défis qui vous mèneront loin.
- Reconnaissez que vous êtes doté(e) d'une bonne ouverture au changement et rappelez-vous qu'il est important de :
  - faire ce qui vous semble significatif ;
  - faire confiance à votre instinct viscéral ;
  - entretenir l'idée que les résultats prendront une tournure positive ;
  - être disposé(e) à faire tout ce que la vie vous demande ;
  - rendre grâce pour tout ce que vous savez et avez déjà.

Chacun d'entre nous compose à sa façon avec le changement. Pour comprendre nos diversités sur ce plan, disons que les gens se classent en quatre catégories quant à la façon de voir la vie et de composer avec ses aléas. Ces quatre catégories sont les suivantes : le *penseur-analyseur*, l'*intuitif-visionnaire*, le *pragmatique-actif* et le *communicateur-pourvoyeur*. Il est sûr que chacun de nous fonctionne à certains moments à partir de n'importe laquelle de ces catégories, ou de toutes. Cependant, nous abordons en général la vie en fonction d'une catégorie dominante.

Le *penseur* a besoin de données pour effectuer des changements ou composer avec eux. Il aime passer en revue ce qu'il sait déjà ou ce qui a été fait auparavant. Le penseur a besoin d'un plan logique pour acquérir la confiance qui lui permet d'amorcer des changements (même si le plan ne se déroule jamais selon ce qu'il avait prévu). Étant donné qu'il éprouve habituellement le besoin de défendre ses décisions, il a tendance à « emmagasiner » de l'information jusqu'à ce que les circonstances ou les échéances le forcent à passer à l'action. Pour le penseur, les changements s'effectuent plus lentement, ce qui rend un conjoint axé sur l'action complètement fou. Il se sent mieux si le changement se fait de façon ordonnée ou prévisible.

L'*intuitif* préfère garder autant d'options que possible. Le changement qui exige une décision de sa part est donc contraignant pour lui, car il a tendance à considérer tout choix comme un frein à son potentiel ou à sa liberté. Sa plus grande difficulté est de réduire le nombre d'options et de se concentrer sur une chose. En réalité, sa priorité sur le plan émotionnel n'est pas de se développer, mais de prendre de l'expansion et d'explorer. Il passe en fait beaucoup de temps à envisager comment le monde pourrait devenir meilleur et a tendance à croire que le développement personnel est important, entre autres qu'il faut dépasser les blocages et changer les scénarios de comportement.

L'*actif* veut un changement quel qu'il soit pourvu que les choses avancent avec efficacité et ordre, et se traduisent par un dénouement positif et tangible. Il n'aime pas les longues discussions sur le changement, surtout avec le communicateur qui se soucie du qu'en-dira-t-on. Le changement lui pose beaucoup moins de problèmes qu'aux trois autres types parce qu'il élimine la tension due à l'inaction. Par contre, il se peut que le pragmatique axé sur l'efficacité agisse trop rapidement et sans s'être bien informé, ou qu'il se retrouve isolé devant un événement imprévu.

Le *communicateur* se préoccupe souvent de ce que les autres pensent et de la façon dont ses gestes viendront affecter ses amis et sa famille. Par conséquent, si le communicateur-pourvoyeur a un grand besoin de plaire et d'être accepté, le changement peut s'avérer stressant et douloureux pour lui. Il peut avoir l'impression que les changements se traduiront par une perte d'amour ou de liens affectifs. Afin d'éviter ce conflit inconscient, il minimise son besoin d'épanouissement et se dirige vers de nouvelles voies. Il peut même ressentir le besoin de demander la « permission » à son conjoint lorsqu'il envisage un changement. Pour éviter tout conflit, il prend secrètement des décisions, dont il ne parle pas jusqu'au fait accompli et par peur qu'on ne l'en dissuade.

En reconnaissant notre dominante personnelle, nous pourrons mieux comprendre pourquoi nous composons avec le changement d'une façon et pourquoi les autres le font d'une manière qui nous est totalement étrangère.

8

Laissez-vous évoluer

Un mantra est comme un torrent de montagne.
Il purifie quiconque le récite et s'en abreuve.

KENNETH VERITY[1],
Awareness Beyond Mind

L'INDIVIDUATION, FORCE MOTRICE DU CHANGEMENT

Lorsque nous pensons à tout ce que nous avons fait, là où nous avons été et ce à quoi nous avons accordé notre attention, nous pourrions bien nous demander avec raison si quelqu'un mène le bal. Nous pouvons partiellement répondre à cette question, si nous nous plaçons du point de vue spirituel, en disant que c'est notre mission de vie qui donne forme à notre attention et l'oriente d'une certaine façon. Notre mission de vie met également sur notre route des défis précis que nous devons relever. On peut comparer cette évolution à celle d'un personnage dans un film, entre le début et la fin.

Dans le langage de la psychologie, on qualifie ce processus d'évolution d'*individuation*. Ce terme renvoie non seulement à l'idée que nous vieillissons, mais également à celle que nous nous différencions et nous développons. Toutes les facettes de notre être se raffinent et deviennent plus apparentes.

L'individuation est le moteur qui nous pousse à prendre des risques, à nous ouvrir au monde, à apprendre, à satisfaire notre curiosité et à avancer dans l'inconnu. À l'instar des épreuves que le héros ou l'héroïne d'un mythe rencontre sur sa route, ce sont les épreuves et les défis que toute personne en cours d'individuation doit affronter qui façonnent notre devenir. L'individuation est donc une des plus importantes forces psychologiques à attirer le changement dans notre vie.

Nous avons tous tendance à freiner notre individuation par des affirmations qui nous maintiennent dans la petitesse et la sécurité. Vous vous êtes probablement déjà entendu dire certaines phrases comme: « Mon problème, c'est l'inaction », « Je me sens confuse », « Je ne sais pas quelle est ma mission de vie », « Je suis fatigué de me conformer à un moule trop étriqué, mais je ne sais pas quoi faire d'autre. » Toutes ces affirmations tournent autour d'une seule et même chose: la peur de faire une erreur. Elles envoient le message à votre inconscient que vous craignez l'inconnu parce que vous estimez ne pas pouvoir composer avec ce qui en émergera.

Dites-vous bien une chose: la transformation personnelle est inévitable. Nous pouvons connaître de grands changements dans notre vie même lorsque la réussite est à son zénith.

L'APPEL

Peadar Dalton est un homme de cinquante-deux ans originaire de l'ouest de l'Irlande et ordonné prêtre catholique à l'âge de vingt-trois ans. Il vit aujourd'hui dans le comté de Marin, en Californie, avec sa nouvelle femme, Margarita Ramirez. Son cabinet de psychothérapie le tient très occupé, ainsi que sa qualité de mentor spirituel et de responsable de cérémonies de mariage et d'obsèques. Entre 1970 et 1987, alors qu'il était le père Dalton, il œuvrait dans la paroisse de Mobile, en Alabama. Sa carrière dans le domaine du sacerdoce connut à cette époque l'ascension que connaît celle des gens brillants, engagés et compatissants qui ont trouvé leur véritable appel. Son métier à lui, c'était la vie, c'est-à-dire son sens, ses envolées et ses transitions. Il conseillait tout le monde : les jeunes finissant l'école secondaire et quittant la maison, les couples choisissant un engagement à vie et les gens accablés par la tristesse d'un décès ou d'un divorce. Il avait de nombreuses fonctions et talents : dialoguer avec les autres sur la signification de Dieu et de la famille, discuter de questions dogmatiques comme la culpabilité, la confession et la réconciliation, et l'activisme social. À l'âge de trente-cinq ans, il avait atteint un niveau enviable et significatif dans un travail qui le comblait. Pourtant, c'est à l'apogée de sa carrière qu'il commença à ressentir un appel d'un autre genre.

Peu importe le succès et l'accomplissement que nous avons connus, il arrive un moment où notre mission de vie nous force à faire un pas dans l'inconnu. Ceux qui connaissaient le père Dalton n'auraient jamais pu prévoir qu'une vie si réussie aurait exigé un changement quelconque.

« Lorsque j'ai commencé à remarquer ce besoin insistant à plonger en moi, dit-il, j'ai compris que le bourreau de travail que j'étais se cachait derrière l'activité pour ne pas réponde à cet appel. Ma propension à trop travailler me servait à masquer la peur de l'intimité et celle de ne pas savoir comment composer avec la personne que j'aurais pu trouver en moi. Je pensais bien faire en travaillant tout le temps, mais de façon ironique, je ne me souciais pas de prendre le temps d'établir une plus grande intimité avec moi-même ni avec le divin en moi. »

Après avoir pris un congé sabbatique, le père Peadar s'inscrivit à un programme de premier cycle en travail social à l'Université de Tulane, à la Nouvelle-Orléans. « Quand j'ai entendu le terme *individuation* pour la première fois, je m'en suis quasiment entiché. Il s'agit d'un concept clé dans le domaine de la thérapie familiale, concept qui désigne le processus en fonction duquel les gens en viennent à se considérer comme des individus distincts des autres et du système social au sein duquel ils ont été élevés. Ce processus doit se faire si nous voulons être qui nous sommes vraiment et si nous voulons contribuer de façon authentique au monde. Si nous ne prenons pas toujours davantage conscience de notre véritable Moi, nous serons toujours sur la retenue par crainte d'être rejetés ou par peur de ne pas être dignes du chemin qui est le nôtre. La véritable évolution spirituelle concerne essentiellement la réalisation de notre potentiel. Le terme *individuation* est un mot qui m'inspire constamment et qui m'incite à augmenter ma capacité à aimer et à avoir plus consciemment l'esprit de communauté. »

Laissant derrière lui un travail paroissial très engagé, Peadar dut, pour la première fois de sa vie, affronter les réalités inconnues pour lui de la vie en solitaire. « J'ai dû soudainement, par exemple, prendre l'entière responsabilité de tous les aspects financiers de ma vie, dit-il. J'ai commencé à comprendre ce qu'était l'esprit de compétition et le travail dans un milieu où ma qualité de prêtre n'était plus reconnue. Auparavant, on me fournissait gîte et couvert, on me garantissait un emploi et une retraite. À tout cela, s'ajoutaient une bonne réputation, la reconnaissance des autres et une grande valorisation. Il est très gratifiant d'occuper des fonctions officielles ! J'avais beaucoup apprécié me trouver dans une position d'autorité et voir les gens venir à moi à des moments décisifs de leur vie. L'occasion m'était donnée de m'adresser à un auditoire attentif cinq fois par fin de semaine. En général, on fait immédiatement confiance aux prêtres, ce qui n'est pas le cas en ce qui concerne les thérapeutes. Comme je n'avais bien entendu pas réfléchi à toutes les conséquences de cette décision, la transition n'a pas été facile. Vous vous demandez s'il me vient l'envie de revenir à cet ancien genre de vie ? C'est certain ! Par contre, si j'y revenais, je le ferais avec un entendement plus avisé du sacerdoce et, bien sûr, avec une épouse.

Après avoir quitté le sacerdoce, j'ai dû explorer une couche inconnue et profonde de moi. J'ai commencé à rencontrer des femmes et à entretenir des rapports avec elles, ce qui m'a aidé à comprendre un peu plus ce que sentir, aimer, prendre soin de l'autre, être anxieux et manquer d'assurance veut dire. J'ai aussi compris que je devais intégrer la sexualité à ma vie, au lieu de la compartimenter. Je n'avais jusqu'alors jamais réalisé que, pour bien des choses, mon entendement était limité. »

Soyez qui vous êtes

« Dans presque toutes les fonctions inhérentes à mon travail pastoral (conseiller les autres), dit Peadar, j'essayais d'amener les gens à trouver des réponses à leurs questionnements spirituels afin de les aider à s'élever. Je les encourageais à réfléchir plutôt qu'à accepter les choses telles quelles. Selon moi, il était important qu'ils s'approprient leur cheminement spirituel particulier. Dans mon cas, cela a paradoxalement voulu dire que je m'éloigne de l'Église. En fin de compte, ce genre de démarche permet de devenir plus libre et plus conscient. »

Affrontez la peur d'être déloyal

« En tant que thérapeute, je remarque souvent que les gens qui se plaignent trop de leurs misères sont en fait ceux qui résistent à s'en éloigner. Ils ne réussissent pas à imaginer la joie qui les inonderait s'ils le faisaient ! Il arrive fréquemment que les gens se maintiennent dans des systèmes de croyances et des situations familiales qui ne leur apportent que douleur et souffrances. Pourquoi ? Parce qu'ils restent pris dans la croyance que tout éloignement de la famille ou de l'Église serait un acte déloyal. Au lieu de vouloir plus de joie dans leur vie, ils prétendent ne pas en vouloir. Il faut en premier lieu reconnaître la souffrance ou la coupure. Ensuite, il faut remettre en question les croyances et entrevoir les autres avenues possibles. Mais, bien souvent, il semblerait que le risque de simplement remettre les choses en question soit beaucoup trop grand.

« Les confessions ont toujours été des catalyseurs pour amorcer de grands changements dans la vie des gens, dit Peadar. Les gens venaient au confessionnal après avoir boudé l'Église pendant trente ou quarante ans. La liste des péchés à confesser était donc longue. Je les interrompais dès le début en leur disant d'oublier leur liste et de penser à ce qu'ils aimeraient voir changer dans leur vie. Je leur disais que Dieu sait très bien ce qui a mal tourné et qu'il est seulement intéressé à ce qui peut leur procurer de la joie. Ce genre d'intervention les aidait en général à clarifier leurs idées et il leur venait soudainement des réponses du genre: "J'ai besoin d'être plus aimant avec ma femme", "J'ai besoin d'être moins raciste au travail." Puis, je les encourageais à parler de leurs comportements. J'ai toujours été stupéfait d'entendre les gens me dire à quel point ils étaient inquiets d'avoir manqué la messe le dimanche ou de s'être masturbés, alors qu'ils n'attachaient pas d'importance au fait qu'ils escroquaient quelqu'un le lundi suivant. J'ai donc eu le grand privilège d'assister à d'immenses transformations.

« Cet aspect de mon ancien travail me manque aujourd'hui. Qu'est-ce qui m'a poussé à un si grand changement dans ma vie ? »

Observez ce qui vous manque

« Du milieu de la trentaine au milieu de la quarantaine, quelque chose me manquait. J'ai consulté divers thérapeutes à divers moments : un psychothérapeute, un prêtre jésuite et un psychanalyste jungien qui était en fait une religieuse. Ce fut là le début d'une quête consciente devant me conduire à un périple intérieur profond. Pour résumer la chose, je dirais que je commençais à entrevoir que le sens de mon identité n'était pas exclusivement relié aux fonctions du père Dalton ni à celles de l'obéissant séminariste Peadar Aloysus Dalton du temps du pensionnat. Quelque chose était en train de s'éveiller en moi qui me poussait à me dissocier de la prêtrise et à prendre du recul, même si je me sentais très comblé par la vie. À l'époque, je n'avais pas la moindre idée de la direction que me ferait prendre ma petite voix intérieure ! »

La réflexion se traduit par la croissance personnelle

« En tant que prêtre, j'ai entendu des centaines de personnes me dire qu'elles avaient dû annoncer à leur conjoint qu'elles avaient besoin de continuer leur propre chemin. Dans de telles circonstances, les humains se disent généralement qu'ils n'ont pas le droit de faire ça ou que tout va bien dans leur vie et qu'il suffit de supporter les choses comme elles sont.

« Ce n'est pas nécessairement en acceptant ou en rejetant une chose que nous évoluons, mais plutôt en réfléchissant aux questionnements que la vie et la maturation mettent sur notre route. J'ai rencontré à de nombreuses occasions des maris ou des épouses qui me disaient que, oui, leur conjoint était une bonne personne, mais qu'ils avaient besoin de faire leur propre chemin parce que la relation était devenue vide de sens pour eux. »

Un appel à un plan de croissance autre

« Quand les gens me demandaient pour quelle raison j'avais quitté le sacerdoce, il m'est souvent arrivé d'éprouver de la difficulté à leur expliquer que je me sentais appelé à évoluer autrement. Je pense que la plupart des gens arrivent difficilement à trouver le sens de leur véritable identité. La tentation est grande, surtout pour les chrétiens, de penser qu'il s'agit d'égoïsme ou d'égocentrisme. Mais je parle ici du sens réel de l'identité personnelle qui me permet d'interagir à un niveau plus profond avec moi-même, les autres et Dieu.

« Je me rends compte maintenant que dans ma famille, j'ai très tôt été soumis et je voulais plaire. Qu'il s'agisse de la famille, du pensionnat, du séminaire ou du presbytère, j'ai toujours fait partie d'un système. Dans mon éducation, le fait de désobéir à l'autorité, prêtre ou parents, était considéré comme un manque de loyauté. »

L'individuation est donc la phase au cours de laquelle vous commencez à reconnaître la marque personnelle que vous laisserez dans le monde, votre façon unique de croire et de voir. Comme c'est le cas pour le héros ou l'héroïne mythologique, l'individuation est la force qui nous propulse dans l'inconnu.

Chacun de nous subit l'influence de divers systèmes sociaux et idéologiques. Cependant, la vie comporte des points tournants où nous devons examiner ce qui a véritablement de la valeur à nos yeux, ce qui nous rend heureux et ce qui nous permet de devenir réellement qui nous sommes. « Je suis plus conscient maintenant de mes points forts et de mes points faibles. Et cela est une force, pas une faiblesse ! Avais-je la moindre idée de tout cela à l'âge de trente-huit ans ? Pas le moins du monde ! Est-ce que je pense qu'il y avait une force en moi qui m'a permis de découvrir cette vérité ? Tout à fait ! »

OÙ ÊTES-VOUS RENDU DANS VOTRE PROCESSUS D'INDIVIDUATION ?

L'histoire de cet homme qui s'est aventuré dans l'inconnu de sa mission de vie souligne les défis communs que nous devons tous relever lorsque de nouvelles étapes s'amorcent dans notre vie. Selon vous et intuitivement, laquelle des questions suivantes correspond à ce sur quoi vous êtes en train de travailler actuellement ?

- Est-ce que je m'approprie bien mes intérêts, passions et talents et leur accorde importance et valeur propres ?
- Y a-t-il quelqu'un que j'ai peur de laisser tomber ?
- Ai-je peur d'être déloyal si je suis plus honnête ?
- Qu'est-ce qui manque dans ma vie ?
- De quelle façon nouvelle est-ce que j'aimerais m'épanouir ?
- Qu'est-ce qui, précisément, m'inquiète ou m'effraie en ce qui concerne le futur ?

En général, lorsque nous réussissons à prendre conscience des questions et des peurs que nous avons réprimées, nous permettons à l'énergie de circuler à nouveau et aux réponses inattendues d'émerger. Si nous laissons la question nous guider, nous recevons beaucoup plus que nous aurions pu imaginer.

ARRÊTEZ DE VOUS BATTRE

Lorsque la vie nous semble être un combat, c'est parce que nous forçons les choses au lieu de suivre le courant et de les laisser venir à nous. Des désirs conflictuels nous habitent parfois: « Je déteste aller dans des soirées, mais si je veux rencontrer quelqu'un il faut bien que je sorte », ou « Je veux changer, mais je suis trop occupé à gagner ma vie. » Nous oublions que, même si nous réussissons à provoquer les choses en posant des gestes déterminés, de meilleures possibilités peuvent se présenter lorsque nous obéissons à la loi de l'attraction.

« Cela fait huit ans que je travaille comme thérapeute autonome, dit Blaise, un homme de cinquante-sept ans qui est en train de mettre au point un spectacle où il joue le rôle d'une femme. L'an passé, j'ai commencé à sentir une certaine insatisfaction au travail, ainsi que sur le plan relationnel puisqu'il n'y avait personne de stable dans ma vie. Pendant que j'étais en consultation avec des clients, je me surprenais à penser que je n'en pouvais plus d'écouter leurs histoires. Ma petite voix intérieure soulevait sans cesse la même question sur le plan des relations intimes: "Qu'est-ce que tu fais de mal puisque tu n'as personne dans ta vie ?" Depuis que j'ai quitté ma femme il y a quelques années, ma principale préoccupation est de trouver quelqu'un avec qui être en relation. Mais cette année, j'en ai eu marre ! Il me semble que devoir faire des efforts pour rencontrer quelqu'un est une perte de temps. J'ai donc décidé de simplement jouir de la vie, de m'épanouir et d'intégrer à mon quotidien davantage de choses qui me font plaisir. Je pense que c'est de cette façon que je pourrais plus probablement rencontrer quelqu'un. Je ne cherche plus, j'entreprends simplement des activités uniquement par plaisir. »

Pendant des années, Blaise a vécu un conflit sur le plan de l'identité sexuelle et alors qu'il était marié, il s'est rendu compte qu'il était homosexuel. Après avoir quitté sa femme, il s'est donc mis à explorer une dimension totalement nouvelle. Selon lui, il s'agit d'un cheminement permanent dans le royaume de l'inconnu. « Je deviens l'homme que je suis, pas celui défini par les autres, dit-il. Lorsque j'entends des jugements à mon égard, je me dis qu'ils sont là pour me rappeler l'importance qu'il y a à suivre le chemin de mon cœur. J'essaie par conséquent d'être encore plus clément envers moi-même et je persiste à entretenir ce qui a de la valeur à mes yeux. »

PLONGEZ EN VOUS

Quand un tel défi se présente, ce qui ne manquera pas d'arriver, prenez l'habitude de plonger immédiatement en vous et de prêter intensément attention au champ énergétique de votre corps.

ECKHART TOLLE[2],
Le pouvoir du moment présent

Lorsque la vie est un éternel combat, cela signifie en général que nous n'avons pas encore reconnu certaines parties de nous-mêmes. Les difficultés semblent toujours provenir de l'extérieur, alors que si nous regardons profondément en nous, nous constaterons que celles-ci reflètent simplement un conflit non résolu qui est profondément enfoui en nous.

« Lorsque j'entends ces juges intérieurs émettre des critiques, je les mets au défi. Je ne me laisse pas intimider et je leur tiens tête. Je prends le temps de les écouter pour savoir s'ils me rappellent quelqu'un, ma mère, mon père, un prêtre ou un professeur. Ces voix sont puissantes car elles déterminent la façon et les moments que nous choisissons pour effectuer des changements. »

Pour arrêter de nous battre, nous devons en premier lieu remarquer que nous nous battons, car nous ne sommes pas faits pour vivre constamment dans le conflit. Une des choses que vous pouvez faire pour cerner les diverses voix qui se contredisent en vous, c'est d'écrire ce qu'elles racontent, ce qu'elles veulent et ce dont elles ne veulent plus.

Le conflit résulte du fait que nous voyons les choses en fonction de la dualité. Les décisions prises à partir de la dualité nous paralysent et nous maintiennent hors de portée des autres possibilités.

Blaise explique que le besoin d'exprimer sa véritable identité est devenu extrêmement pressant. « Depuis six ans, je vais dans des camps d'été pour homosexuels, hommes et femmes, dit-il, et chaque année nous montons un spectacle. Au cours de la troisième année, j'ai entendu une petite voix en moi dire : "Je veux faire un spectacle de travesti." Une voix plus forte s'est écriée avec horreur : "Qu'est-ce que tu veux dire par travesti ?" Chaque fois que j'ai essayé de repousser la première petite voix, elle revenait. » Ce fut donc la voix insistante de l'intuition qui encouragea Blaise à se lancer dans l'inconnu. Bien entendu, dans ces cas, l'ego ne remet pas moins les critiques, la logique et les conventions sociales sur le tapis. Qu'est-ce que les gens vont dire ?

L'ACTION SANS EFFORT

Remarquez l'excès d'effort ou de volonté que vous déployez aujourd'hui. Chaque fois que vous poussez ou tirez dans la vie, vous empêchez votre intuition de faire son œuvre.

PENNY PEIRCE[3],
The Present Moment

« La première chose que j'ai faite après avoir décidé de monter le numéro de travesti, dit Blaise, ça a été de m'acheter un bustier bleu pailleté. Même si j'ai ressenti une honte incroyable à le faire, je l'ai tout de même acheté. En rentrant chez moi, je me suis dit : "Bon, qu'est-ce que tout ça veut dire ?" et j'ai réalisé que j'avais vraiment voulu acheter ce bustier : j'en aimais la couleur et je m'étais dit qu'il pouvait être le premier élément d'un beau costume. Il me restait à acheter le suivant. Ce que j'ai fait. Puis, j'ai commencé à jouer et à répéter mon spectacle à la maison tout en m'observant attentivement pour voir ce qui en ressortait. Vous ne pouvez imaginer toutes les voix que j'ai pu entendre ! Mais j'ai continué à jouer avec chacune d'elles. En fait, cela revient à dire qu'il faut apprendre à s'accepter.

« J'aime bien des aspects de la préparation d'un spectacle : la conception, l'éclairage, l'interprétation des chansons, la préparation de la séquence des chansons... Quand j'étais petit, je pensais souvent à ces choses. J'aimais beaucoup également créer des costumes, monter des pièces, divertir les gens, travailler avec les couleurs, créer une atmosphère et aider les gens à s'amuser. Et maintenant, j'adore mettre mon imagination à l'œuvre. »

Tout au long de ce processus d'évolution personnelle, Blaise observa les multiples croyances et les vieux jugements refaire surface. Il réalisa la dureté avec laquelle il a tendance à se considérer et sa propension à se parler tout seul (chose que nous faisons d'ailleurs tous plus ou moins). « Ce sont ces pensées mesquines, explique-t-il, qui engendraient la peur chez moi. »

Quand nous choisissons de vivre dans la joie que procure l'exploration et la création, que nous entreprenons une démarche qui nous fait sentir bien, le conflit s'estompe peu à peu. En ne prenant pas le conflit de front mais en nous dirigeant plutôt vers quelque chose qui nous stimule et nous satisfait, nous trouvons la solution. La clé, c'est de remarquer ce qui nous procure cette énergie positive (pour Blaise il s'agissait d'un bustier bleu pailleté) et d'aller dans ce sens.

MÉDITATION POUR DISSIPER LE CONFLIT

Commencez par lire plusieurs fois le contenu de cette méditation pour vous familiariser avec ses étapes. Ensuite, lorsque vous êtes prêt et que vous ne serez pas dérangé, faites jouer une musique douce et commencez votre visualisation.

1. Fermez les yeux et installez en vous une sensation de relaxation et de contentement.
2. Notez les parties de votre corps où il y a de la tension.
3. Imaginez que vous détendez ces parties jusqu'à ce que tout votre corps soit aussi détendu que possible.
4. Imaginez votre conflit sous la forme d'un objet, d'un symbole, d'un son ou d'une sensation.
5. Imaginez que ce symbole se désintègre graduellement.
6. Imaginez qu'un courant d'eau emporte tranquillement les morceaux en désintégration.
7. Pendant que l'image se dissout, respirez paisiblement et devenez encore plus détendu et calme.
8. Sentez que votre visage est détendu et ressentez la joie paisible qu'il y a à être libéré et en paix.

Lorsque vous êtes prêt, ouvrez les yeux et gardez en vous aussi longtemps que possible cette sensation de paix. Prenez votre prochain repas avec lenteur et en accordant attention et appréciation au moindre détail des aliments que vous ingérez. Agissez comme si le conflit était chose révolue et que l'univers se soit occupé de tout pour vous. Quand vous allez au lit le soir, rendez grâce pour tout ce que vous avez reçu dans la journée et pour l'aide qui est sur le point de vous être accordée afin que vous réussissiez.

Cette méditation toute simple peut faire des merveilles si on la pratique régulièrement. Ayez confiance au fait que votre âme saura créer et attirer à vous la bonne solution.

ACCEPTEZ QUI VOUS ÊTES

Lorsque nous reconnaissons notre propre vérité, nous avons enfin la liberté de suivre la voie non conventionnelle de l'intuition. Quand elle était adolescente, Victoria était timide et quelque peu solitaire.

Approchant aujourd'hui la quarantaine, cette femme a connu une florissante carrière d'actrice, de productrice et de réalisatrice dans le domaine de la production de films ou spectacles pour adultes. Au moment de notre rencontre, elle vivait depuis plusieurs années en ménage à trois. (Elle vit maintenant avec une autre personne.) Son épanouissement sur le plan personnel et professionnel lui a demandé prise de risques, courage, détermination et authenticité. C'est ce qui lui a permis de réaliser ses rêves et ses fantasmes malgré les conventions et les préjugés sociaux. Ses débuts dans le domaine de l'industrie de la sexualité furent étroitement liés aux rapports affectifs domestiques très forts et encourageants qu'elle entretenait avec Gene et Danielle, ces deux personnes qui formaient un couple engagé mais qui vivaient une relation ouverte lorsqu'elle les avait rencontrées.

« Je savais très bien que je ne voulais pas d'une vie conventionnelle ni vivre dans le mensonge, dit Victoria. J'ai rencontré Gene dans un café où nous travaillions tous deux en 1980 et il m'a immédiatement parlé de sa compagne très ouverte. Il m'a aussi dit qu'il n'était pas monogame. C'est le genre de relation qu'ils étaient tous deux capables d'entretenir qui me les rendit si attirants. Je voulais moi aussi connaître cette réalité. Gene et moi avons donc commencé à nous voir et lui et sa compagne ont aménagé chez moi deux ans plus tard. Tous les trois, nous vivons ensemble comme une famille depuis 1982. En théorie, nous pouvons fréquenter d'autres gens, mais nous ne le faisons pas la plupart du temps. »

Être différente dès le début

Dès son plus jeune âge, Victoria fut exposée à une pensée peu orthodoxe au sujet de la sexualité et des rôles propres aux genres sexuels. Dans les années 70, ses parents étaient tous deux des adeptes de la spiritualité et pratiquaient la voie zen. Sa mère, anciennement une scientifique, est actuellement l'ama d'un grand centre zen urbain. « Je me rappelle être un jour arrivée à la maison à l'âge de dix ans et avoir dit à mon père que j'étais une excentrique. Je ne sais pas ce qui m'avait poussée à dire ça, mais j'avais à ce moment-là déjà réalisé le fait que j'étais à part. Solitaire, peu encline à socialiser et en général plongée dans mes livres, j'étais grotesque au dernier degré. À l'école secondaire, je ne suis sortie avec aucun garçon, mais par contre j'ai fait du théâtre et confectionné des costumes de scène. J'ai su que j'étais bisexuelle dès l'âge de quatorze ans et heureusement, du fait que j'ai grandi dans une famille à l'esprit ouvert, je n'en ai jamais ressenti de honte. »

Intérêts précoces pour l'éducation et la guérison

Depuis toute petite intéressée par la santé et les sciences, Victoria poursuivit des études en psychologie et obtint un diplôme de premier cycle dans ce domaine en 1985. Cette formation de base a ensuite évolué en une vocation dans le domaine de l'éducation sexuelle, ce qui, entre autres, comprend aussi bien des actes sexuels sur scène que la réalisation de films éducatifs sur la sexualité. « Mon devoir, mon travail et ma vocation sont d'aider les gens à réaliser leur potentiel sexuel et à dépasser leurs sentiments de honte, d'ignorance, de maladresse et de culpabilité. La sexualité est l'œuvre de ma vie. »

Une fois que nous savons clairement comment nous voulons nous sentir et que nous prenons la responsabilité de ce que nous sommes, nous faisons des choix beaucoup plus éclairés. La connaissance de soi n'arrive cependant pas d'un coup. Victoria pense qu'il faut se demander régulièrement quoi faire pour que l'intégrité et la compassion augmentent en nous, pour que nous soyons davantage nous-mêmes.

Notre disposition à accepter ce que nous ne pouvons pas changer en nous est un grand signe de maturité. « Je ne serai jamais une personne organisée, soigneuse ni douée pour les détails en affaires, fait remarquer Victoria. Par contre, j'accepte dorénavant que je suis excellente dans le domaine du senti, de la communication et du conseil. Il s'agit avant tout d'accepter nos faiblesses et nos forces.

« Le changement s'effectue en nous lorsque nous prenons le temps de passer du temps seul et en silence, en notre propre compagnie. Nous avons ainsi le loisir de voir ce en quoi consiste notre vie. Ce faisant, nous prenons totalement et en tout temps la responsabilité de ce que nous sommes, qu'il s'agisse de nos émotions, de nos comportements et de notre attitude. Je mets en pratique ce que j'appelle "la conscience empreinte de com-

QUELLE PARTIE DE VOUS AVEZ-VOUS ÉLUDÉE ?

J'ai tellement entendu d'hommes me parler du dilemme qu'ils avaient en commun et auquel ils devaient faire face ! Ils me disent qu'ils aimeraient suivre leur passion – être écrivain, metteur en scène ou pompier bénévole – mais qu'ils doivent payer leur hypothèque, que les enfants sont encore à l'université, etc. Ce genre de discours est l'indice qu'il leur faut arrêter la roue et prendre le temps de passer leur vie en revue. Où est le morceau manquant ? Quelle partie de moi ai-je mis de côté qui a un besoin désespéré de s'exprimer ? Quelle vieille blessure ou colère se trouve verrouillée à l'intérieur ? Comment puis-je m'en débarrasser ?

GAIL SHEEHY[4],
Understanding Men's Passages

passion". Vous devez pouvoir rester en présence de vos émotions et ne pas fuir. Si vous voulez transformer votre vie sexuelle, il vous faut comprendre comment vous êtes arrivé dans la situation où vous vous trouvez.

« Vous devez faire preuve de compassion envers vous-même. Je suis enfin devenue la femme que je voulais être : confiante, aimable, sexy, compétente et à l'aise dans sa peau. »

ACCEPTEZ QUE VOS FORCES ONT LEUR RAISON D'ÊTRE

Pensez-vous qu'il soit possible de résoudre un des plus graves problèmes écologiques du monde en parlant simplement à un parfait étranger dans un restaurant ? C'est du moins ce que David Samuel semble avoir réussi à faire. Auteur de l'ouvrage *Practical Mysticism*, David devint millionnaire à l'âge de vingt-huit ans. Originaire de Montréal, il occupait déjà trois emplois à l'âge de treize ans : photographe de noces, professeur de photographie et commis dans un magasin vendant des cartes Hallmark. Dès son plus jeune âge, son intention était de gagner beaucoup d'argent afin d'entreprendre par la suite une quête spirituelle.

David mit sur pied huit entreprises, entre autres quelques magasins de vente au détail, une firme de gestion et de mise en valeur de biens immobiliers, une entreprise de courtage et une société d'import-export se procurant des articles en Chine pour les vendre en Russie et en Amérique du Sud. « J'en suis venu à un point, se rappelle David, où je me suis dit que c'était assez. J'ai donc tout vendu. Mon entourage pensait que j'avais perdu la tête. »

David acheta un billet d'avion ouvert pour faire le tour du monde. Même sans savoir où cela le mènerait, il commença par aller au Japon, motivé qu'il était d'y trouver des maîtres enseignant les traditions orientales comme le bouddhisme, l'approche zen, le soufisme, ainsi que les œuvres de maîtres tels que Gurdjieff et Ouspensky. Il fit des séjours dans des monastères et ashrams au Japon, en Inde, en Thaïlande et en Turquie, croisant ainsi la route de bien des maîtres et d'inconnus à la sagesse infuse. « Un jour, raconte David, je voyageais en autobus en Inde, légèrement déprimé et les yeux fixés sur le paysage défilant derrière la vitre. Un homme assis à côté de moi, qui selon toutes les apparences ne possédait rien, prenait un repas très frugal. Il coupa sa banane en deux et m'en tendit la moitié en me disant : "On peut avoir des problèmes, mais il faut surtout en parler aux autres." »

Alors qu'il voyageait à travers le monde en quête de vérité et de sagesse, David s'entendit dire d'une façon ou d'une autre par de nombreux maîtres qu'il n'était pas destiné à devenir moine. « Même si je rencontrais tous ces merveilleux maîtres, je ne me sentais jamais heureux. L'objectif que j'avais de devenir moine et de trouver Dieu me rendait dépressif. Quelque chose ne tournait pas rond. Je me sentais de plus en plus triste et seul », dit David. Ses maîtres lui confièrent qu'il lui incombait de vivre *dans* le monde, pas *hors* du monde, qu'il devait travailler avec des gens d'affaires et leur transmettre des enseignements spirituels.

David finit par accepter que sa réussite en affaires avait sa raison d'être, que son sens des affaires était en fait un talent de nature spirituelle. « J'ai accepté ma destinée, dit-il. Je sais maintenant que je suis censé enseigner aux autres comment être en affaires et gagner de l'argent en ne perdant pas de vue leurs valeurs et orientation spirituelle. Peu importe ce que nous entreprenons, la spiritualité peut faire partie de notre vie. Comme bien des gens, je pensais que, pour cela, il nous fallait quitter le monde séculier et nous consacrer à des pratiques ésotériques et spirituelles, alors que nous pouvons en fait vivre totalement notre vérité en travaillant comme cuisinier dans un restaurant. Nous devons simplement trouver notre destinée et la suivre. La mienne consistait à évoluer dans le monde occidental du commerce, pas dans le monde oriental de la renonciation. »

SOYEZ OUVERT ET PRÊT À AGIR

David, qui met en pratique les principes sous-tendant des disciplines comme le tai-chi, le chi kung et le tir à l'arc, offre des services de consultation aux entrepreneurs. Il leur enseigne que la réussite dans le plan de la matière émane du travail que l'on fait sur soi. « La sagesse éternelle est à notre portée et, si nous choisissons de l'explorer et de nous en servir, l'abondance et le succès se présenteront dans notre vie, dit-il. Lorsque nous affinons notre caractère et devenons plus généreux, honnêtes et consciencieux, notre créativité émane d'un plan supérieur. Lorsque nous fonctionnons à partir de ces principes, nos affaires peuvent vraiment fructifier. Les Occidentaux ont de la difficulté à saisir que faire du bien aux autres peut rapporter beaucoup. »

En 1995, le frère de David remarqua une annonce dans un magazine qui proposait des retraites dans un nouveau centre à Crestone, au Colorado. Voulant en savoir plus, David s'y rendit.

COMMENT AUGMENTER LE NIVEAU DE VOTRE ÉNERGIE

- Sachez quand manger.
- Allégez votre fardeau. Élaguez l'inutile dans votre vie.
- Faites-en moins.
- Fréquentez des gens qui vous inspirent.
- Déléguez.
- Soyez ponctuel.
- Parlez moins.
- Faites de l'exercice.

DAVID SAMUEL[5],
Practical Mysticism

Il était loin de se douter que sa curiosité le mènerait à un enchaînement de rencontres apparemment sans lien mais qui se traduiraient par une collaboration avec le physicien Paul Brown.

Alors qu'il prenait le thé dans un restaurant de Crestone, David engagea la conversation avec un sympathique inconnu. Pour donner suite à son désir de se mettre au service des autres, David offrit à cet homme d'aller rendre visite à l'ami de ce dernier, qui avait besoin de conseils dans le domaine des affaires. Ce contact lui fit rencontrer une autre personne qui avait également besoin d'aide, aide qu'il accorda dans les deux cas gratuitement. Par une série de rencontres synchrones consécutives dans le cadre desquelles il put offrir ses talents d'expert en affaires, David croisa à un moment donné un groupe de gens intéressés à mettre sur pied une compagnie destinée à mettre au point des appareils non polluants.

Au cours d'une conférence à Phoenix, en Arizona, David fit la connaissance de Paul Brown, un physicien nucléaire qui avait conçu une méthode améliorée et plus rapide de stabilisation des déchets toxiques dans les centrales nucléaires. Actuellement, ces déchets radioactifs posent un risque de contamination s'étalant sur mille ans et sont en général acheminés vers des endroits isolés pour être enterrés. « Pour résumer les choses, je dirais que Paul Brown a eu l'idée et moi le capital pour lancer cette compagnie », explique David.

Il va sans dire que ce projet d'entreprise pourrait avoir de grandes répercussions, tout ça parce qu'un homme avait bu du thé et parlé à un inconnu. « Je n'ai jamais mis la main sur l'article qui m'avait amené au Colorado, dit David, puisque c'est mon frère qui m'en avait parlé. Si, à un certain moment, vous avez raté votre destinée, les dieux trouveront le moyen de la remettre sur votre route. Il vous suffit de garder l'esprit ouvert et d'être prêt à passer à l'action le moment venu. Chaque chose est un guide en puissance. J'adopte l'attitude que j'ai apprise dans ma quête spirituelle : que vous soyez en train de régner sur un empire ou que vous fassiez cuire un simple poisson, vous faites exactement la même chose. »

COMMENT CHANGER DU TOUT AU TOUT

- *Demandez-vous ce qui vous manque.* Les gens effectuent souvent des changements dans leur vie, mais ne savent pas vraiment ce qu'est leur problème réel. Résultat : le changement n'a aucun effet. N'agissez pas avant d'avoir compris ce qui ne va pas.

- *Ne dites jamais jamais.* Par exemple, même si mes affaires allaient très bien, je pensais que je devais en sortir et me faire moine. Erreur ! Ce que j'avais besoin de faire, c'était de plonger encore plus dans les affaires. Ce dont nous pensons avoir besoin peut ne pas être ce dont nous avons effectivement besoin. Par exemple, quand j'étais jeune et que je travaillais dans des magasins de vente au détail, je me rappelle m'être dit que je ne travaillerais plus jamais dans ce domaine. Mais j'ai fini par avoir trois magasins de vente au détail et c'est avec eux que j'ai amassé la plus grande partie de ma fortune.

- *Réfléchissez à ce que vous voulez vraiment dans la vie.* Lorsque vous voulez effectuer des changements, il est tentant de changer les choses dans le monde extérieur seulement – déménager, divorcer, travailler plus. Mais ce n'est pas nécessairement la meilleure façon de changer les choses. Il vaut mieux plonger en soi pour voir qui vous êtes réellement plutôt que d'essayer d'atteindre un standard ou un idéal.

- *Reposez-vous, détendez-vous et occupez-vous de ce qui se présente à vous dans le moment.* Accordez votre attention à ce qui vous intéresse et donnez suite aux rencontres dites fortuites, car elles pourraient avoir le potentiel de changer votre vie ou le monde.

- *Ne qualifiez pas les choses d'importantes ou de pas importantes.* La vie vous apportera exactement ce dont vous avez besoin. Il vous suffit d'être totalement ouvert et de réaliser à quel point la vie est parfaite telle qu'elle est.

- *Restez dans le moment présent.* J'aime le dicton soufi qui dit : « Il n'a jamais pensé à autre chose qu'au pas qu'il était en train de faire. »

DAVID SAMUEL[6]

LIMITES OU FORCES?

L'échec est-il toujours une mauvaise chose? Ou bien n'est-il qu'un signal qui nous invite à mieux regarder ce que nous pensions vouloir?

Roy Iwaki, un Américain d'origine japonaise âgé de soixante-cinq ans, raconte qu'il échoua lamentablement quand il était jeune à atteindre le but qu'il s'était donné de devenir architecte. Après avoir de peine et de misère obtenu son diplôme d'architecte à l'Université de Californie à Berkeley, Roy dénicha son premier emploi dans un bureau d'architecte. Il fut licencié un mois plus tard. Démoralisé, il consacra plusieurs mois à se trouver un autre emploi. Tout ce temps d'inactivité professionnelle lui permit graduellement de comprendre que le métier d'architecte qu'il avait tant convoité ne correspondait pas bien en fait à sa nature profonde. Reconnaissant que la lenteur de son style d'apprentissage et de son fonctionnement au travail ne convenait pas à une carrière importante dans un monde compétitif, il trouva un travail qui correspondait mieux à ses points forts, entre autres la patience, la persévérance, la résolution de problèmes et la dextérité manuelle. Il choisit donc les métiers moins prestigieux de charpentier, électricien et rénovateur, qui lui procurèrent cependant une vocation à long terme assurée. « Ce travail dans la construction m'a donné le temps et les moyens dont j'avais besoin pour explorer ma passion de la sculpture en papier, dit-il. Cet art renforce mon estime personnelle et me comble sur le plan artistique. » Cette forme unique d'art, inventée par Roy à partir de ses expériences, ne pouvait l'avoir été que par quelqu'un ayant autant de patience, de détermination et de sensibilité à l'espace. Sa capacité à envisager diverses possibilités, à explorer toutes sortes d'idées sortant de l'ordinaire et à prendre tout le temps voulu sans être obligé de produire des résultats parfaits – qualités qui n'étaient pas appréciées dans le cadre de son premier emploi – furent précisément les points forts qui lui permirent de devenir l'artiste original et à succès qu'il est devenu.

SUIVEZ VOTRE PASSION

L'intégrité face à soi-même est l'éternelle recette qui permet de vivre une vie d'authenticité où la joie et le succès font leur marque. Nancy Rosanoff, conseillère intuitive et auteure de l'ouvrage *Knowing When It's Right*, explique dans ce dernier ce qui se produit lorsque vous: 1) savez comment vous voulez vous sentir; 2) connaissez vos forces et mettez l'accent sur elles; 3) émettez fortement l'intention de ce que vous désirez, et; 4) renoncez à tout combat.

« Il y a environ deux ans, dit Nancy Rosanoff, j'ai décidé de ne plus faire ma publicité moi-même. Je me suis dit que ce n'était pas mon truc, que je n'aimais pas ça et que ça ne marchait pas.

« J'en suis également venue à la conclusion que le travail que je veux faire n'est pas un tout en soi et que j'ai besoin de faire partie d'une équipe de personnes, d'un réseau plus grand de gens qui ont d'autres talents. Plutôt que de faire des choses auxquelles je n'excelle pas, entre autres de me forcer à vendre mes talents, j'ai décidé de faire ce que je savais faire le mieux, et ce, dans le cadre d'un groupe. À l'origine, mon intention était de toucher trois secteurs, celui des dirigeants mondiaux, des affaires et de la santé. »

Quelques mois après avoir émis cette intention, trois compagnies d'experts-conseils qui avaient entendu parler du travail de Nancy par des collègues entrèrent en communication avec elle. Depuis, ces compagnies lui procurent régulièrement du travail de formation. Chose intéressante à noter, c'est que chacune d'elles est axée sur les trois secteurs qui intéressaient Nancy. Par exemple, une des compagnies l'a embauchée pour enseigner la prise de décision intuitive aux médecins et aux cadres supérieurs d'un hôpital.

Nancy entretient dorénavant de façon constante son intention originale de mettre de côté l'aspect marketing, d'améliorer ses talents et d'entretenir ses contacts. « La semaine dernière, une de ces compagnies m'a appelée pour me proposer de

LA VISION, SOURCE D'INSPIRATION
POUR L'ÉNERGIE

Dès l'instant où vous avez une vision de ce que vous voulez dans la vie, et c'est ce dont il est question quand on parle de découvrir ce qui importe le plus pour nous, l'énergie revient.

HYRUM W. SMITH[7],
What Matters Most

travailler à la réalisation d'un très grand projet qui est extrêmement payant et qui met précisément l'accent sur l'emploi de mes talents. Cela correspond exactement à ce que je suis et ce que je veux faire, et tout se passe sans aucun effort. Ce que je réalise, c'est que plus je mets l'accent sur mes points forts, plus les choses m'arrivent. Auparavant, quand j'essayais de provoquer les choses, je finissais par faire un travail qui était inopportun. C'était une perte de temps et d'argent. »

La détermination de Nancy à donner suite aux indices qui se présentent dans sa vie constitue une partie importante du processus. La plupart du temps, lorsque nous envisageons l'avenir et l'inconnu, nous nous chargeons d'un fardeau inutile en supposant que nous devons tout faire nous-mêmes et tout comprendre d'avance. Par contre, suivre le courant ne veut pas dire rester sans rien faire. En fait, cela veut dire que nous travaillons sur ce qui demande notre attention. Nous apprenons, nous effectuons un travail intérieur et nous passons aux actes quand nous sentons que c'est le moment propice. Nous sommes disposés à risquer, à explorer, à demander. Nous restons alertes pour savoir ce que nous devons faire.

UN MOI EN ÉVOLUTION

Les indices pointant vers notre véritable identité se trouvent souvent dans les particularités de notre milieu et de nos premiers rêves d'enfance.

Indices précoces d'une destinée

Cyntha Gonzalez-Kabil est une thérapeute transpersonnelle âgée de trente-sept ans et née à Detroit dans une famille de la haute bourgeoisie. Sa mère était anglo-américaine et son père, mexicain. « À l'âge de six ans, dit-elle, j'ai annoncé à la famille que je voulais être sœur et médecin quand je serais grande. La façon dont je vois les choses maintenant, c'est que, à cette époque, les sœurs et les médecins étaient les seuls modèles féminins dont je disposais pour exprimer mon désir d'explorer la spiritualité et la guérison. Ces deux archétypes m'ont guidée. »

DES MESSAGES FAMILIAUX CONTRADICTOIRES SE TRADUISENT PAR DES OBJECTIFS CONTRADICTOIRES

« À l'âge de quatorze ans, j'ai lu un livre sur la psychologie qui m'a convaincue que quatre-vingt-dix-neuf pour cent des maladies sont d'origine psychosomatique. Mon désir de devenir médecin s'est instantanément envolé et la psychologie est alors devenue ma passion. À l'âge de dix-sept ans, j'ai pris part un jour à une session de méditation bouddhiste qui m'a, une fois de plus, fait changer d'avis sur l'à-propos d'un doctorat en psychologie. Tout le monde disait que je finirais par devenir une serveuse de restaurant dotée d'un doctorat. »

Comme c'est le cas pour tous les humains qui s'acheminent vers l'âge adulte, Cyntha fut bombardée de suggestions par tous les membres de sa famille afin qu'elle se dirige vers une profession libérale: médecin, avocat ou ingénieur. Du côté paternel de sa famille, comme du côté maternel, on voulait qu'elle soit la première femme à décrocher un diplôme universitaire. Tout le monde voulait qu'elle soit autonome et financièrement indépendante. « Les messages que je recevais étaient contradictoires, dit Cyntha. D'un côté, ils voulaient que je sois indépendante et, de l'autre, ils me dictaient quoi faire. Ils ne me poussaient pas du tout à me diriger vers ce qui me passionnait, c'est-à-dire la spiritualité et la psychologie. » Alors, lorsque l'Université du Michigan lui offrit une bourse pour étudier en génie, elle céda aux pressions familiales en rationalisant les choses : elle gagnerait sa vie comme ingénieur et prendrait des cours du soir pour devenir psychologue !

« Quatre mois plus tard, la veille du début des examens, j'ai fait une dépression psychosomatique majeure. C'était la façon que mon corps avait trouvée pour me dire : Non, ce n'est pas ta vraie mission. Ça a été une expérience de mort et de renaissance. J'ai été tellement malade et sonnée que je suis restée clouée au lit. Je ne me suis présentée à presque aucun examen et j'ai échoué un des plus importants. La vie ne me donnait pas le choix. »

En lisant l'histoire de Cyntha, nous sommes obligés de considérer un élément important si nous faisons l'examen de notre destinée. En tant qu'individus, comment procédons-nous aux changements consécutifs qui contribuent à l'évolution des idées et des paradigmes dans notre culture ? Dans le cas de Cyntha, les messages que lui envoyaient les membres de sa famille étaient façonnés par de fortes valeurs d'indépendance et par le besoin de s'améliorer par l'éducation. Pour voir à son individuation, elle dut apprendre à écouter son intuition tout en entretenant des rapports familiaux harmonieux. À un niveau plus profond cependant, on pourrait déduire que le dilemme de Cyntha faisait partie d'une transformation plus importante sur le plan de l'inconscient collectif et qui ne peut en général s'actualiser qu'individuellement. L'intérêt que Cyntha portait à la guérison, à la spiritualité et à la féminité étaient alors des tendances discrètes qui devaient se généraliser vingt ans plus tard.

Comme nous le savons, au cours des années 60 et 70, la culture américaine subit un bouleversement radical, marqué par des éléments comme l'agitation sociale, les droits civils, la liberté individuelle, la philosophie orientale et les enseignements spirituels. Ces transformations devaient se produire individuellement chez des millions de personnes *en instance d'éveil.*

Une affirmation de jeunesse se confirme

Au cours des quelques années qui suivirent, Cyntha étudia la psychologie transpersonnelle et l'anthropologie culturelle. Sa passion pour le chamanisme la conduisit au Brésil et au Pérou où, avec une grande synchronicité, bien des portes s'ouvrirent sur le plan des études ésotériques et des expériences mystiques. « Lorsque j'ai commencé mes cours en psychologie transpersonnelle au California Institute for Integral Studies à San Fransisco, j'ai dû remplir un formulaire de deux pages où on me demandait d'expliquer ce que je ferais de mon diplôme. Voici

UN RÉVEIL QUI S'ÉTALE SUR DEUX GÉNÉRATIONS

La première génération du mouvement de la conscience concernait plutôt ce que l'on pourrait qualifier *d'éveil personnel*, c'est-à-dire que le questionnement était d'ordre individuel.

Dans les années 1980 et 1990, la seconde génération de ce mouvement de la conscience devint ce que l'on peut qualifier *d'éveil culturel.* Le travail des protagonistes de cette seconde génération a été d'ouvrir les yeux, de percevoir les choses et d'amener une présence consciente dans leur vie pour aider à instaurer la guérison à l'échelle planétaire.

PAUL H. RAY et SHERRY RUTH ANDERSON[8],
The Cultural Creatives

QUE L'APPEL SOIT VOTRE GUIDE

Le changement peut nous faire connaître la terreur de la mort ou de la transformation absolue. Vous aurez l'impression d'être happé par l'inconnu et de perdre le contrôle. Mais vous devez faire confiance à l'appel qui vous vient de l'intérieur. Il est là. Suivez votre passion. Soyez votre passion.

CYNTHA GONZALEZ-KABIL, conseillère transpersonnelle

ce que j'ai écrit: “Je veux vivre dans une grande métropole internationale et organiser des séminaires et des ateliers qui feront le lien entre la médecine allopathique et les médecines parallèles.” Cinq ans plus tard, c'est exactement ce que je faisais en France, où j'étais devenue conseillère sur la guérison par le magnétisme, sur le pouvoir de l'intention et sur le pouvoir de guérison par la danse et l'art-thérapie, pour l'ordre établi du corps médical français. »

Alors qu'elle assistait au Brésil à une conférence organisée par l'Association internationale de psychologie transpersonnelle, Cyntha rencontra un homme qui devait devenir son futur époux, Yahia, un médecin égyptien. Ils se marièrent quelques mois plus tard et vécurent en Angleterre pendant un certain temps avant d'aller s'installer aux Émirats arabes unis avec leur petite fille. Après avoir vécu et évolué dans des milieux catholique, bouddhiste, métaphysique et chamanique, Cyntha vit maintenant dans une communauté musulmane. « Le thème de jeter des ponts entre des mondes différents a toujours été présent dans ma vie, à commencer par le fait que j'avais un père mexicain et une mère anglo-saxonne. Je me consacre actuellement à la rédaction d'un livre qui traite du dépassement de notre conception limitée de la réalité, qu'il s'agisse de réalité culturelle, paranormale ou de guérison.

TIREZ AVANTAGE DE VOS POINTS FORTS

Marty Dean, âgée de cinquante-cinq ans, cherche sa raison d'être depuis aussi longtemps qu'elle peut s'en souvenir. La recherche, l'observation, l'écoute et l'intuition furent des talents grandement mis à contribution pendant ses treize années dans le service de sécurité de l'hôtel St. Francis à San Francisco, en Californie. Elle commença par un emploi d'agent de sécurité dans le secteur des services à la clientèle et finit éventuellement par devenir directrice du service, seule femme responsable de l'équipe. Elle rencontra de nombreux chefs d'état et dignitaires dans le cadre de son travail, entre autres l'ancien roi Constantin de Grèce et Henry Kissinger.

Une rencontre déterminante

Marty réalise maintenant que sa vie commença à changer le jour où elle escorta Mère Teresa dans l'ascenseur de l'hôtel. « J'étais à cette époque le superviseur de la sécurité. Nous attendions que l'ascenseur passe d'un étage à un autre, dit-elle. Tout à coup, j'ai senti une main qui faisait de petits cercles sur mon omoplate. Je me suis retournée, j'ai baissé les yeux pendant qu'elle levait les siens vers moi en souriant. Je lui ai rendu son sourire. Tout cela s'est fait en silence. Je l'ai accompagnée jusqu'à la réception et, là, les flashs se sont mis à déclencher. Je n'ai jamais eu de photos de l'événement, mais ce dernier reste gravé dans mon esprit. »

Quelque temps plus tard, quand l'hôtel fut vendu et qu'un nouveau style de gestion fut instauré, Marty démissionna. Elle passa six mois à voyager, entreprit un programme d'entraînement pour une nouvelle carrière et rédigea un nouveau *curriculum vitæ*. « Il est toujours très facile de mettre surtout l'accent sur nos points faibles quand nous effectuons de grands changements dans notre vie. Par exemple, j'aurais pu mettre l'accent sur le fait que je n'avais pas de formation universitaire. Heureusement, mon processus d'évolution m'avait appris à plutôt le mettre sur mes points forts. J'ai réalisé que mon travail au cours des treize dernières années m'avait amenée à nouer des liens extrêmement forts avec les gens de mon milieu. Je devais faire confiance au fait que c'était un grand avantage pour moi. »

Prêtez attention à ce qui est vivant

« Aucune des entrevues passées suite à l'envoi de mon *curriculum vitaœ* n'indiquait qu'un travail dans le monde des affaires me convenait. J'avais également compris que j'avais besoin d'être libre pour emboîter le pas à ce qui essayait d'émerger chez moi, liberté qu'un travail de ce genre ne m'aurait pas accordée.

« À la même période, je suis tombée sur un article d'un important magazine où il était question d'un homme qui accordait à des adultes mourants leur dernier souhait. Cet article a attiré mon attention parce que les deux choses que je voulais actualiser dans ma vie étaient d'abord de rester en contact avec les agents de liaison du milieu hôtelier et ensuite, d'aider les gens. Je ne savais pas, par contre, quelle forme cette aide pouvait prendre. »

Marty donna donc suite à ce qui avait retenu son attention en communiquant avec l'homme dont il était question dans l'article et lui fit parvenir son *curriculum vitœ*. Il s'avéra qu'il n'était pas intéressé à donner de l'expansion à ses activités dans la région de San Francisco. Découragée mais sentant encore que cette idée la motivait beaucoup, Marty décida de suivre une autre piste et rencontra le directeur de la fondation Make-A-Wish (Faites un vœu), qui réalise les souhaits d'enfants. Au cours de cette rencontre, elle expliqua à l'homme en question qu'elle aspirait vraiment à travailler avec des adultes mourants, tout en sachant qu'il n'existait pas d'organisme s'occupant de cela. Le directeur de Make-A-Wish lui demanda alors si elle avait jamais envisagé de mettre elle-même sur pied sa propre fondation. « Je n'aurais jamais pensé à ça. Après avoir fait quelques recherches et y avoir beaucoup réfléchi, j'ai constaté que l'idée continuait à m'habiter et que je colligeais sans cesse des informations à ce sujet. Je savais que cela concordait parfaitement avec les contacts que j'avais dans mon milieu et avec mon désir d'aider les gens. J'ai donc commencé à sérieusement envisager de créer une organisation à but non lucratif et c'est ce que j'ai fini par faire. Je l'ai appelée la fondation Beyond Dreams (Au-delà des rêves). »

Des talents innés fleurissent à divers moments

« J'ai l'impression que la graine a été plantée il y a très longtemps. Je me souviens être allée voir quelques médiums qui m'avaient dit que j'étais une guérisseuse et une clairvoyante. À cette époque, je n'avais pas la moindre idée de ce que cela signifiait parce que mon monde se réduisait alors au domaine de la sécurité. Par contre, j'étais déjà consciente que j'étais particulièrement sensible aux émotions des gens et à l'énergie de certains endroits. Par exemple, j'ai souvent su détecter une présence en entrant dans une pièce, pour apprendre par la suite qu'effectivement il y avait quelqu'un. Toute une série de

FIEZ-VOUS À VOS FORCES INTÉRIEURES

- Écoutez et suivez votre intuition.
- Maintenez votre attention sur votre vision et observez ce qui se passe.
- Lorsque vous établissez un contact avec quelqu'un ou que quelqu'un vous donne quelque chose, n'en restez pas là. Battez le fer quand il est chaud. Les choses arrivent toujours pour une raison.
- Tirez avantage de vos points forts. Arrêtez de vous définir par ce que vous croyez ne pas avoir.

MARTY DEAN,
fondatrice et directrice de Beyond Dreams Foundation

synchronicités m'ont fait comprendre que j'étais douée pour travailler avec l'énergie de guérison. J'ai donc commencé à voir les choses sous un angle différent et j'ai lu de nombreux livres sur l'évolution personnelle et spirituelle. Quelques années plus tard, j'ai rencontré une femme qui est devenue une très grande amie et mon mentor dans le domaine de l'énergie de guérison. »

En se fiant à son intérêt croissant pour la vie spirituelle, en faisant de la créativité une priorité et en suivant son intuition, Marty a réussi à faire de sa vision une réalité. « Pour moi, l'intérêt est de comprendre la valeur qu'a le moment de transition entre la vie et la mort. Je veux mettre de la joie dans la vie de ceux qui ne comprennent pas ce qu'est la transition et qui ont peur. Je veux simplement rendre leur périple un peu plus facile. »

9

Acquérez de la maîtrise

Cet orchestre était à son meilleur quand il jouait d'un seul corps. Il connaissait son répertoire, ses bases. Il se connaissait lui-même.

Vous devez être capable de jouer n'importe quoi avec émotion et discernement. Et il y avait une chose, une seule, qu'il est impossible de décrire, le sentiment que c'était un orchestre capable de jouer n'importe quoi mieux que n'importe quel autre orchestre et sachant comment le faire sans que personne ne lui dise rien.

SIDNEY BECHET[1],
dans *Creators on Creating*

DÉPASSEZ VOS LIMITES, PRENEZ DE L'EXPANSION ET HARMONISEZ-VOUS

Quand vous considérez rétrospectivement les changements survenus dans votre vie, il y a de fortes chances pour que vous les évaluiez en fonction de : 1) ce que vous avez gagné ; 2) ce que vous avez perdu ; 3) ce que vous avez accompli ; 4) ce que vous avez ressenti ; 5) qui vous avez rencontré, et ; 6) ce que vous avez appris. C'est souvent ce que nous avons appris qui nous marque le plus et qui nous confère davantage d'estime personnelle, de force, d'honnêteté et de courage.

Quand vous maintenez le cap sur votre vision, quatre aspects sont essentiels, trois d'entre eux ayant déjà été abordés plus haut.

1. *La loi de l'attraction*. Il est plus facile et plus naturel de laisser venir le changement que de le forcer.
2. *L'attraction s'exerce à partir de ce que nous sommes*. Notre manière d'être est un champ d'énergie qui irradie et nous relie à l'énergie universelle. Reflétant la perception que nous avons de nous au moment présent, cet état comprend toutes nos expériences passées, notre perception de l'avenir, notre estime personnelle de base (estime qui peut fluctuer mais qui a une couleur stable).
3. *Les semblables s'attirent*. Peu importe l'énergie que nous dégageons (qui correspond à ce que nous ressentons par rapport à nous-mêmes), elle nous revient toujours sous forme de vibration similaire.
4. *L'acquisition de la maîtrise, peu importe en quoi, élève notre taux vibratoire et notre estime personnelle*. Pour suivre le mouvement ascendant dans la spirale qu'est notre vie en changement, nous devons grandir, prendre de l'expansion et approfondir notre estime personnelle. Comment ? En apprenant. En effet, lorsque nous apprenons quelque chose de nouveau, qu'il s'agisse d'une chose aussi simple que faire une vidange d'huile sur notre voiture, planter des tomates ou utiliser un nouveau logiciel informatique, notre estime personnelle augmente.

Notre progression dans l'inconnu est considérablement facilitée lorsque nous pouvons compter sur des informations pertinentes et sur nos habiletés. Alors, si vous vous questionnez sur le prochain pas à faire, demandez-vous quel sujet ou quelle habileté vous aimeriez explorer. Quand vous êtes dans une librairie, quels sont les livres qui vous attirent ? Qu'est-ce qui retient votre attention quand vous consultez une liste de cours ? Qu'avez-vous toujours voulu connaître ? Quand vous définissez et précisez ce qui est essentiel pour vous, vous gagnez en maîtrise. La maîtrise est une récompense intrinsèque. Peu importe le point de départ, il suffit de passer à l'action.

GARDEZ VOTRE VISION DANS LA MIRE

Lee, une femme d'Afrique du Sud écrit ceci : « Quand j'étais petite, je vivais dans mon monde imaginaire et cela dérangeait beaucoup ma mère. Quand elle est morte, il y a six ans, j'ai enfin été libre de poursuivre mes rêves et de les réaliser. Toute ma vie, j'ai voulu pratiquer une certaine forme d'art, mais elle me disait toujours que les artistes étaient des bons à rien. Mais si cela me révoltait, j'ai toujours cru et su que je pouvais y arriver.

« J'ai commencé par des cours de céramique auxquels j'excellais. Quand le défi n'en a plus été un et que j'ai commencé à m'ennuyer, j'ai su que je devais faire autre chose. J'ai alors pris le risque de réaliser mon rêve, et la semaine dernière, tout est devenu réalité puisque j'ai enfin ouvert la boutique que je désirais depuis si longtemps.

« Je vends mes créations et celles d'autres artistes et artisans dans une petite boutique située chez moi. Je savais que j'aurais à renoncer à beaucoup de choses pour obtenir ce que je voulais et, effectivement, j'ai sacrifié beaucoup. En premier lieu, j'ai sacrifié ma liberté parce que ma boutique est ouverte de dix heures du matin à six heures du soir, du lundi au samedi, et de deux heures à cinq heures en après-midi le dimanche, mais... enfin, je suis heureuse. Ça m'est égal de ne pas avoir de temps libre parce que je fais ce que j'aime. J'ai aussi découvert que j'adore écrire, alors, quand j'ai un petit moment libre, j'écris des poèmes. C'est ce que j'ai toujours voulu dans la vie, et maintenant... je l'ai. »

LES ÉLÉMENTS DU BIEN-ÊTRE

Ceux qui consacrent simultanément leur énergie à plusieurs domaines dans leur vie, comme le travail et la famille, sont plus satisfaits que ceux qui mettent tous leurs œufs dans le même panier. La capacité à s'investir dans plusieurs domaines donne la « sensation d'avoir une maîtrise, d'être important, d'avoir de la valeur et nous fait trouver la vie agréable »... C'est la combinaison de la maîtrise et du plaisir qui amène la sensation de bien-être.

NANCY K. SCHLOSSBERG[2],
Overwhelmed

MISEZ SUR LA VIE, PAS SEULEMENT SUR LA SÉCURITÉ

Si vous n'êtes pas heureux, c'est probablement parce que vous faites quelque chose qui ne vous nourrit pas au niveau énergétique. Si vous n'êtes pas satisfait dans le moment présent, l'inconnu ne pourra être que du pareil au même, ou pire ! Mais avant de prendre d'autres engagements, vérifiez lesquels vous devriez d'abord achever ou abandonner. Il est très libérateur de dégager une partie de son temps avant de foncer dans l'inconnu. Laissez-vous aussi de la place pour qu'émerge quelque chose qui attend dans l'ombre du futur.

Prenez l'habitude de passer vos engagements en revue de temps en temps. Quel est votre niveau d'énergie par rapport à chacun d'eux ? Nous acceptons souvent de faire des choses pour les mauvaises raisons. Nous prenons certains engagements quand :

- nous sommes incapable de dire non ;
- nous avons besoin d'approbation ;
- nous accordons la priorité aux besoins des autres avant les nôtres ;
- nous décidons de continuer à faire ce qui ne marche pas.

Les engagements à long terme que nous prenons évoluent et changent à mesure que notre identité se précise. Danielle, la partenaire de Victoria citée au chapitre huit, enseignante en éducation sexuelle et vedette de cinéma pour adultes, emprunta la voie de l'intuition alors qu'elle était dans la vingtaine et qu'elle vivait chez ses parents. Elle fit ce choix lorsqu'elle prit conscience que l'emploi qu'elle occupait dans le domaine administratif ne lui garantissait aucun avenir et n'était pas très prometteur. À l'instar de Victoria, Danielle se décida tôt à vivre sa vie selon ses propres critères, plutôt que sur ceux prescrits par la société dans laquelle elle avait grandi.

Elle raconte : « J'ai grandi en Indiana et j'ai commencé à travailler à titre d'assistante médicale au début de la vingtaine. J'avais un style de vie très étriqué parce que je ne pouvais pas me payer d'appartement et que je devais vivre chez mes parents. Après avoir passé sept ans dans le même bureau, j'ai obtenu la dernière augmentation de salaire que je pouvais jamais avoir. Elle était si minime que je ne pouvais toujours pas quitter la maison familiale. Il n'y avait donc aucun avenir pour moi et j'ai compris que la seule chose qu'il me restait à faire était de retourner aux études. »

Des objectifs personnels à l'action sociale

« Mes parents me servaient de modèle en raison du rôle social qu'ils jouaient dans la communauté sur le plan du changement et de la gestion sociale, raconte Danielle. Ils œuvraient dans plusieurs organisations communautaires de la ville, l'Association parents-enseignants, l'Église, les Elks, etc. Mon père s'est même présenté aux élections municipales. Je voulais changer la société et j'étais au cœur du mouvement contre la guerre durant les années 60. J'ai commencé à m'impliquer dans une organisation syndicale avec mon ami Gene, mon compagnon de vie depuis 1972. Je travaillais alors dans le comité sur le statut de la femme de ce syndicat, où je dirigeais et présidais le secteur métropolitain. Je me suis tout à coup retrouvée devant une partie de l'électorat qui était prête à entendre ce que j'avais à dire. Je négociais des contrats et j'avais le pouvoir de créer de meilleures conditions de travail pour les gens. L'idée de changer personnellement pour gagner plus d'argent et avoir un niveau de vie plus élevé s'estompa chez moi. Je me suis simplement mise à faire ce qui se présentait pour aider les gens à travailler ensemble. Les organisations sont toujours à la recherche de gens prêts à s'engager. La meilleure façon de s'impliquer est de faire du bénévolat dans un domaine qui nous intéresse. »

Danielle prit une décision de taille lorsqu'elle quitta l'Indiana, où elle avait un travail significatif et une certaine influence politique, pour se rendre en Californie avec Gene, où rien ne l'attendait. Acceptant de vivre une relation non monogame, Gene et Danielle inclurent rapidement dans leur relation Victoria, alors étudiante en psychologie. «Ça a été tout un combat, mentionne-t-elle. J'ai dû affronter mes principes et mes croyances pour être en mesure de passer d'une compréhension intellectuelle de la relation entre Gene et Victoria à une acceptation profonde et réelle. C'est seulement ainsi que nous avons pu être en relation tous les trois. Il m'a fallu rester ouverte aux changements et reconnaître que si la situation était juste, je devrais me sentir bien.

« De plus, lorsque Victoria s'est sentie à l'aise avec les rapports qui existaient entre Gene et moi, elle a voulu explorer ses propres fantasmes. Elle a commencé à se produire comme effeuilleuse. Sa décision m'a une fois de plus forcée de me référer à mes principes féministes selon lesquels chacun fait ce qu'il désire de son corps. Mais, vivre dans cette perspective, était très effrayant. Quand je ne savais plus très bien où j'en étais, je me fiais à mes principes plutôt qu'à mes peurs. »

Faire ce qui est vraiment important donne de la force

Le point de vue de Danielle est révélateur. Lorsque nous sommes engagés envers quelque chose que nous valorisons beaucoup, le principe d'ouverture peut nous aider à sortir de notre zone de confort et à faire de nouveaux apprentissages. En étant déterminée à vivre dans l'expansion plutôt que dans la fermeture, à cause des peurs et des limites habituelles, Danielle changea de manière inattendue.

« La synchronicité a bien fait les choses pour Victoria, qui a tourné son premier film en 1984. Tout à coup, une vedette vivait parmi nous ! Comme les changements dans la vie nous poussent toujours à aller de l'avant, le succès et la notoriété de Victoria ont créé de nouveaux remous dans notre vie. En tant que militante, j'étais consciente des changements dans notre société et des risques que couraient les personnes travaillant dans l'industrie pornographique en raison des droits religieux. Dans les années 80, ces droits attaquaient l'avortement et la pornographie, même s'ils étaient admis légalement presque partout. Il y avait eu des arrestations remarquées d'actrices de films bien connus et je constatais à quel point une personne pouvait facilement se retrouver dans l'engrenage d'une guerre culturelle. Je ne souhaitais pas que Victoria subisse un tel sort.

« Afin de la défendre et de promouvoir la liberté de parole sur la sexualité, j'ai fondé avec d'autres personnes une coalition de citoyens contre la censure, à la grandeur de l'État. Cela m'a conduit à dix ans de militantisme contre la censure. »

L'engagement soutenu de Danielle afin que le monde soit plus libre fut à l'avant-scène à plusieurs reprises ces dernières années. Sa prise de position s'élargit de plus en plus pour inclure un éventail élargi de gens, individuellement ou en groupes : artistes, féministes, homosexuels, lesbiennes et travailleurs du sexe. Elle réussit à obtenir suffisamment d'appui auprès de différents groupes d'intérêt pour que des changements majeurs puissent être apportés à la loi fédérale sur les questions traitant d'expression sexuelle. « Je défendais mon orientation initiale, celle que j'avais choisie dans ma vie », dit-elle.

SI VOUS VOULEZ CHANGER LA SOCIÉTÉ...

- N'attendez pas que quelqu'un d'autre le fasse.
- Ne craignez pas de mettre les bouchées doubles. Vous serez surpris de ce que vous pourrez accomplir, même à petits pas.
- La société change de façon significative lorsque de plus en plus de gens se tiennent debout.

DANIELLE, militante

RETROUVEZ VOTRE CENTRE LORSQUE RIEN NE VA PLUS

Quand notre vie semble s'enliser, la voie facile pour nous en sortir est de justifier l'absence de joie en se disant: « C'est comme ça. » Le sentiment d'impuissance et l'absence de solution évidente pour changer les choses nous incitent à penser que nous devons simplement *nous* adapter. Nous pensons que la réponse est peut-être alors d'être « une meilleure personne », mais nous ne faisons rien, notre motivation s'évanouit et nous commençons à fonctionner de façon automatique.

Toucher le fond

Âgée de quarante-trois ans, Renée était mariée depuis vingt et un ans. Elle et son mari Hugh avaient deux garçons. « En me levant un beau matin je me suis aperçue que la vie que je menais ne pouvait pas aller plus mal, se rappelle-t-elle. Bob, mon fils adolescent, consommait toutes sortes de drogues et sa présence était difficile à supporter. Il avait quitté l'école et la maison. Hugh buvait beaucoup et s'isolait dans son coin. Ce matin-là, j'ai eu le sentiment d'y voir plus clair et j'ai compris que j'avais touché le fond. J'ai annoncé à Hugh que je le quittais. Je suis partie pour six mois à Santa Cruz, en Californie. »

Qui suis-je maintenant ?

Durant cette période, Renée se mit à lire, à méditer, à participer à des ateliers et à des cours, et à redécouvrir qui elle était. « Je ne savais même plus ce que j'aimais, dit-elle. Quand ma sœur m'a invitée au restaurant un soir, je voulais aller au même endroit que d'habitude parce que le menu était simple et que je ne pouvais tout simplement plus décider ce que je voulais manger. »

Une des premières choses que Renée décida de faire, fut de ne plus fréquenter les personnes qui, littéralement, empoisonnaient sa vie. Quand elle reprit contact avec ses émotions, elle réalisa qu'elle se sentait mal après avoir rendu visite à certains de ses amis. Le caractère superficiel de ses relations ajoutait à son désespoir.

CONTINUER D'AVANCER

Plusieurs personnes se retrouvent sur le carreau au milieu de leur vie. Ce qui est important, ce n'est pas de savoir comment vous êtes tombé, mais plutôt si vous allez vous relever ou non.

GAIL SHEEHY[3],
Understanding Men's Passages

Instaurez de nouvelles bases

Renée se trouva un emploi d'organisatrice d'événements commerciaux qui lui permit de subvenir à ses besoins, de retrouver son estime personnelle et de faire de nouvelles connaissances. Au début de la séparation, elle mentionna à Hugh qu'elle préférait ne pas avoir de longues conversations téléphoniques avec lui. Quelque temps plus tard, elle lui demanda qu'il lui écrive plutôt. « Cela a été très difficile pour lui, mais il m'a écrit deux longues lettres dans lesquelles il me disait qu'il commençait à prendre conscience de certains aspects de lui-même. C'était merveilleux. Il me disait qu'il avait commencé à méditer et arrêté de boire. Je crois qu'il prenait part aux rencontres des Alcooliques Anonymes, même si cela n'était pas le catalyseur essentiel de son rétablissement. »

Voici comment Renée dit s'être sentie après avoir reçu la visite de son mari : « C'était comme si j'avais retrouvé le chemin du bercail. En le voyant, j'ai senti que c'était l'homme que j'aimais, qu'il était mon âme sœur. Lorsqu'il est revenu la fois suivante, nous sommes allés camper, car il venait tout juste de se procurer une tente-roulotte. Ce nouvel intérêt reflétait la recherche qu'il effectuait pour découvrir ce qu'il aimait et ce qu'il voulait. Ça a été merveilleux et j'ai alors su que je voulais retourner à la maison avec lui. »

Pour Renée, Hugh et Bob, la sobriété exigeait que chacun se redéfinisse à chaque instant et qu'ils découvrent ensemble comment établir de nouveaux rapports entre eux. Les changements dans leur vie familiale n'ont été acquis que grâce à de nombreuses consultations professionnelles. Leur entente était de maintenir les voies de communication ouvertes. « La principale différence pour moi, dit Renée, c'était que je pouvais dorénavant compter sur quelqu'un qui était sobre et disponible et qui voulait être avec moi. Jusqu'à ce jour, tous les hommes de ma vie – mon père, mes oncles, mes frères et mes amoureux – avaient tous été alcooliques. J'avais toujours su quoi faire et comment me comporter avec des gens aux prises avec un problème d'alcool. Maintenant, j'avais affaire à quelqu'un avec qui je pouvais discuter ! C'est difficile à expliquer, mais je me suis toujours sentie en périphérie de sa vie alors que maintenant je suis au centre. »

Changements individuels d'abord, et de couple, ensuite

La clé du changement dans la vie de cette famille reposait sur l'évolution personnelle de chacun. Hugh commença à explorer des intérêts qu'il avait laissés en suspens. Il se mit à rencontrer des amis au lieu de rester à la maison à boire. Il redevint une personne intéressante, dit Renée, qui reconnaissait en lui l'homme dont elle était tombée amoureuse. « Je crois que nos identités personnelles s'effritent trop dans le mariage et que nous perdons de vue qui nous sommes individuellement. Nous devenons les victimes du mariage. »

Prenant l'engagement de découvrir ce que chacun d'eux aimait et n'aimait pas, Renée et Hugh apprirent à se parler de ce qu'ils éprouvaient. Ils créèrent par exemple une « zone de sécurité » en décidant de passer une heure à table, parfois assis en silence pendant trente minutes avant qu'une conversation ne prenne son élan.

Une famille heureuse

Une fois que Hugh eut arrêté de boire et que son rétablissement fut presque complet, ce fut le tour de Bob. Plus tard, lorsque Hugh apprit qu'il avait un cancer du côlon, les liens familiaux solides nouvellement acquis se révélèrent précieux. Renée éprouve d'ailleurs beaucoup de gratitude parce qu'il a recouvré la santé après une opération réussie. « La famille malheureuse n'existe plus, dit-elle. Par contre, je ne veux pas oublier complètement cette histoire parce qu'elle m'aide à rester sur la bonne voie. Même si le travail de Hugh l'amène à voyager en dehors du pays, il veut que je sois avec lui le plus souvent possible. Nous passons d'agréables et romantiques moments ensemble. Même s'il travaille dur toute la semaine, nous restons tout le week-end ensemble et nous faisons des activités que nous n'avions jamais l'habitude de faire ensemble, les emplettes entre autres. Quand j'y repense, je me dis que si je n'avais pas été au fond de ma douleur, si je n'étais pas partie pour me retrouver, je crois que Hugh et Bob ne l'auraient jamais fait pour eux-mêmes. »

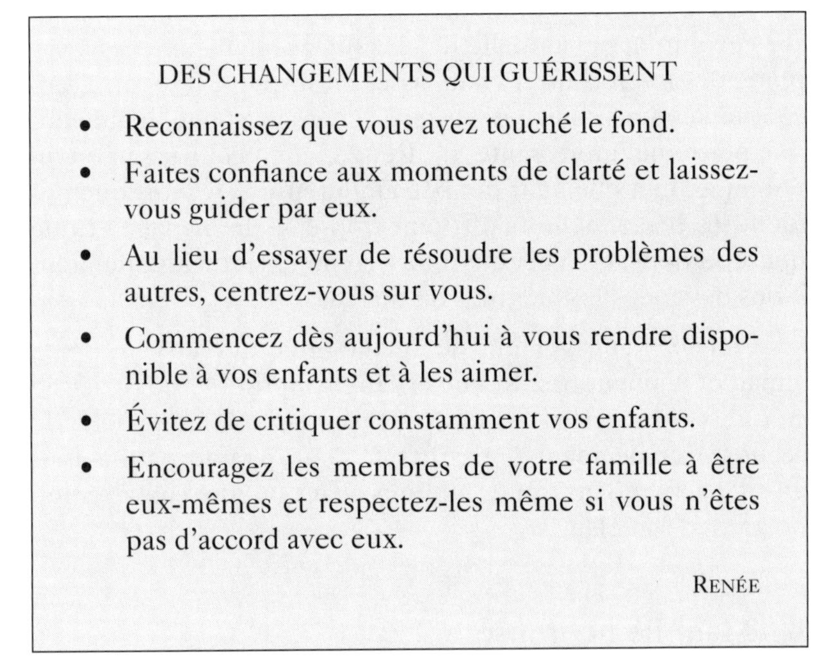

DES CHANGEMENTS QUI GUÉRISSENT

- Reconnaissez que vous avez touché le fond.
- Faites confiance aux moments de clarté et laissez-vous guider par eux.
- Au lieu d'essayer de résoudre les problèmes des autres, centrez-vous sur vous.
- Commencez dès aujourd'hui à vous rendre disponible à vos enfants et à les aimer.
- Évitez de critiquer constamment vos enfants.
- Encouragez les membres de votre famille à être eux-mêmes et respectez-les même si vous n'êtes pas d'accord avec eux.

RENÉE

LIBÉREZ LE SOI

L'énergie qui nous pousse à devenir qui nous sommes est toujours à l'œuvre. Cependant, il faut parfois que certains événements se produisent avant que nous puissions nous épanouir. Kathy, thérapeute dans le nord-ouest de la côte pacifique, avait une cliente du nom de Caroline. Cette femme de soixante-dix-neuf ans souffrait d'une profonde dépression survenue à la suite du décès de son fils, âgé de quarante-trois ans et mentalement retardé. Caroline fit la plus importante prise de conscience de son existence, au cours de sa thérapie : elle avait passé soixante-dix années de sa vie à se mettre à la disposition de tout le monde sauf d'elle-même. Elle n'avait jamais appris à dire non. Comme un grand sentiment de dévalorisation l'habitait et qu'elle avait besoin de l'approbation des autres, elle s'était mise au service de tous ceux qui l'entouraient.

Après quelques semaines de thérapie intensive, Caroline reconnut qu'elle avait toujours eu envie d'écrire. Elle écrivait en fait depuis son enfance mais n'avait jamais montré son travail à quiconque parce qu'elle croyait que ses écrits n'avaient aucune valeur et qu'elle avait peur du ridicule.

Kathy demanda à Caroline d'apporter ses textes lors d'une de leurs rencontres. Il y avait des poèmes griffonnés à l'endos d'enveloppes et des fragments de l'histoire de sa vie répartis sur des bouts de papier jaunis. Un sourire illumina le visage de Caroline lorsque Kathy lui proposa de les taper à l'ordinateur. Ensemble, elles créèrent un recueil des poèmes de Caroline. Kathy se souvient de la fierté de Caroline à voir son travail ainsi présenté.

Ces premiers pas permirent à Caroline de s'accepter davantage et depuis, elle a écrit d'autres poèmes et en a même publié un. Elle fait maintenant partie d'un groupe qui se réunit dans un café pour lire de la poésie, jouer de la musique et raconter des histoires. Il lui arrive parfois de jouer du violon au cours de ces rencontres. Comme elle est une formidable conteuse, chose qu'elle vient de découvrir, on la demande pour conter des histoires non seulement au café, mais aussi à son église. « Caroline a maintenant quatre-vingts ans, écrit Kathy, et son talent ne cesse de se révéler. Je suis certaine que le livre sur lequel elle travaille sera bientôt fini. Il est vraiment intéressant de voir comment la douleur suscitée par la mort de son fils aura permis à Caroline de découvrir qui elle est vraiment. »

NOTRE VRAI VISAGE

Il y a, en nous, une sorte d'urgence qui nous tenaille, qui nous pousse à l'apprentissage et défait notre ignorance, quelque chose qui désire que notre vrai visage se révèle, quel que soit l'état de somnolence ou de confort dans lequel nous nous trouvons. Ce quelque chose me travaillait, lentement et de manière sournoise.

NATALIE GOLDBERG[4],
Long Quiet Highway

CONTINUEZ DE VOUS AMÉLIORER: VOTRE MEILLEURE DÉCENNIE POURRAIT BIEN ÊTRE LA NEUVIÈME

Barbara Kingsolver, auteure de plusieurs romans, fut récemment interviewée pour un article devant paraître dans le *San Francisco Chronicle* au sujet d'écrivains ayant plus de cinquante ans. Elle fit remarquer que la créativité est une pulsion qui ne cesse de grandir en nous et cita Horton Foote, un scénariste de quatre-vingt-quatre ans, auteur de *A trip to Bountiful* et de *To Kill a Mockingbird.* Elle avait été estomaquée d'entendre Horton Foote dire qu'il prévoyait accomplir le meilleur de son travail lorsqu'il atteindrait quatre-vingt-dix ans. L'âge, pour un écrivain, mène selon elle à plus de profondeur et à plus de discernement. «J'explique toujours aux jeunes auteurs qu'il faut du temps pour arriver à publier un livre, dit Horton Foote, et qu'il y a une bonne raison à cela. Nous sommes des artistes de la condition humaine et, en tant qu'être humain, vivre un an de plus nous permet tout simplement de mieux connaître celle-ci. Même si nous pouvons accélérer un peu le processus en ouvrant bien grand nos yeux, en assimilant ce qui nous arrive et en prenant des risques qui élargissent l'éventail de nos expériences, nous devrions garder à l'esprit que tout risque susceptible de raccourcir notre vie n'est pas nécessairement un bon compromis. Pour un écrivain, la voie la plus sûre est probablement très simple : 1) ne jamais cesser d'être attentif, et ; 2) vivre vieux. »

PRENEZ VOTRE TEMPS

Au cours d'une carrière qui s'étale sur cinquante ans, Al Purdy, un des plus grands poètes canadiens, publia trente-trois recueils de poésie et remporta le Prix du Gouverneur général de la Littérature en 1966 pour *The Cariboo Horses*, et en 1986 pour *Collected Poems, 1956-1986.*

« Sa poésie s'inspire de la vie ordinaire, des arbres, des animaux, des bûcherons, des ouvriers », nous dit le poète Patrick Lane. « Il était le porte-parole de l'homme et de la femme ordinaires. » Selon son éditeur, Howard White, Purdy avait abandonné l'école au secondaire et ne s'était pas vraiment distingué dans les forces armées de l'air. « Il disait lui-même que son premier livre, publié à compte d'auteur, était atroce, raconte White. Pendant de nombreuses années, il a été difficile de lire son travail et de dire qu'il y avait là quelque chose d'original ou de prometteur. Et tout à coup, il est devenu la plume la plus remarquée à l'âge de quarante ans. »

Associated Press obituary, avril 2000

La vie ne cesse de changer et de nous proposer des choix. L'éducation, à l'âge d'or, est appelée à devenir une tendance à la hausse avec une population qui vieillit et qui vit plus longtemps. Selon un article récent de Sam Whiting paru dans le *San*

Francisco Chronicle, les personnes à la retraite retournent massivement aux études dans plusieurs institutions de San Francisco. En Californie, le Emeritus College au Collège de Marin dans le comté de Marin, compte trois milles étudiants, et nombre des classes où l'on dispense des cours sur l'art populaire regroupent plus de quatre-vingts étudiants. Les inscriptions en éducation permanente de l'Université Stanford ont doublé au cours des dernières années et il arrive quatre fois plus de demandes pour le programme de maîtrise générale en arts. L'Institut Fromm pour l'éducation permanente de l'Université de San Francisco fut fondé il y a vingt-cinq ans par Hanna et Alfred Fromm, des immigrants allemands qui avaient une entreprise vinicole. Lorsqu'elle prit sa retraite, Hanna trouva la vie ennuyeuse à ne rien faire. Elle embaucha donc six professeurs à la retraite pour enseigner, à soixante-quinze étudiants, des matières comme les beaux-arts, l'histoire de l'art, la littérature, la musique et l'histoire. Des cours intitulés « Pourquoi sommes-nous ici ? » où on discutait des œuvres de grands auteurs ayant écrit sur la finalité de la vie, devinrent tellement en demande que l'inscription se faisait au tirage au sort. Lorsque nous envisageons d'avancer dans la vie, les études sont souvent le premier pas que nous faisons.

LAISSEZ-VOUS GUIDER PAR VOS VALEURS

Quand on se sent maussade, pris au piège ou à la dérive, c'est que l'on est sorti de son focus. Être au focus veut dire que l'on est conscient de la façon dont on se sent, bien ou mal, et que l'on a l'impression que ce que l'on entreprend peut changer les choses dans le monde.

Vos sentiments vous servent de guides. Comment pouvez-vous retrouver votre focus ? Si vous essayez actuellement de prendre une décision, qu'il s'agisse d'un changement d'emploi, d'un mariage ou d'un projet de voyage, utilisez l'échelle de gradation suivante pour découvrir exactement quels sont vos sentiments. Évaluez comment vous vous sentez pour chacune des situations, en indiquant où vous croyez vous situer actuellement.

Échelle de gradation de la verticalité

Pensez à une situation de vie sur laquelle vous vous questionnez. Faites une croix sur la ligne à l'endroit où vous pensez vous situer pour chacun des qualificatifs concernant cette situation.

En ce qui concerne la question de ____________________,
je me sens ________ (%).

Engagé ____________________ Ambivalent
Passionné ____________________ Maussade
Ouvert ____________________ Accablé
Confiant ____________________ Sceptique
Optimiste ____________________ Pessimiste
En accord ____________________ Isolé
Ancré ____________________ Défensif
Honnête ____________________ Manipulateur
Éclairé ____________________ Incertain
Réceptif ____________________ Fermé
Courageux ____________________ Victime
Mentalement stimulé ____________________ Ennuyé
Fluide ____________________ Stagnant
Détendu ____________________ Tendu
Motivé ____________________ Déprimé
Heureux ____________________ Triste
Inspiré ____________________ Seul

Maintenant que vous avez précisé avec un pourcentage où vous vous situez pour chacun de ces qualificatifs, vous pourriez peut-être rédiger une déclaration d'intention amusante et percutante pour faire basculer l'énergie. Supposons que vous essayiez de déterminer si vous voulez déménager à Seattle. Dans ce cas, évaluez chacun des qualificatifs reliés à cette décision.

Où détectez-vous un blocage (énergie basse) par rapport à ce que vous proposez? Qu'est-ce que votre intuition vous suggère de faire ou de repenser? En rédigeant votre déclaration d'intention, vous pourriez dire: « Je suis *ouvert* et *enthousiaste* à l'idée de voir quelles aventures m'attendent à Seattle, ou ailleurs, si un meilleur choix se présente. »

TOUT AU FOND DE SOI

Dans votre vie, les circonstances extérieures et les événements qui se produisent peuvent se comparer aux vagues qui s'agitent à la surface d'un lac. C'est parfois le calme, parfois la tempête, selon les cycles et les saisons.

Mais tout au fond, le lac est toujours impassible.

ECKHART TOLLE[6],
Le pouvoir du moment présent

10

Restez ouvert et présent

Si la vie n'était pas impermanence, elle ne pourrait être la merveille qu'elle est.

Pourtant, notre impermanence est bien la dernière chose que nous aimons.

Qui peut prétendre ne pas avoir été ennuyé en voyant son premier cheveu gris ?

CHARLOTTE JOKO BECK[1],
dans *Radiant Mind*

LA VIE BASCULE ET TOURNOIE : LES HUIT DHARMAS

Avez-vous perdu votre emploi ? Venez-vous de recevoir une hausse de loyer inattendue ? Avez-vous perdu un être cher ? Votre réputation a-t-elle été salie ? Pensiez-vous que vous seriez plus avancé dans votre vie que vous ne l'êtes maintenant ? Si c'est le cas, vous êtes probablement en train de vous reprocher de ne pas avoir plus les choses sous contrôle ! Tous ces soi-disant contretemps nous apprennent que nous n'avons aucun contrôle sur les changements se produisant dans notre vie. La seule chose qui est sous notre contrôle, c'est notre façon de composer avec eux.

Tout changement est une étape spécifique, et apparemment nécessaire, qui nous permet de nous reprendre. Sans cesse, la bascule de la vie nous fait plonger vers le bas, où nous nous heurtons au sol. De nos deux pieds, nous nous repoussons et nous restons momentanément en état d'équilibre. Puis, sans crier gare, nous remontons en flèche, ce qui nous fait rire de surprise. Inévitablement, la bascule retourne à son point d'équilibre et le mouvement se perpétue. Les enfants adorent le mouvement de la bascule parce qu'il les surprend. En ce qui concerne les adultes, on peut dire que la bascule leur permet de gagner en maturité, pourvu qu'ils sachent reconnaître que chaque étape du mouvement a sa valeur propre.

Les enseignements bouddhistes nous rappellent que la vie oscille sans arrêt entre une situation et son opposé, ou encore entre les huit dharmas que sont le plaisir et la souffrance, la perte et le gain, l'éloge et le blâme, la célébrité et la disgrâce. Si l'on ne tient pas compte du fait que la vie change constamment et qu'elle est effectivement censée le faire, l'inconnu peut sembler lugubre et vain. Si nous pensons avoir bien vécu parce

LA SAGESSE, C'EST DE SAVOIR QUAND NOUS SOMMES ACCROCHÉS

Il se peut que nous ayons l'impression de devoir nous débarrasser d'une façon ou d'une autre de ces doublets émotionnels que sont le plaisir et la souffrance, la perte et le gain, l'éloge et le blâme, la célébrité et la disgrâce. Il serait plus pragmatique d'apprendre à les connaître, de constater comment nous nous y accrochons, d'observer comment ils viennent colorer notre perception de la réalité, de voir qu'ils ne sont pas si consistants que ça après tout. Alors, les huit dharmas deviennent l'outil qui nous permet de devenir plus sages, bons et davantage satisfaits.

PEMA CHÖDRÖN[2],
Quand tout s'effondre

que nous avons évité les expériences de souffrance, de perte, de blâme et de disgrâce, nous perdons de vue la richesse de la vie.

Les huit dharmas n'existent que dans notre esprit. N'est-ce pas lui qui crée le jugement déterminant si une chose est bonne ou mauvaise ? Naturellement, notre instinct cherche toujours les côtés positifs que sont le plaisir, le gain, l'éloge et la célébrité. Mais nous connaîtrons liberté et sagesse lorsque nous déciderons d'être présents à ce qui *est* et apprendrons de n'importe quelle situation. Comment y parvenir ?

Il est bon de cultiver la curiosité à l'égard de nous-mêmes et des circonstances de notre vie pour fonctionner de façon créative et non réactive avec les huit dharmas. Lorsque nous nous souvenons qu'un événement pourrait être soit bon, soit mauvais, nous pouvons renoncer au besoin de tout contrôler. De toute façon, nous ne pouvons jamais vraiment contrôler quelque événement que ce soit. Par contre, la curiosité peut nous aider à colliger de l'information sur la façon dont nous nous sentons dans une situation en particulier. Nous pouvons prendre note des moments où nous souffrons. Comment nous sentons-nous lorsque nous avons perdu quelque chose ou quelqu'un ? Comment nous sentons-nous lorsque quelqu'un nous a critiqué ou fait des reproches ? Nous réagissons souvent par une attitude de défensive qui ne fait que masquer ce que nous sentons. La curiosité, au contraire, nous amène à garder une ouverture qui nous permettra de décider si nous voulons renoncer à notre attachement à la comédie que nous jouons et voir à la place ce que nous avons à apprendre.

Afin de dépasser la comédie de l'injustice ou l'attitude de défensive générée par la peur, observez ce qui se passe dans votre esprit quand il y a un changement dans votre vie. Avez-vous peur et vous refermez-vous ? Ou bien pensez-vous qu'il y a une raison à ce qui arrive et adoptez-vous une attitude d'ouverture ?

RESTEZ OUVERT

Steve Cooper, le chef d'un groupe musical de Chicago, est presque toujours optimiste et ouvert dans la vie. « Je garde tout le temps à l'esprit que la vie est magique si vous y êtes ouvert, dit-il. Tant de gens sont négatifs. Vous pouvez trouver que les choses vont en empirant, mais je crois, pour ma part, que de plus en plus de gens sont davantage conscients et compatissants. J'essaie de rester ouvert à l'aspect positif des choses.

« Si je tente d'analyser les synchronicités qui se produisent dans ma vie, je pense que cela en interrompt le flot. C'est un peu comme quand on joue d'un instrument de musique. Il ne faut pas trop y penser. Et quand les choses ne vont pas comme vous le voulez, vous devez lâcher prise.

« Il y a six ou sept ans, aucune salle ne voulait nous embaucher. Je n'arrêtais pas de me demander ce que je pouvais faire pour les amener à le faire. Finalement, j'ai trouvé un local que j'ai moi-même loué. Nous avons démarré tout seuls. Alors, toutes les autres salles se sont mises à nous appeler et, depuis, nous travaillons tellement que nous avons grand besoin de prendre des vacances. Même si je perds parfois de l'argent, il y a d'autres retombées et contacts. Maintenant, je ne m'inquiète plus du tout de l'argent. »

Aussi longtemps que nous nous laissons porter par le courant de la vie, c'est-à-dire en *acceptant* simplement le courant et en faisant ce qui vient spontanément, nous préparons le terrain pour la venue de belles synchronicités. Lorsque nous suivons le courant, que nous sommes ouverts et prêts à passer aux actes, nous nous trouvons dans un état que l'on qualifie d'« effort sans effort ». Même si nous travaillons dur, le travail nous inspire et nous enthousiasme. Nos transitions se teintent alors d'une certaine facilité et d'une certaine justesse. Nous sommes à ce moment en contact avec le pouvoir de l'instant présent.

ATTENDEZ-VOUS À L'INATTENDU : TOUT EST POSSIBLE

On ne sait jamais la forme que prendra l'aide qui vient de l'univers. Une femme nommée Christina m'écrit qu'elle avait travaillé comme serveuse pendant des années. Il y a trois ans, après avoir déménagé en Floride, elle reprit ce travail qui lui assurait un bon revenu mais qui la laissait autrement insatisfaite et peu comblée. « J'aimais beaucoup le contact avec les gens dans le restaurant, mais je me sentais vraiment seule, dit-elle. Alors, par compensation, je me suis mise à travailler sept jours sur sept et soixante heures par semaine. Même quand je me suis retrouvée épuisée et malade, j'ai continué à travailler. Un jour, alors que je me rendais au travail avec une amie, nous nous sommes arrêtées dans une épicerie pour acheter une bricole. La première chose que j'ai su après ça, c'est que j'étais à l'hôpital. Ce jour-là, je n'avais donc pas pu aller à la banque déposer ma paye. Lorsque je suis sortie de l'hôpital une semaine plus tard, j'ai trouvé en rentrant chez moi plusieurs avis de chèques sans provisions.

« J'avais les idées tellement confuses quant au contenu de mon compte et aux frais que je devais payer, que je suis allée à la banque, ai demandé à parler à un responsable et lui ai demandé de m'aider à clarifier la situation. Cette personne, une femme, m'a remboursé tous les frais. Je lui ai exprimé ma reconnaissance à ce sujet parce que les serveuses comme moi n'ont en général pas d'assurance-maladie et que l'hôpital m'avait présenté une facture salée. Elle m'a dit que je devrais plutôt me trouver un emploi à temps partiel accompagné d'avantages sociaux. Ce à quoi je lui ai répondu : "Qui voudrait embaucher une serveuse qui n'a jamais fini ses études pour un poste à temps partiel avec des avantages sociaux ?" Et elle m'a répondu : "Cette banque." »

Ce même jour, Christina remplit un formulaire de demande d'emploi... et elle travaille dans cette banque depuis. Ce travail s'est avéré un bienfait dans d'autres secteurs de sa vie également puisqu'en travaillant de jour, elle avait le temps de socialiser le soir. C'est de cette façon qu'elle a rencontré son mari. « Je sais très bien que la banque n'est pas une finalité dans mon cheminement, dit-elle, mais plutôt une étape. Je commence à ressentir de nouveau de l'agitation et de l'insatisfaction, mais ce n'est pas parce que je me sens seule. C'est parce que je constate tellement d'injustices au travail et que je sais qu'autre chose m'attend. Je ne me serais jamais rendue jusqu'à ce point dans ma vie si j'avais réussi à aller à la banque ce jour-là et y avais déposé ma paye ! » L'histoire de Christina illustre bien le principe qui dit : « Qui sait si c'est bien ou si c'est mal ? »

CENTREZ-VOUS

Faites particulièrement attention lorsque vous arriverez chez vous ce soir. Servez-vous de ce moment comme excuse pour vous recentrer.

PENNEY PEIRCE[3],
The Present Moment

PRATIQUEZ L'ATTENTE TRANQUILLE

Kathy, la thérapeute dont il a été question dans le chapitre précédent, a appris que même les périodes tranquilles ont leur raison d'être. Une démarche nouvelle ne révélera peut-être pas sa véritable finalité si nous la regardons sous un seul angle, entre autres sous l'angle du rapport financier.

« J'ai renoncé à une carrière dans un milieu hospitalier où je travaillais depuis dix-huit ans pour mettre sur pied un cabinet de thérapie en 1998, dit Kathy. Au fond de mon cœur, je savais que c'était la chose à faire. J'avais lu un grand nombre d'auteurs dans le domaine de la spiritualité, entre autres Deepak Chopra,

James Redfield, Wayne Dyer et d'autres. Même si j'ai moins de clients que je ne le prévoyais, et par conséquent moins d'argent, je peux dire que j'ai appris plus avec eux que je ne l'aurais jamais imaginé. Ce qui me préoccupe le plus, c'est de rester sur

INCUBATION

Quelles sont les conditions pour être créatif? En premier lieu, il faut physiquement être en contact avec le médium. Les gens ne pourront créer avec un médium que s'ils ont un contact réel avec lui.

L'élément de spontanéité est hors de contrôle de la personne. Cependant, bien qu'elle se produise de façon imprévue, la spontanéité nécessite l'observation de certaines conditions:

- Étudiez. Préparez le terrain.
- Observez mentalement comment les choses s'imbriquent. N'écrivez rien encore.
- Découvrez ce qui manque et poursuivez vos recherches.
- N'arrivez pas à une solution trop prématurément.
- Assurez-vous que le travail préparatoire est fluide pour que la transformation puisse advenir.
- Lorsque vous êtes prêt(e) à passer à l'étape suivante, vous devez vous poser une question claire.
- N'y pensez pas. Videz-vous seulement l'esprit de tout ce que vous en savez. Tout ce qui reste, c'est le besoin de trouver une réponse.

Adaptation du texte de J. G. BENNETT[4],
dans *Creators on Creating*

ma voie sans me décourager pendant que j'attends l'indice qui m'indiquera clairement le prochain geste à poser. Je dirais qu'il s'agit d'un mélange de paix et d'occasionnel découragement. »

Du fait que Kathy a moins de clients que prévu, il peut y avoir entre elle et eux une interaction et un apprentissage profonds qui seraient impensables si elle était submergée de clients. « J'ai connu beaucoup de changements, dit-elle, comme mon divorce, mes études pour devenir infirmière, mon second mariage, ma maladie, un changement de carrière, un autre retour aux études et le lancement d'une entreprise. Il m'est dorénavant plus facile de procéder à des changements maintenant que je sais méditer et entendre les réponses dans le silence. Avant, ma méthode pour prier était de parler à Dieu pour lui demander d'exaucer mes requêtes. Maintenant, ma nouvelle méthode consiste à savoir que l'univers sait déjà ce dont j'ai besoin. »

NOUS FAÇONNONS LES ÉVÉNEMENTS

Lorsque nous sommes aux prises avec les aspects négatifs des huit dharmas, nous avons deux possibilités. Ou nous essayons de forcer les choses, ou bien nous faisons une pause et réfléchissons à ce qui se passe réellement. Si nous supposons que tout arrive pour une raison, selon nous, de quelle façon cet événement contribue-t-il à notre dilemme ? Vérifiez si un des cinq éléments suivants peut éventuellement représenter la finalité cachée ou l'origine du contretemps ou du problème : 1) projection ; 2) synchronisation ; 3) karma ; 4) évolution personnelle, et ; 5) soumission à l'intelligence supérieure.

Projection

Lorsque vous êtes en difficulté avec une personne, l'occasion vous est donnée de prendre conscience de vos croyances et attitudes. Nous pensons tous que « l'enfer, c'est les autres ».

Si seulement ils pouvaient changer, comme tout irait bien dans notre vie ! Mais ces moments difficiles devraient plutôt nous servir à jouer avec l'idée que l'autre personne nous sert seulement de miroir et nous apprend à reconnaître quels aspects de notre être a besoin de s'équilibrer. Il se peut fort bien que ces inacceptables, gros vilains aspects que vous voyez chez l'autre soient les aspects inacceptables que vous avez besoin de reconnaître et transformer chez vous. Que pourriez-vous faire pour améliorer la situation sans demander à quiconque de changer ?

Il se produit un phénomène intéressant lorsque vous commencez à penser vous démarquer, entre autres démissionner d'un emploi ou partir en affaires. Certaines personnes vous diront que c'est une bonne idée et vous accorderont leur soutien. D'autres vous déconseilleront d'entreprendre quelque chose de trop risqué. Les commentaires négatifs ne sont souvent que le reflet de nos propres doutes. Vous remarquerez également que plus vous vous donnez à ce que vous faites, moins vous recevez de commentaires négatifs de la part des autres.

Synchronisation

Si les choses ne se déroulent pas de la façon dont vous voulez, c'est que le moment n'est pas encore venu. Sans le vouloir, vous poussez peut-être trop les choses. Dans ces moments-là, nous avons tous tendance à nous accuser d'être inefficaces, de ne pas poser les gestes appropriés ou de ne pas savoir clairement ce que nous voulons. Si l'univers a son rythme propre, et c'est le cas, il vaut mieux vous détendre et accepter la situation telle qu'elle est et vous-même tel que vous êtes. Continuez de générer une énergie positive à tout instant, émettez de nouveau l'intention de laisser venir à vous des changements positifs et acceptez l'idée qu'une intelligence plus grande que la vôtre est à l'œuvre. L'acceptation permet à l'univers d'avoir le champ libre pour créer à notre intention.

Vous trouverez plus loin dans ce chapitre la description du cycle d'évolution de neuf ans qui déclenche des événements dans nos vies avec une précision étonnante.

Karma

Selon la philosophie orientale, chaque pensée que toute personne a jamais eue continue d'exister dans le champ universel et à toute action correspond une réaction. Par conséquent, un contretemps inexplicable ou un revirement de situation semblera n'avoir aucun fondement visible du fait que sa cause réelle remonte trop loin dans le temps. La notion de karma aide à expliquer comment certains événements horribles arrivent à des personnes innocentes, entre autres les accidents, les morts prématurées et les assassinats. Si vous admettez que le temps dans la vie ne signifie rien dans le sens le plus large et que vous puissiez vivre de nombreuses vies différentes dont les actions n'ont pas été équilibrées, alors il est sensé que votre vie actuelle soit une occasion de liquider de vieilles dettes ou de finaliser des situations en suspens. Point besoin de vous inquiéter constamment qu'un méfait plane au-dessus de votre tête. Il n'existe aucun moyen de prévoir la venue d'un « mauvais karma » et il n'est pas non plus possible ni utile de le connaître. Nous oublions notre raison d'être à la naissance parce que chaque nouvelle vie doit repartir à zéro. La joie ou la créativité se ferait rare si nous devions toujours traîner le passé derrière nous ! Par contre, lorsqu'un méfait se produit dans notre vie, la seule question à se poser est « Comment est-ce que je vais réagir ? »

Évolution personnelle

Si vous êtes dans l'impasse, dans la confusion ou contrarié, il se pourrait que vous ayez besoin d'examiner, de raffiner et de transformer votre caractère. Un changement soi-disant négatif dans votre vie pourrait bien s'avérer le catalyseur qui vous apprendra à pardonner, à faire plus confiance, à développer la patience ou à persévérer face à l'adversité. C'est lorsque nous composons avec ce que nous ne voulons pas que nos accomplissements et notre discernement prennent de l'ampleur.

Soumission à l'intelligence supérieure

Parfois, la situation du moment nous signale qu'il est temps que nous évoluions non seulement sur le plan psychologique, mais également sur le plan spirituel. Quelque chose nous force à fouiller plus en profondeur et à prendre la responsabilité des modalités du changement à apporter à notre mode de pensée ou à nos comportements. Nous constatons alors que nous n'avons que très peu ou pas de contrôle sur les événements et que nous sommes malgré tout assujettis aux inévitables fluctuations de la vie. Hier, nous étions louangés, aujourd'hui nous sommes retombés dans l'oubli. Si nous pouvons vivre ouvertement la vie telle qu'elle est aujourd'hui, au lieu de vouloir qu'elle soit hautement stimulante en tout temps ou que les autres se comportent en fonction de nos désirs, alors nous sommes vraiment libres.

Lorsqu'on se soumet à l'intelligence supérieure, cela ne veut pas obligatoirement dire que vous ne faites rien, mais ça peut être le cas. La sagesse, c'est accepter l'inévitable et les circonstances que vous ne pouvez changer.

Le détachement n'a rien à voir avec le déni ou le manque de sollicitude, mais tout avec l'ouverture d'esprit. Il nous permet d'apprendre, tout en abordant la vie avec nos questionnements et notre curiosité. L'ouverture nous encourage à nous attendre à ce que l'aide arrive éventuellement de façon inattendue. Elle nous adoucit et nous donne de l'expansion. Et lorsque nous sommes en expansion et pouvons tolérer davantage d'incertitude, la vie devient moins menaçante. Par la curiosité et l'ouverture, nous entrevoyons alors que nos peurs et nos insécurités sont plutôt des alliées. Et changement ou pas changement, nous ne bronchons pas.

LA SPIRALE DE NEUF ANS

Nous vivons à l'intérieur de spirales cycliques qui nous amènent habituellement des défis semblables, mais à des niveaux différents. Comme j'étudie la numérologie depuis des années, le fait de savoir dans quelle année du cycle je me trouve m'aide beaucoup.

La numérologie est un vieux système ésotérique qui nous permet de décrire notre identité et notre raison d'être sur terre. Il a été prouvé que les gens de tous les pays civilisés ont eu recours à l'astrologie et à la numérologie pour prendre leurs décisions quotidiennes et pour composer avec l'inconnu. Ces systèmes sont élaborés sur une toile de fond qui donne une assise structurée à ce qui pourrait sembler aléatoire ou chaotique. La numérologie sert à nous diriger vers les leçons que nous avons besoin d'apprendre. Selon moi, c'est un système très précis et relativement facile à utiliser.

Année numérologique personnelle

C'est à partir de votre date de naissance que vous pouvez déterminer où vous en êtes dans les cycles de neuf ans, de l'instauration d'une nouvelle orientation (année personnelle 1), en passant par la période de création des bases (année personnelle 4), de récolte (année personnelle 8) et d'achèvement (année personnelle 9).

Pour déterminer où vous en êtes dans le cycle numérologique de neuf ans, il vous suffit d'additionner les chiffres correspondant au jour et au mois de votre naissance à ceux de l'année courante. Par exemple, si vous êtes né le 28 novembre et que vous vous intéressez à l'année 2003, écrivez 28 11 2003. Additionnez les chiffres comme suit: 2 + 8 + 1 + 1 + 2 + 0 + 0 + 3 = 17 = 1 + 7 = 8. Vous êtes dans l'année personnelle 8.

Voici succinctement ce à quoi vous attendre pour chaque année personnelle. La chose importante à se rappeler, c'est que si vous vous trouvez vers la fin d'un cycle, c'est-à-dire dans les derniers mois d'une année 8 ou n'importe quand dans une année 9, il sera davantage question de l'achèvement que de l'amorce de nouvelles choses. Il vaut mieux dans ce cas attendre d'être dans la nouvelle année 1 pour entreprendre des activités importantes ou prendre des décisions ayant des conséquences à long terme. Le numéro de l'année personnelle change avec le premier jour de l'année qui vient, peu importe votre date de naissance.

Caractéristiques des années personnelles

1. Planification, lancement, déplacement, amorce, nouvelles possibilités, clarté, choix, indépendance, originalité.

   Favorise l'activité mentale, l'écriture, le design, la mise en scène, la mise sur pied d'une nouvelle entreprise.

   Défis : arrogance, timidité, confusion, peur, faible assurance personnelle, distractions, écoute.

   Mois pour passer à l'action : avril, septembre.

2. Relations, partenariats, collaboration, coordination, consolidation, détails, changement lent, réceptivité.

   Favorise l'amour, l'intégration, le soin de soi, l'ouverture du cœur, la négociation.

   Défis : peur, patience, léthargie, omission des détails, soumission excessive.

   Mois pour passer à l'action : mars, août, décembre.

3. Chance, événements sociaux spontanés, créativité, travail d'équipe, aide d'amis quand nécessaire, amélioration personnelle, bien-être général, petits voyages, conception ou naissance, moments passés avec des jeunes gens.

   Favorise les démarches pleines d'imagination et les ventes.

Défis : optimisme excessif, distractions, jalousie, hyperactivité, dépression, extravagance, possible licenciement.

Mois pour passer à l'action : février, juillet, novembre.

4. Planification, préparation du terrain pour des retombées futures, construction, revitalisation de la santé et de l'image, soin des affaires.

   Favorise l'organisation, les investissements prudents, les engagements personnels et d'affaires, les réparations, le jardinage, la production.

   Défis : préoccupations sur le plan de la santé, dettes, trop de stress et trop de pression pour produire des résultats, restrictions et bureaucratie.

   Mois pour passer à l'action : janvier, juin, octobre.

5. Changements ou décisions soudaines, nouvelles possibilités, liberté, relations amoureuses, changements dans le corps, activité publique.

   Favorise les voyages fréquents, la vente, la promotion, la réalisation de projets multiples, la vitalité, le sexe, les changements pour le mieux.

   Défis : spéculation ou déploiements excessifs, distractions, incertitude, résistance au changement, prêt d'argent, épuisement des reins.

   Mois pour passer à l'action : avril, mai, août, septembre.

6. Responsabilités, nombreuses obligations envers les autres, soutien aux autres, mariage ou divorce.

   Favorise les événements sociaux, les sentiments d'amour et de sécurité, l'enseignement, l'amélioration du domicile, la verbalisation, le remboursement d'emprunts, le travail communautaire ou le travail d'équipe.

Défis : impression d'être une victime ou un martyr, ressentiment, culpabilité, expansion excessive, échéances, dépenses de nécessité et non de loisir, travail empêchant les loisirs.

Mois pour passer à l'action : avril, août.

7. Réflexion, lien avec le plan spirituel, choix d'éviter les gens négatifs ou situations peu inspirantes, congé sabbatique.

   Favorise l'éducation, les choix plus significatifs, les moments passés dans la nature, l'analyse, la recherche, l'écriture, la composition, la croissance personnelle et spirituelle, la méditation.

   Défis : autodéception, scepticisme, pessimisme, méfiance, épuisement, perte, supercherie.

   Mois pour passer à l'action : mars, juillet, décembre.

8. Reprise de pouvoir, reconnaissance, accomplissement, avancement dans la carrière, investissements dans l'immobilier, droit d'exercice, augmentation des revenus. Exige d'être absolument clair et irréprochable sur le plan des finances.

   Favorise la rédaction, les sports, l'achat ou la vente de propriété, la récolte des fruits des huit dernières années.

   Défis : enjeux financiers élevés, questions légales, rapports de force, équilibre dans la vie, expansion excessive.

   Mois pour passer à l'action : février, juin, octobre, novembre.

9. Achèvement dans tous les domaines, changements pour le mieux, possibilités accrues, expansion, intensification de l'intuition.

Favorise la guérison sur le plan physique et émotionnel, éducation, voyages à l'échelle du pays ou à l'échelle internationale, croissance spirituelle.

Défis: montagnes russes sur le plan des émotions, perte, chagrin, pardon, tolérance, lâcher-prise, confusion quant au prochain geste à poser.

Mois pour passer à l'action: janvier, mai, septembre, octobre.

DÉSTRUCTURATION

Âgée de cinquante ans et directrice publicitaire, Leigh assista à l'un de mes ateliers en compagnie de sa belle-fille (fille de son époux), avec qui elle venait de se réconcilier après plusieurs années de séparation difficile. Comme nombre d'entre nous, Leigh est passée par les montagnes russes des huit dharmas.

À l'âge de quatorze ans et demi, elle fréquentait déjà l'université et à quinze ans, elle avait déjà chanté au Metropolitan Opera de New York. On lui prédisait une brillante carrière. Cependant, quelques mois plus tard, elle attrapa une grave infection aux bronches. Après plusieurs opérations chirurgicales, on dut lui enlever les cordes vocales pour empêcher le mucus de s'accumuler et de l'étouffer. Son état la força à quitter New York pour aller vivre à Puerto Rico, où le climat chaud et humide lui permettrait de guérir. Cette maladie signa l'arrêt de mort de sa carrière. « Je crois que je n'ai jamais cessé de chercher la raison à tout ça, dit-elle, et cette quête m'a amenée à plonger dans la spiritualité. »

Plus tard, Leigh se ménagea une seconde carrière, dans la publicité, et épousa un homme qui avait déjà deux enfants. Elle devint très intime avec sa belle-fille. Mais suite à une série de malentendus, les deux femmes se brouillèrent et la fille de son mari finit par partir de la maison pour vivre sa vie.

L'ESPOIR RÉSIDE EN TERRITOIRE INCONNU

Lorsque vous cherchez à vous accrocher au passé, vous êtes en grand danger. Le futur est un territoire inconnu, un territoire cependant où réside l'espoir. Il n'existe aucune garantie et le risque est grand. Mais si vous voulez vivre totalement, vous n'avez simplement pas le choix.

CAROL ORSBORN[5],
The Art of Resilience

Durant cette période d'éloignement entre les deux femmes, Leigh tomba gravement malade. Le virus latent dans son corps depuis son infection bronchitique envahit son système et la fit presque mourir. Un jour, alors qu'elle était à l'hôpital, un rabbin lui dit ceci : « Tu sais, Leigh, si tu gardes en toi de l'énergie négative, il faudrait t'en débarrasser sinon tu pourrais mourir. Tu as besoin de toutes tes forces pour guérir. » Sans l'ombre d'un doute, Leigh sut qu'il lui fallait résoudre le différend avec sa belle-fille. Elle n'était plus intéressée de savoir qui avait tort ou raison, mais bien déterminée à remédier à cette mésentente pour poursuivre ensuite sa vie.

Leigh appela donc sa belle-fille et il y eut une réconciliation sincère entre elles. « J'ai l'impression d'être une autre personne, dit Leigh. J'ai retrouvé ma fille. J'ai retrouvé ma famille. J'ai retrouvé ma vie. Je me sens beaucoup plus légère. Il y a encore du travail à faire, mais ce n'est rien de négatif. »

Le virus latent qui avait évincé Leigh du monde de l'opéra avait également déclenché une crise qui l'avait incitée à tendre la main à une personne chère qu'elle avait perdue. Cette histoire nous donne une idée du réseau complexe des forces – passé, présent et futur – qui nous mènent dans la vie.

« N'abandonnez jamais devant une problématique non résolue, dit Leigh. N'essayez pas non plus de la contrôler, mais plutôt d'avoir confiance que tout se passe de la façon dont c'est censé se passer. Même si je ne croyais pas vraiment à un aboutissement positif au début, je comprends maintenant que la lourdeur logée dans mon cœur me signalait qu'il y avait quelque chose à résoudre. Vous ne pouvez tout bonnement pas évincer les gens de votre vie. Il faut finir les choses d'une façon ou d'une autre. »

NOUS AVONS DES ANGES GARDIENS

Être ouvert veut également dire demander de l'aide quand on en a besoin et être réceptif aux interventions non matérielles.

Dans son ouvrage *Angels and Companions In Spirit,* les auteurs Laeh Maggie Garfield et Jack Grant font une distinction entre les anges, qui sont considérés comme des êtres exaltés, et les guides, que l'on qualifie en général d'anges gardiens. Selon ces auteurs, les anges gardiens sont plutôt des aides, mentors, compagnons et soutiens moraux invisibles. Dans leur livre, ils relatent un exemple de communication spirituelle durant laquelle les guides spirituels dirent ceci : « La relation entre un guide et un être humain est un phénomène à double sens. Certes, vous cherchez à entrer en communication avec nous, mais nous, nous vous observons depuis de nombreuses années, depuis bien avant que vous vous rendiez compte de notre existence... Même si nous ne rôdons pas sans cesse à vos côtés, nous sommes près de vous dans vos moments les plus difficiles et restons syntonisés sur vos vies et leurs circonstances. Vous n'êtes jamais seul. Tout au long de votre vie, vous aurez de la compagnie dans tout ce que vous entreprendrez de significatif. Même si l'univers disperse ses enfants à la grande volée, il ne les abandonne pas. »

Ces êtres précisent que, quand ils peuvent nous aider à accomplir quelque chose, ils accomplissent en même temps quelque chose pour eux et leur développement. Notre vie, nos choix, nos combats et nos accomplissements font partie d'un scénario beaucoup plus vaste que ce que nous imaginons habituellement. Leur présence se manifeste lorsque nous faisons des prises de conscience subites, des rêves ou des rencontres spéciales. Ils sont probablement à nos côtés lorsque nous réitérons un engagement, que nous avons le regain d'énergie qui nous permet d'affronter nos problèmes ou que nous reprenons le pouvoir que nous avions laissé à d'autres. C'est par leur encouragement silencieux que les anges gardiens font changer la direction de notre attention, et ce, d'une façon qui nous permet de développer le contentement, la foi, l'amour, la créativité, l'expression de la joie et l'abondance. Notre travail à nous, c'est d'être ouverts, disposés et prêts à laisser ces qualités positives, ainsi que d'autres, se manifester.

VOUS N'ÊTES PAS SEUL

Être ouvertement relié au plan de l'intuition, c'est un peu comme avoir une journée exécrable tout en se souvenant que quelqu'un est là, à la maison, qui vous aime inconditionnellement. Votre chien, votre chat, votre poisson ou votre conjoint. C'est ce qui peut rendre la pire journée supportable.

NANCY ROSANOFF[6],
The Complete Idiot's Guide to Making Money Through Intuition

Les anges ou les guides ne nous délestent ni de notre libre arbitre ni de nos responsabilités. Remercier et louanger nos aides invisibles est une façon de maintenir la fluidité de la communication entre les deux mondes. Et demander à nos guides une aide *précise* pour la manifestation de nos intentions et pour notre bien revêt une grande puissance. Pour sentir le lien entre vous et votre ange gardien, vous pourriez imaginer un seuil ou une porte entre notre monde et le leur. Chaque fois que vous affirmez votre croyance en la réalité du monde spirituel, vous ouvrez toujours un peu plus cette porte et vos croyances se mettent à fleurir sous forme de révélations et de connaissances. Lorsque vous vous sentez perdu, abandonné ou décalé, vous pouvez vous rapprocher de cette porte en priant, méditant, aimant et pardonnant.

Si vous êtes déprimé, vous remarquerez que vous pensez soit au passé, soit au futur. C'est en reprenant contact avec votre corps dans l'instant présent, où que vous soyez, que vous vous ouvrirez à l'inspiration de votre ange gardien. Par cette présence au corps, vous êtes branché sur le flot d'énergie vivante du moment présent. Demander une aide précise à votre ange gardien est beaucoup plus efficace que simplement espérer que les choses tourneront bien.

Deborah fait le métier de serveuse et aime tellement son travail qu'elle est impatiente d'arriver sur les lieux chaque jour. Elle se souvient d'un matin en particulier, à l'époque où elle travaillait au restaurant *Surf and Sand* à La Jolla, en Californie. Des sirènes se mirent subitement à hurler dans toutes les directions, déchirant la tranquillité du matin. Elle regarda en direction de la route de la côte ouest et y vit au beau milieu un monoplace ultra-léger, fait à la main, de couleur bleu vif. Un vieil homme d'environ quatre-vingts ans était assis sur le bord du trottoir. « Je pense que je pouvais presque voir un ange gardien assis derrière lui, dit-elle en riant. Je ne sais pas comment il avait pu faire lever cet engin, mais il l'avait fait atterrir sur la route sans toucher aucune voiture. C'était un miracle que personne n'ait été soit blessé ou tué. Il pensait qu'il s'agissait d'une piste d'atterrissage et avait pris l'océan pacifique pour le lac Elsinore, qui se trouve en fait à deux heures d'ici. Au moment de l'atterrissage, les voitures en sens inverse attendaient le feu vert, mais il y a toujours des voitures sur ce boulevard. Personne ne pouvait croire qu'il avait réussi à ne rien frapper. Il ne s'est pas écrasé, il a seulement atterri. J'imagine que son heure n'était pas venue. »

LA LUMIÈRE SE FAIT SUR NOTRE CHEMIN LORSQUE NOUS DEMANDONS DE L'AIDE

L'histoire d'une femme nommée Tammie illustre de manière simple et pragmatique la façon dont nos guides entrent en jeu quand nous avons besoin d'aide. Tammie perdit la clé de sa voiture au cours d'une partie de baseball. Elle fouilla dans son sac à main, autour de son siège dans le stade et même dans les toilettes. Pas de clé ! Alors qu'elle revenait au terrain de stationnement avec sa famille en passant par un terrain couvert d'herbe, elle essaya de figurer comment elle pouvait bien aller chercher sa clé de rechange à la maison. « Mon regard se posa un moment sur l'herbe, juste au cas où la clé serait tombée à cet endroit, même si l'idée de trouver une clé dans de l'herbe et dans le noir, c'était comme vouloir chercher une aiguille dans une botte de foin. Nous nous tenions tous près de la voiture au moment où des phares nous ont éclairés. Pris par surprise nous n'avons néanmoins pas manqué l'occasion de regarder autour de nous à la lueur des phares. La clé était là, dans l'herbe, environ à trois mètres de moi, qui brillait ! Nous l'avons tous vue presqu'en même temps. Nous sommes restés ébahis d'avoir eu la chance que ces phares nous éclairent juste au bon moment. Je n'en reviens toujours pas ! »

VOTRE OBJECTIF SONNE-T-IL JUSTE ?

Une fois que notre but, ou notre priorité, est établi, il faut nous demander : « Est-ce que je me sens à l'aise avec cet objectif? Sonne-t-il juste? Est-ce qu'il me donne envie de me lever tôt le matin et de me mettre à l'œuvre ? » Si nos priorités sont encore exprimées par des « je devrais », alors nous ne sommes pas en accord avec elles.

RICK JAROW[7],
Creating the Work You Love

QUI SAIT SI C'EST BIEN OU MAL ?

S'efforcer d'éviter l'inévitable signale sans le moindre doute que nous allons à rebrousse-poil. Un dénommé Jack m'a écrit pour me raconter comment il s'est battu contre une situation qui essayait de lui ouvrir une nouvelle voie. Il fit des pieds et des mains pour ne pas se faire licencier. En effet, la compagnie qui l'employait venait de réorganiser ses effectifs suite à une baisse des profits. Il travaillait tard le soir sans être payé, prenait ses repas à son bureau plutôt que de sortir manger et aller faire une petite promenade. Il accepta même de faire le travail d'un autre collègue sans être rémunéré et finit par s'épuiser à essayer d'éviter ce qui s'avéra finalement inévitable. Il fut mis à la porte.

Un an plus tard, en repensant à tous ces mois de peur qui l'avaient forcé à aller contre ses propres intérêts, Jack en était encore tout étonné. Le licenciement qu'il avait essayé d'empêcher s'avéra la meilleure chose qui aurait pu lui arriver. Après avoir cherché pendant deux mois un nouvel emploi, il rencontra par hasard un vieil ami qui était propriétaire d'un petit chantier naval et qui avait besoin d'un gestionnaire. Aujourd'hui, détendu, heureux et travaillant en équipe avec son ami aux docks, il est enchanté d'être arrivé à « bon port ». Et les perspectives d'avenir sont positives pour lui. Cette rencontre for-

ON SURÉVALUE LA PERFECTION

Une autre leçon que m'a donnée la vie, c'est qu'on surévalue trop la perfection ! Pendant des années, je me suis battu afin de faire les choses bien... pour découvrir que, neuf fois sur dix, cette bataille était une création inutile de ma part. La grande vérité, c'est que la première personne que vous devez rendre heureuse n'est nulle autre que vous-même.

SHAWN, professeur à l'école primaire

tuite et ce changement ne se seraient pas produits si Jack n'avait pas perdu son emploi et qu'il ne soit pas allé se promener au bord de la mer après une entrevue.

En général, c'est le temps qui se charge de nous révéler le tableau d'ensemble de notre destinée. Voici ce qu'une femme nommée Sarah en dit: « J'étudiais la biologie à l'université et mes résultats n'arrêtaient pas de chuter par rapport à ceux que j'avais eus à l'école secondaire. J'avais beau étudier sans cesse, je ne réussissais pas à les faire remonter. J'ai compris que je n'étais pas censée étudier en sciences et me suis mise à envisager d'autres programmes d'études. L'un d'eux, en particulier, me sauta aux yeux: la massothérapie. J'y avais déjà pensé quand j'étais à l'école secondaire, mais certaines circonstances m'en avaient dissuadée. Par contre, l'année et demie que j'ai passé à l'université m'a placée en haut de la liste des candidats, même si mes notes étaient exécrables. Alors, l'un dans l'autre, tout s'arrange. »

À quoi faites-vous face en ce moment qui semble difficile ou négatif? Cette situation pourrait peut-être recéler un trésor caché ! Remarquez combien votre paix d'esprit grandit lorsque vous prenez du recul et devenez le maître zen qui se dit: « Qui sait si c'est bien ou mal ? »

LE CORPS, L'ESPRIT ET L'ÂME SONT TOUJOURS RELIÉS

Sean Casey Leclaire était auparavant cadre supérieur dans la publicité. Ayant très bien réussi et essayant d'en faire toujours plus, il parcourait annuellement 300 000 kilomètres en avion et travaillait de quatre-vingts à quatre-vingt-dix heures par semaine. À l'âge de quarante-quatre ans, il est devenu conseiller en art de vivre, enseigne le yoga six heures par semaine et est en train d'écrire un livre sur les valeurs spirituelles et la détermination à atteindre la plénitude. Cet homme qui vivait auparavant la plupart du temps dans sa valise et dans des hôtels cinq étoiles, vit dorénavant à une heure de Boston, avec sa seconde femme, dans un coin tranquille de nature vallonnée où les vaches broutent. Il se voit comme un poète et un professeur de yoga qui aide les gens à reprendre contact avec leur corps et à en prendre davantage conscience. Il a vraiment ralenti le rythme. Son histoire nous rappelle que nous recevons sans cesse des messages de notre petite voix intérieure, messages qui nous disent comment trouver joie et équilibre. Parfois, la seule façon de procéder à des changements, c'est d'arrêter totalement le manège.

« À trente ans, j'ai lancé une entreprise en commercialisation d'événements, dit Sean. Le succès a été rapide, peut-être trop rapide. Ma femme et moi étions partenaires d'affaires et nous plaisantions sur le fait que nous n'avions pas d'enfants, mais une compagnie à la place. Ce qui m'est arrivé, c'est que Dieu a commencé à me montrer son visage et que mon masque s'est mis à s'effriter.

TROUVEZ DE NOUVEAUX AMIS

Ma femme et moi avons divorcé et nous apprenons actuellement à vivre chacun notre vie. Ce changement permet à mon être de se sentir libre, de s'exprimer. Je peux être moi-même. J'imagine que j'ai vécu une vie qui n'était pas la mienne. Mon problème présentement, c'est que je ne peux partager tout cela avec mes amis parce qu'ils veulent retrouver la personne que j'étais avant.

La thérapie m'a beaucoup aidé, mais j'ai compris que j'avais besoin d'une approche plus spirituelle. Dans ce sens, la méditation est une alliée. C'est une façon directe de trouver la paix, de se laisser aller à l'instinct et à l'intuition.

SERGIO, Buenos Aires

« Chose intéressante, des poèmes ont commencé à me venir au beau milieu de la nuit, me tirant abruptement du sommeil. J'ai commencé à avoir une pensée fragmentée. Par exemple, la nuit j'entendais des phases comme : "La publicité transforme de simples désirs en de regrettables besoins", et le lendemain, je devais prononcer une allocution sur la façon de développer une image de marque dans un pays étranger.

« Je vivais à l'époque à Vancouver, au Canada. Je me suis mis à marcher tous les jours et à faire du yoga chaque matin tout seul. Et j'ai commencé à voir qui j'étais réellement, c'est-à-dire un gars de trente-cinq ans pesant cent kilos et gardant tout sous contrôle par la tension. Les nœuds à l'intérieur de moi ont commencé à se défaire et le plus beau, c'est que je pouvais observer le phénomène se dérouler. »

En devenant plus conscient, Sean devint aussi plus curieux de connaître les émotions qui l'habitaient. Il se pencha donc sur la partie ankylosée de son être et se mit à écrire. « J'ai littéralement commencé à me dégeler et à sentir, dit-il. J'ai écrit ce que la mort de trois de mes amis avait provoqué en moi, ainsi que, pour la première fois, ce que mon adoption m'avait fait. J'ai entrepris une thérapie pour remédier à ma toxicomanie et me réhabiliter. J'ai également commencé à lire de la poésie, entre autres Sappho, Rumi et Rilke. Après environ une année de ce nouveau "régime", j'ai senti l'énergie changer. » Comme dans le cas de Leigh, le rétablissement de Sean fut possible parce qu'il était allé récupérer une énergie bloquée en lui et avait repris contact avec ses vraies valeurs.

« J'ai décidé de vendre mon entreprise, dit Sean, y compris tout l'attirail du guerrier des affaires, c'est-à-dire le téléphone cellulaire, le fax, l'ordinateur. Comme je suis un natif du Scorpion, je passe d'un extrême à l'autre. Ça a été une période difficile et pleine d'incertitude. Je me demandais souvent comment j'allais m'y retrouver. Je me sentais très dévalorisé. »

Lorsque nous effectuons des changements radicaux dans notre vie, nous devons être prêts à déraper un peu quand nous arrivons sur les plaques verglacées de la peur et de l'insécurité.

Quand nous étions bébé et apprenions à marcher, ne tombions-nous pas et nos progrès ne comportaient-ils pas naturellement des moments de régression ?

« Après la vente de mon entreprise, dit Sean, j'ai voyagé pendant cinq ans et j'ai rencontré toutes sortes de yogis, moines et chamans avec qui j'ai également vécu, des gens que je n'aurais jamais rencontrés dans mon ancienne vie de directeur publicitaire. Je me suis passionné pour le yoga, l'ai pratiqué plusieurs heures par jour et l'ai étudié avec divers maîtres. Je considère cette transformation comme un périple dans les émotions. »

Sean passa les neufs mois suivants à apprendre à se sentir à l'aise à vivre seul. Au cours de cette période, il consigna ses pensées dans son journal intime et put guérir de vieilles blessures d'enfance.

À un moment donné, il vécut totalement en silence, dans sa camionnette, avec laquelle il se déplaça au Nouveau-Mexique, en Californie et en Arizona. Il écrivait des poèmes et se tenait dans de vieilles librairies, sans cependant parler à quiconque. Après cette période de réflexion, il s'installa de nouveau à Vancouver, ouvrit une école de yoga et se mit à écrire des poèmes et des essais.

« Si j'avais vu un psychiatre, ajoute-t-il, il m'aurait probablement dit que mon ego s'était dissout et que j'étais dans un état psychotique. Mais moi, je me sentais dans un espace situé entre deux espaces. Le fait de rencontrer une femme qui me correspondait bien m'a beaucoup aidé. J'ai actuellement le grand privilège d'avoir des amis avisés et chaleureux, d'avoir trouvé la paix en moi et d'avoir à mes côtés une conjointe qui m'aide à accepter qu'on peut être différent et qu'il y a de la place pour chacun dans une relation. »

Il fallut cinq ans d'errance à Sean pour arrêter d'utiliser ce qu'il appelle ses « yeux gloutons d'Occidental ». « Pendant des années, j'avais pensé qu'il fallait que je sois quelqu'un de génial et de spécial. Je me souviens avoir entendu Mère Teresa dire :

NOUS FAISONS PARTIE DU RÉSEAU

Lorsque vous ouvrez enfin les yeux et constatez à quel point vous êtes lié à tout, une paix immense vous envahit. Après tout, comment pourriez-vous vous perdre dans ce réseau géant puisque vous en faites intégralement partie ? Mais la paix ne dure pas, car vous comprenez rapidement que ce réseau de relations comporte aussi bien la douleur que le plaisir, la souffrance que le ravissement, et que l'infime partie du tout qui réside dans le corps qui porte votre nom peut aussi bien se retrouver dans les creux de vague qu'à leur sommet. L'illumination ne vous empêchera pas de vous écraser si vous ne savez pas voler correctement.

Alors, dans un certain sens, rien ne change... mais en même temps, tout est différent.

JAMES A. OGILVY[8],
Living Without a Goal

"Nous ne faisons rien de grand. Seulement de petites choses avec un grand amour." J'ai renoncé à la chasse à la grandeur.

« Mais le plus grand changement dans ma vie concerne le choix que j'ai fait d'être prospère sur le plan du temps, et je vis simplement. C'est seulement à partir de votre intégrité et de votre vision intérieure que vous pouvez vous sentir en lien avec tout ce que vous faites. En ce moment, ce qui me passionne, c'est d'équilibrer la rapidité et le dynamisme effréné de la technologie en prônant de simples mouvements corporels. Je sens à quel point les gens sont déracinés et d'où partent les décisions qu'ils prennent.

« Nos corps sont devenus les esclaves des machines. Je veux aider les gens à devenir plus conscients de la relation qu'ils entretiennent avec ces machines et la technologie, et leur faire comprendre qu'ils peuvent effectuer des choix quant à la façon de se servir de cette dernière. La technologie n'est qu'un outil, comme la bêche.

« Dans mon travail, j'intègre toutes mes expériences personnelles, puisque l'objectif est d'aider les gens à ralentir le rythme, à sentir et à augmenter leur niveau de conscience. J'enseigne une combinaison de yoga classique et d'exercices somatiques. Par ces exercices, les gens apprennent à observer leurs expériences corporelles et à se familiariser avec les sensations, images, impulsions, mouvements et courants d'énergie, et pulsions. N'oubliez pas que, chaque jour, les gens reçoivent environ trois mille messages publicitaires. Quand vous leur parlez, ils vous disent qu'ils veulent davantage de spiritualité dans leur vie. Mais vous sentez qu'il y a une certaine frénésie dans leur sérénité. Si vous leur demandez comment ils vont, ils vous répondront qu'ils sont occupés. Mais être occupé n'est pas une émotion, c'est un choix.

« Je crois ce que Robert Frost disait: "Il n'y a aucune raison à se précipiter dans la précipitation générale. Tout le monde devrait avoir la liberté d'aller très lentement." »

Voici quelques petits trucs que Sean suggère pour amener des changements positifs dans votre vie:

- Ramenez votre attention sur vos sensations corporelles. Suivez le mouvement de votre respiration et attendez. Peu importe la nature des émotions, dites-vous bien qu'elles passeront et changeront.
- Réveillez-vous au lever du soleil et allongez-vous sur le dos en mettant un traversin sous vos genoux. Pendant une demi-heure chaque jour, observez vos pensées, sensations et émotions. Cette activité changera votre vie.
- Ayez confiance en une direction ordonnée de votre vie. Faites confiance au divin qui vit en vous.

SI J'ARRÊTAIS

Si j'arrêtais pendant un an
pour lire les classiques,
qu'arriverait-il dans ma vie ?
Si j'arrêtais pendant un an
pour aller dans les galeries d'art et les musées,
est-ce que je pourrais retravailler un jour ?
Si j'arrêtais pendant un an
pour danser et faire de l'escalade,
est-ce que le signal de la salle de conférence sonnerait
à nouveau pour moi ?
Si j'arrêtais un an pour enseigner,
est-ce que j'apprendrais qui j'étais
dans les yeux pleins de colère de notre tendre jeunesse ?
Si j'arrêtais pendant un an,
est-ce que je sentirais le passage des saisons
et entendrais les conversations des fourmis ?
Si j'arrêtais pendant un an,
est-ce que j'apprendrais à respirer
et à aimer les sens que j'ai depuis longtemps oubliés ?
Si j'arrêtais pendant un an,
est-ce que je pourrais me rappeler ma naissance
et la blanche et vive lumière appelée vie ?
Si j'arrêtais...

SEAN CASEY LECLAIRE

NATURE DE BOUDDHA

Dans le contexte de la pratique, l'aspiration n'est rien d'autre que notre vraie nature qui cherche à se réaliser et à s'exprimer. Nous sommes tous intrinsèquement des bouddhas, mais notre nature de bouddha est masquée.

CHARLOTTE JOKO BECK[9],
dans *Radiant Mind*

11

Donnez et recevez du soutien

Soyez prêt à renoncer aux modèles proposés tout au long de votre cheminement. Il n'y a pas de honte à avouer ses erreurs.

Le Mahatma Gandhi mena un jour une manifestation de protestation où nombreux était ceux qui, parmi les milliers de participants, avaient délaissé emploi et foyer pour endurer une rude épreuve. Alors que la manifestation allait bon train, Gandhi la fit arrêter et demanda aux gens de se disperser. Ses lieutenants vinrent le voir et lui dirent : « Mahatmaji, vous ne pouvez faire cela ; cette manifestation a été planifiée depuis longtemps et il y a tellement de gens impliqués. »

Gandhi répondit : « Ce à quoi je suis engagé, c'est à la vérité, telle que je la vois chaque jour, pas à l'uniformité. »

RAM DASS[1],
Journey of Awakening

DEMANDEZ DE L'AIDE LÀ OÙ VOUS EN AVEZ LE PLUS BESOIN

Une femme nommée Debra m'envoya un courrier électronique me faisant part de ses pensées sur la façon d'accélérer la venue de changements positifs. « Pendant que j'étais en convalescence à la maison après une hystérectomie, j'ai eu plus de temps que jamais pour réfléchir, six semaines pour être exacte. Une chose m'a frappée, c'est que nous devons demander de l'aide aux autres dans les domaines où, justement, nous avons des faiblesses, des carences.

« Il y a un an, quand j'ai réalisé que je voulais écrire davantage, j'ai mis sur pied un groupe d'écriture. Avant cela, j'avais créé un groupe de lecture parce que j'estimais que je ne lisais pas autant que je le voulais. Ce mois-ci, parce que je ressentais le besoin de mieux connaître mon milieu immédiat, j'ai rencontré les gens d'une librairie qui ont été d'accord pour que j'y entreprenne une série de conférences. D'une certaine façon, lorsque nous sommes inspirés et faisons le geste d'aider les autres dans les domaines où nous-mêmes avons besoin d'aide, il semblerait que viennent à nous toutes les ressources nécessaires pour que de grandes choses se produisent. »

SAISIR L'OCCASION AU VOL

Une fois que vous avez affirmé votre intention, prenez quelques instants pour cerner quels sont vos besoins précis pour la journée (ou la semaine). Inscrivez-les sur une feuille que vous gardez à la vue en tout temps.

Chaque fois que vous êtes au téléphone, que vous rencontrez quelqu'un, que vous prenez un repas ou que vous achetez un article quelconque à l'épicerie, ayez votre liste sous la main. À chaque conversation que vous tenez, mentionnez au moins un de ces besoins.

Bien entendu, l'idée n'est pas de demander tout le temps de l'aide et d'être désobligeant. Assurez-vous de retourner la pareille en questionnant les gens sur leur vie et en voyant comment vous pourriez les aider.

NANCY ROSANOFF[2],
The Complete Idiot's Guide to Making Money Through Intuition

Sean Casey Leclaire, ce cadre supérieur bourreau de travail dont il est question au chapitre 10 et qui a tout laissé tomber pour devenir poète et professeur de yoga, raconte ce qui s'est passé un jour alors qu'il faisait bénévolement des massages de mains aux personnes vivant dans une maison de retraite. « Un jour, je massais les mains d'une vieille femme tout en fredonnant un vieil air écossais. Soudain, cette femme plutôt fragile s'est littéralement mise à entonner la chanson avec moi. Et nous avons éclaté en sanglots ensemble. J'ai été tellement touché ! La qualité de sa présence à mon égard m'a stupéfait. J'avais cru que c'était moi qui lui rendais service. Je faisais des massages pour essayer de faire quelque chose de bien, mais il manquait derrière tout ça l'attention divine, la sensation que le divin est dans tout et tous. C'est ce qui vous comble et vous fait sentir bien intérieurement. »

ACCORDEZ-VOUS RÉELLEMENT DU SOUTIEN

Une femme du nom de Sofia m'écrivit pour me raconter qu'elle avait quitté son emploi après trois ans et demi de service et avait emprunté de l'argent pour subvenir à ses besoins pendant quatre mois. Elle voulait prendre le temps de mieux se connaître et envisager toutes sortes de scénarios. Le fait de s'être accordé ce genre de soutien était un grand changement pour elle. « J'ai mis le pilote automatique jusqu'à maintenant et j'en suis venue à me sentir comme un automate. Je sais qu'il faudra que je rembourse ce prêt et que je recommence à gagner de l'argent dans quatre mois. Mais j'étais arrivée au point où j'avais besoin d'une pause, j'avais besoin de faire de la place pour autre chose et de découvrir certains aspects inconnus de moi. *J'avais besoin d'incertitude et de chaos* pour instaurer une nouvelle voie et un nouveau type d'existence dans ma vie. J'avais vraiment l'impression d'avoir commencé à dépérir spirituellement. Pour la première fois, je sens enfin un vent de possibilités nouvelles. En ce moment, je me concentre sur le livre de Deepak Chopra, *Law of Infinite Possibilities.* »

Sofia explique qu'elle connut un point tournant lorsqu'elle réalisa que sa mission était déjà gravée dans chacune de ses cellules. Le fait d'avoir eu le temps de s'adonner à ses intérêts lui permit de comprendre sa mission. « Je sais que je dois aider à faire progresser la conscience éthique des dirigeants. Dire qu'il y a seulement quelques semaines je me creusais la cervelle quant à ce que je devais faire ! C'est quelque chose que j'ai toujours porté en moi. »

Grâce à la conscience plus aiguë qui accompagne souvent les périodes de stress et de changement, Sofia commença à réaliser que son plus grand ennemi était sa propre autocritique et la perception réductrice qu'elle avait d'elle-même. « Malgré toutes mes connaissances sur la pensée positive, je réalise que j'ai été très dure envers moi-même. J'ai fait un immense effort pour échapper à ma prison et je me suis ensuite mis une pression incroyable sur les épaules : gagner de l'argent, réussir et même me réaliser. Je faisais de ma liberté nouvellement acquise une situation difficile à vivre.

« J'ai réalisé au bout du compte que la pression que je m'infligeais ne donnerait rien et que ce dont j'avais besoin, c'était de m'accorder effectivement du soutien, dans les petites comme dans les grandes choses. J'ai écouté les cassettes de Louise Hay et j'ai vraiment compris à quel point chaque instant compte, à quel point ce que je pense de moi compte. Le fait de changer mon attitude face à moi-même m'a vraiment aidée. Je m'aime plus et peux davantage rire des défis que je rencontre sur ma route.

« Je réalise quels sont les avantages à être bienveillante envers moi, à un niveau profond quoique simple. Je regarde dans le miroir et me vois d'une façon qui me donne une chance. Avec les pensées et les images négatives que j'avais de moi-même auparavant, je n'avais aucune chance. Ma belle et luxueuse liberté était en train de disparaître dans l'autodépréciation.

« J'ai vraiment l'impression d'être passée de l'autre côté du miroir. Je pense que cela s'est produit parce que j'ai réussi à cerner mes passions, que j'ai décidé de ne pas les ignorer et que je suis prête à faire ce qu'il faut. Je suis sûre que le fait de démontrer davantage de bienveillance à mon égard, coûte que coûte, me permettra de trouver la bonne direction. J'aurai ainsi permis à l'intelligence universelle et aux synchronicités de jouer leur rôle. »

TROUVEZ L'INSPIRATION
DANS UN MOMENT DE BESOIN

Je déteste les plans logiques. Je trouverais cela faux et dangereux, quant à moi, de partir d'une idée claire, bien définie et bien cernée pour ensuite la mettre en pratique. Il faut que j'ignore totalement ce que je ferai. C'est quand je suis plongé dans l'obscurité et l'ignorance que je trouve les ressources dont j'ai besoin.

FEDERICO FELLINI[3],
dans *Creators on Creating*

Voici une autre histoire de découverte de soi. Une femme du nom de Lorraine mit fin à un mariage de vingt-deux ans. « La seule chose qui m'a permis de traverser cette épreuve, c'est ma famille et les moments de solitude pendant lesquels j'écrivais dans mon journal, parfois durant des heures. J'ai écrit de la poésie où s'exprimaient tous les doutes chargés de culpabilité, toutes les pensées de désespoir, chaque once de colère justifiée, chaque prière et chaque imprécation, la torture de l'introspection et, enfin, toute la tristesse des adieux.

« Je suis maintenant à une autre croisée de chemins, car je subis une autre séparation qui m'oblige à comprendre quel apprentissage je dois faire d'une telle situation. Je suggère aux autres d'essayer de rester dans un très grand silence, d'éteindre télévision et système de son, d'apprendre à dire non, d'apprendre à écouter la petite voix intérieure, l'intuition. Regardez bien les choses en face en ce qui vous concerne et effectuez les changements nécessaires pour pouvoir être aussi honnête que possible avec vous. Soyez attentif à tout ce que vous faites et à tout endroit où vous êtes. Faites beaucoup d'exercice, passez du temps dehors et écrivez, écrivez, écrivez. »

PARLEZ ET ÉCOUTEZ

Ce sont les gens qui m'ont le plus aidée dans les moments de transition. Je viens de mettre fin à une relation et suis en train de changer d'emploi et de domicile. Pendant cette période de grands changements, j'ai ouvertement parlé de tout cela aux gens que j'ai rencontrés. Et les réponses affluent. Je sens que je suis parfaitement le courant de ma vie et de ma destinée. On pourrait percevoir ce moment comme un passage difficile, mais je trouve quant à moi que c'est un moment de grande clarté.

Si vous me demandez ce qui me dérange le plus, je vous dirais que c'est *l'incertitude* avec l'anxiété non voulue qu'elle occasionne, même si je la ressens parfois comme de la stimulation. Mon intuition me dit que ce ne sont pas les changements qui déterminent vos émotions, mais la façon dont vous réagissez à ceux-ci et ce que vous en retirez.

BRENDA, employée d'épicerie

NI FORCE NI AFFRONTEMENT

D'origine britannique, Rachel a quitté un emploi très payant dans une maison d'édition publiant sur Internet, un bel appartement et de bons amis pour faire le tour du monde en voilier, ce dont elle rêvait depuis qu'elle était toute petite. « Ma principale préoccupation, c'était de renoncer à un emploi sûr et prometteur pour suivre l'élan de mon cœur. Je ne pouvais tout bonnement pas ignorer ce que mon intuition me disait. J'ai donc donné ma démission. Depuis que j'ai pris la décision de partir, tout marche comme sur des roulettes. Je suis surprise de constater jusqu'à quel point la vie semble s'efforcer de me montrer que j'ai pris la bonne décision. La synchronicité des événements survenus au cours des dernières semaines me laisse entendre que je suis sur la bonne voie et me rappelle également que je dois rester en contact avec la force vitale en moi.

« Je me disperse parfois tellement dans les préoccupations d'ordre matériel que je perds de vue le côté spirituel. Je comprends maintenant que les changements sont inévitables et sains. Je n'essaie plus d'y résister maintenant, ni par ailleurs de les forcer. La chose juste se présentera au bon moment pour autant que vous la cherchiez. Il n'y a que *vous* qui sachiez ce qu'il y a de mieux pour *vous*. Même si les autres remettent vos décisions en question, cela ne veut pas dire que celles-ci ne sont pas bonnes. Cela veut simplement dire que ce ne sont pas les décisions que d'autres auraient prises. »

PERFECTION DE LA SITUATION DU MOMENT

Être dans l'ici-maintenant se résume à être présent et conscient à chaque instant de notre vie. L'acte de présence est la clé de tous les enseignements spirituels au monde. *Être ici et maintenant* comporte intrinsèquement le corollaire *«accepter ce que l'on ne peut pas changer»*. Ce n'est évidemment pas ce que nous voulons entendre lorsque nous aspirons intensément à ce que la vie change pour nous.

Pendant que je recueillais les histoires devant composer en partie ce livre, j'ai souvent reçu des réponses de gens qui mentionnaient que l'acceptation consciente d'une situation les avait amenés à un état nouveau et positif. Alors qu'il faut savoir quand se retirer de situations où il y a abus physique, émotionnel ou psychique, il est bon de faire confiance à la finalité profonde du processus, car il nous rapproche de ce que nous sommes en train de créer et des responsabilités que nous devons prendre. Par exemple, Bertil, un ressortissant suédois, m'écrivit pour me raconter son cheminement. « Il y a de nombreuses années, je me suis rendu compte que j'essayais souvent d'échapper à certaines situations pour éviter d'avoir à me pencher sur mes propres travers et défauts. Comme cette attitude me donnait l'impression d'être dans une prison, j'ai essayé une autre approche. J'ai décidé de choisir d'être totalement présent à la situation actuelle, de prendre totalement la responsabilité

DONNEZ ET RECEVEZ LES BIENFAITS DE LA PRIÈRE

C'est la maladie de Crohn avec laquelle mon fils s'est battu qui a été la plus grande transition que j'ai connue dans ma vie. Cette bataille a duré neuf mois: tubes intraveineux, perte majeure de poids et, finalement, chirurgie pour éliminer une occlusion intestinale. Il avait quatorze ans et je ne pouvais rien faire.

Contre ma nature, j'ai dû lâcher prise et laisser Dieu agir. Tout ce que je pouvais donner à mon fils, c'était moi, mon temps, mes prières et mon amour. C'est la prière qui m'a soutenue pendant que je soutenais mon fils. J'ai véritablement compris pour la première fois de ma vie ce que le pouvoir de la prière peut accomplir. Elle m'a permis de rester saine d'esprit alors que je m'effondrais. Et je crois que la prière a aidé mon fils à guérir plus vite. Il a maintenant seize ans et il pousse comme de la mauvaise herbe. J'ai vraiment de la chance !

DENISE, mère

du rôle que j'y joue. Ça m'a amené vers un nouvel “espace”, un espace de liberté, et également vers plusieurs options.

« Il y a quelques années, j'étais certain d'être promu au poste de chef de ma section, mais c'est quelqu'un d'autre qui l'a été. J'avais travaillé des années à obtenir cet avancement. J'ai mis tout un week-end à contribution pour essayer de composer avec ma déception. J'ai fini par décider d'accepter la situation telle qu'elle était et je l'ai dit au nouveau directeur, en plus de l'assurer de mon soutien total, surtout dans les domaines où je savais qu'il n'avait que très peu d'expérience et de connaissances. Il en fut très soulagé et me remercia du fond du cœur. Et soudainement, plusieurs possibilités nouvelles se sont présentées dans l'entreprise me permettant d'avancer bien plus que je ne l'avais jamais envisagé. »

Lorsque des bouleversements se produisent sans que nous les ayons souhaités, il est facile et naturel de penser que nous nous éloignons de notre véritable mission de vie. Il est très ardu pendant ces moments de garder une attitude d'ouverture face à tout ce qui peut se présenter, mais il faut le faire à chaque minute et prêter attention à ce qui nous est demandé.

Une femme nommée Mary parle des soins qu'elle donne à sa mère depuis que son père est décédé. Ses frères et sœurs résidaient loin de leur mère ou décidèrent de ne pas s'impliquer. « Je vivais dans un autre État lorsque mon père est mort et j'ai pris la grande décision de revenir pour être avec ma mère. Je n'avais jamais été proche d'elle et la pensée ne m'avait jamais effleuré l'esprit que je serais chargée d'en prendre soin dans sa vieillesse. Pendant les trois jours de route en pleine tempête de neige, j'ai eu amplement le temps de prier et de fouiller mon âme pour trouver des solutions. Je savais, hors de tout doute, que mon principal objectif était de prendre soin de ma mère. Par contre, je n'avais pas la moindre idée de la façon dont je le ferais.

« L'année qui vient de s'écouler nous a permis d'évoluer beaucoup toutes les deux. Et j'ai découvert un secret : il faut que je plonge totalement dans le moment présent quand je suis avec elle. Nous nous parlons au téléphone chaque jour et passons deux à trois soirées ensemble par semaine. Il y a des jours où je ne pense pas avoir la force émotionnelle et spirituelle de m'en sortir. Cette expérience de vivre totalement dans le moment présent est tellement enrichissante que j'en attends avec impatience chaque seconde. Je me sens exaltée comme jamais je ne l'ai été et je sais, sans l'ombre d'un doute, que non seulement j'aide quelqu'un, mais que mon âme exulte de pouvoir vivre dans l'instant présent. »

NOUS DEVONS PARFOIS NOUS Y REPRENDRE PLUSIEURS FOIS AVANT QUE LES CHOSES NE SE METTENT EN PLACE

Personne n'assista à autant de transformations majeures et marquantes que Robert, le fondateur et directeur d'un refuge pour sans-abri. Au cours de ses nombreuses années de travail communautaire au refuge, Robert rencontra une myriade de gens provenant de toutes sortes de milieux. « Je me rappelle certaines personnes en particulier, dit-il, entre autres d'un gars qui avait été poète et professeur à Stanford. Vers la fin de la quarantaine, il avait eu des troubles de la personnalité et s'était mis à raconter des choses bizarres et loufoques. Parce qu'il était retombé dans des comportements infantiles de manipulation, il rebutait les gens. Et comme son hygiène commençait à laisser à désirer et ses comportements à devenir très étranges, il a fait de lui quasiment un paria. Peu après, il lui a été impossible de garder un emploi, sa santé a commencé à se dégrader et il est devenu un sans-abri. Il vivait au refuge tout en essayant d'économiser de l'argent et de remettre de l'ordre dans sa vie, lorsqu'on diagnostiqua chez lui un cancer fulgurant. J'étais à ses côtés lorsqu'il est mort. » Ce souvenir touchait une corde sensible chez Robert, car cela avait été un honneur pour lui d'être avec cet homme pendant les derniers instants de sa vie.

Robert se souvient d'autres résidents qui présentaient des côtés indépendants et farouches. « Il y avait cet autre gars qui avait été propriétaire d'une boîte de nuit célèbre. Comme il avait perdu beaucoup d'argent avec deux divorces et quelques mauvais investissements, il s'était retrouvé au refuge. Même lorsqu'il vivait au refuge, il cherchait toujours la combine qui lui permettrait de gagner le million. Il contracta la maladie de Parkinson, mais cela ne le ralentit pas beaucoup. Pendant son séjour au refuge, il est retourné aux études pour décrocher son diplôme d'études secondaires. Il avait soixante-deux ans. La plupart des hommes de son âge n'en auraient pas vu la nécessité. Il reconnut que le refuge l'avait aidé à remettre de l'ordre dans sa vie. Il a maintenant son propre appartement et il publie un bulletin sportif. Il est toujours occupé à quelque chose, même si son âge et sa santé lui causent des problèmes. J'adore cet aspect-là chez les gens : vous ne pouvez jamais les considérer comme finis tant qu'ils ne s'arrêtent pas.

« Un autre de mes amis est un gars qui a déjà été directeur d'un refuge. Il avait une dépendance à la drogue, dont il s'est sorti, pour ensuite m'aider à ouvrir un refuge où nous avons travaillé. Il avait quatre enfants et tout le reste. Mais il est encore retombé dans la drogue et a tout perdu. Puis, il s'est retrouvé au refuge qu'il avait lui-même fondé. »

Pour quelle raison et quand les gens changent-ils ? demandai-je à l'homme qui avait vu aller et venir des milliers de gens pris dans leurs guerres intestines.

> La vie est un cadeau qui, si nous ne l'apprécions pas totalement, nous amène à générer un déséquilibre dans le monde et nous force à demander aux autres de nous soutenir.
>
> TARTHANG TULKU[4],
> *Skillful Means*

« C'est une question de synchronisation, me répondit Robert. Je n'ai pas encore trouvé la formule magique. Chaque personne doit trouver le propre sens de sa vie et certaines doivent s'y reprendre à plusieurs fois avant que les choses ne se mettent en place pour elles. »

LES BONNES ŒUVRES RESTENT

« Je pense quitter le refuge et prendre ma retraite l'an prochain, dit Robert, mais je sais que je continuerai à travailler un peu dans le domaine du bénévolat. Peut-être que j'irai faire de la peinture chez des gens âgés, si besoin est. J'aime beaucoup éclairer la journée des gens. De tels gestes vous donnent plus un sentiment de raison d'être et d'accomplissement que le fait de donner de l'argent.

« Les gens se demandent toujours comment ils peuvent aider les autres. Savez-vous que Mère Teresa a commencé son œuvre en donnant un bain à une personne qui était en train de mourir dans le caniveau ? La célébrité et la fortune sont transitoires, alors que les bonnes œuvres restent. Lorsque je partirai d'ici, je laisserai un refuge où les gens pourront recoller les morceaux de leur vie. Je ne l'ai pas créé tout seul, mais je l'ai défendu tout le long, malgré les politicailleries et les objections de ceux qui n'en voulaient pas près de chez eux. Je suis heureux d'avoir pu apporter ma contribution à cet accomplissement concret. J'espère que Dieu me réserve autre chose. Je n'ai pas à guérir la faim dans le monde : je me contente de petites choses. Je suggère aux gens qui veulent changer de trouver une façon de donner aux autres. Plus vite vous trouvez quoi donner aux autres et cessez d'être si axé sur vous, plus vite vous connaissez le bonheur. »

Chaque fois que vous vous sentez perdu, décalé, fatigué ou découragé, ouvrez ce livre au hasard. Quel principe ou quelle pratique pourrait vous aider à élargir votre esprit ou vous offrir un peu de soutien pour poursuivre votre route ? Vous pouvez transcrire sur des fiches individuelles les idées que vous préférez dans ce livre. Et chaque jour, vous pouvez en tirer une pour vous donner de l'inspiration.

Une nouvelle année point et
de joyeux moineaux pépient
toute la journée
comme des gens.

RANSETSU[5]

12

Composez avec la peur

Qui peut savoir
ce que l'intelligence divine
a en tête ?

RUMI[1]

DE QUOI AVEZ-VOUS PEUR ?

Au cours de ma première journée à l'université, on m'obligea à faire un discours improvisé afin de déterminer si je devais suivre des cours d'allocution en public. Sans crier gare, un sentiment de panique totale s'empara de moi. J'eus l'impression que mes oreilles s'obturaient et que je me retrouvais coupée du reste du monde. Je n'oublierais jamais le soudain nuage de chaleur qui vint embuer mes lunettes et m'empêcher de voir la classe qui se trouvait devant moi.

Aujourd'hui, je gagne ma vie à parler en public et j'adore me trouver devant un auditoire. Si on m'avait dit ce jour-là à l'université que j'allais subvenir à mes besoins grâce à ce talent, je pense que je me serais jetée du pont le plus près.

Dans la vingtaine, j'avais une peur terrible de prendre l'avion. Au cours de mes premiers vols, je n'arrêtais pas une seconde de penser à la distance qui séparait mon siège de la terre froide et dure en dessous, ou pire encore, des profondeurs abyssales de la mer, où l'avion s'écraserait et où je disparaîtrais à tout jamais. De façon totalement irrationnelle, je croyais que seule une vigilance ininterrompue au moindre son étrange ou mouvement soudain dans l'avion permettait à ce dernier de se maintenir en l'air. Je pensais même que, si je ne bougeais pas trop, rien de grave ne pourrait se produire.

Aujourd'hui, je suis membre du club fidélité de United Airlines étant donné que mes conférences et mes séminaires m'amènent à parcourir des milliers de kilomètres autour du globe. D'ailleurs, j'ai même pris l'avion quelques jours à peine après les événements du 11 septembre 2001. En un mot, j'adore voler.

Je travaille encore sur des peurs que j'ai dans d'autres domaines de ma vie, mais depuis cette vieille époque où la peur régentait ma vie, j'ai appris que celle-ci n'est pas une excuse suffisante pour ne pas entreprendre ce qui doit l'être. L'expérience m'a montré comment faire face à mes peurs et me désensibiliser, en allant justement dans leur direction.

Êtes-vous impatient d'aller de l'avant mais aux prises avec une peur qui vous paralyse ? Pensez-vous que vous effectuerez des changements dans votre vie mais que le moment n'est pas encore venu ? Attendez-vous le moment approprié depuis très longtemps ? Selon vous, quel est le problème ? Pensez-vous que

LA PEUR EST UN TEST

Si l'âme connaissait seulement amour et paix, elle n'aurait aucune idée de la valeur intrinsèque de ces sentiments positifs et ne pourrait donc les apprécier. L'épreuve de la réincarnation d'une âme en venant sur terre, c'est de conquérir la peur tout en étant dans un corps humain.

MICHAEL NEWTON[2],
Journey of Souls

le problème consiste en : 1) un manque de clarté ; 2) de la procrastination ; 3) un manque d'argent ; 4) un manque d'aptitudes ; 5) de la résistance ; 6) un blocage particulier, ou ; 7) tout simplement de la peur ?

NOUS AVONS TOUS PEUR DE NOTRE INSUFFISANCE ET DES ÉVÉNEMENTS IMPRÉVUS

Peu importe notre âge et où nous sommes rendus dans notre vie, nous éprouvons tous les mêmes peurs : peur de prendre les mauvaises décisions, de paraître stupide, de ne pas savoir prendre soin de nous, d'être rejeté, d'échouer, de parler en public, de mourir et d'être médiocre. Les études prouvent que la peur de parler en public arrive en tête de ligne, dépassant même celle de la mort ! Les peurs concernant certains événements, comme ne pas trouver l'âme sœur, se faire licencier, divorcer ou faire faillite, sont la manifestation extérieure des peurs que nous avons quant à nous-mêmes.

Je pense que la peur de ne pas trouver notre raison d'être ou de sentir que nous n'avons atteint qu'un niveau médiocre de notre potentiel est profondément enracinée en nous et façonne en grande partie notre estime personnelle.

Les deux grandes questions sur les changements

Les gens posent invariablement les deux mêmes questions au cours de mes ateliers en ce qui concerne la vie et les changements. Premièrement : « Comment découvrir clairement ma mission de vie ? » et deuxièmement : « Comment puis-je composer avec la peur ? »

Après avoir réfléchi à la chose pendant quelques années, je peux maintenant voir que ces questions sont reliées. La question concernant la clarté a, selon moi, tout à voir avec le besoin de sécurité que confère un revenu assuré. « Je ne broncherai pas avant d'être sûr d'avoir ce que je veux. » Mais, le fait de vouloir que les choses soient d'une clarté absolue peut s'avérer un piège qui nous empêche d'agir.

Quant à la deuxième question, celle qui concerne la peur, essayons tout d'abord de comprendre de quoi elle émane. Pour commencer, bien des gens croient que les événements dans la vie sont aléatoires et que la vie est une aventure effrayante. Selon eux, il vaut donc mieux ne pas trop faire de vagues. Ce point de vue ne soutient pas beaucoup la notion que l'on peut tirer des leçons de toute expérience. Il est fondé sur de la résistance.

La peur émane également de la dualité de notre mode de pensée, c'est-à-dire qu'il faut que quelque chose soit noir ou blanc, bien ou mal. Si c'est mal, vous avez fait une erreur (au lieu d'avoir reçu des commentaires et d'avoir appris).

La peur émane aussi de l'inconnu auquel nous faisons face. Réussirons-nous dans cette nouvelle entreprise ? (Avons-nous même les critères de succès qui nous permettront de savoir quand nous aurons réussi ?) Regretterons-nous d'avoir fait le saut ? Que se passera-t-il si nous ne savons pas prendre la situation en main lorsque c'est nécessaire ? Vous pouvez toujours vous libérer l'esprit en vous disant que vous avez presque toujours la chance de faire un autre choix.

La peur survient lorsque nous sentons que nous risquons de perdre ce que nous avons. Peut-être avons-nous l'impression que nous laisserons tomber quelqu'un ou que nous n'obtiendrons pas l'amour et le soutien des gens que nous aimons le plus pour prendre de nouvelles décisions.

Les formes-pensées associées à la peur vont loin : « Je vais devenir clocharde. Mes enfants vont mourir de faim. » Une femme à qui je parlais un jour essayait de décider si elle devait abandonner un emploi qu'elle occupait depuis vingt ans pour se lancer elle-même en affaires. « Et que se passera-t-il si je démissionne et que je ne peux ensuite subvenir aux besoins de ma fille ? » se demandait-elle. Cela est un bon exemple de dualité extrême, qui à la base crée un faux conflit puisque celui-ci ne se situe pas entre « faire ce qu'elle veut » et « ruiner la vie de sa fille ». Il est certain qu'elle doit accorder la priorité à la vie de sa fille. Par contre, cela ne veut pas dire qu'elle doive renoncer à ses rêves. La question ici est de commencer à faire de petites démarches tout en maintenant les structures actuelles pour trouver de nouvelles possibilités et avancer dans une nouvelle direction. Par exemple, la situation peut exiger que nous acceptions deux emplois intérimaires à temps partiel avant que la nouvelle carrière ne rapporte des revenus suffisants. La peur crée souvent un faux sentiment d'urgence. Lorsqu'on considère les choses à long terme, on trouve la confiance en soi qui permet de composer avec l'inconnu. Les succès qui se produisent soi-disant du jour au lendemain n'arrivent en général qu'après des années de préparation, consciente ou inconsciente.

Lorsque nous nous demandons comment composer avec nos peurs, il se peut fort bien que nous mettions la notion de peur à contribution pour nous donner une raison de faire de la procrastination et de rester dans notre zone de confort. Après tout, si vous dites aux autres que vous êtes confus, que la clarté vous fait défaut et que le futur vous effraie, il est certain que les gens vous consoleront et vous conseilleront en affirmant que la vie est risquée et que vous devriez vous contenter de ce que vous avez. Il est facile de rester dans le mode victime : de cette façon, vous pouvez parler à loisir des changements sans jamais avoir à en faire !

Abdiquer devant la peur est une belle excuse pour ne rien faire. Cette peur est celle où prennent racine toutes nos erreurs, nos échecs et les autocritiques, qui nous donnent toutes les raisons possibles de ne pas vouloir avancer. Vous avez le choix : ou vous entretenez les peurs ou bien vous en élaguez quelques-unes pour passer à l'action. Vous pouvez y arriver en faisant les affirmations suivantes : « Quoi qui se passe, je composerai avec ! » « J'explore quantité de nouvelles idées stimulantes ! »

Si vous voulez composer avec la peur dès maintenant, regardons plus précisément ce qu'elle vous dit.

Peurs habituelles qui nous retiennent

Peurs au sujet de nos capacités et de notre identité

J'AI PEUR...

De ne pas avoir les idées claires sur ce que je dois faire maintenant pour avancer.

De ne pas savoir où commencer parce que la clarté me manque.

Parce que je n'ai pas la chance, comme certaines personnes, de savoir ce que je veux.

Parce que je suis trop âgé(e) pour recommencer.

Parce que je n'ai pas les qualités requises pour mieux réussir, alors pourquoi faire des vagues ?

Parce que je ne sais pas me vendre.

Parce que, si je passe à l'action, peut-être que les choses ne seront pas mieux qu'actuellement.

Peurs au sujet du travail et de la carrière

J'AI PEUR...

Parce qu'il faudra que je vende mon âme pour bien gagner ma vie.

Parce que si j'essaie de me lancer en affaires, il faudra, pour réussir, que je sois plus affirmatif et compétitif que je ne le suis ordinairement.

Parce qu'il faudra trop de temps pour lancer ma propre entreprise et que je n'ai pas assez d'économies.

Parce que je ne saurais pas trouver suffisamment de clients pour rendre mon affaire rentable.

Parce qu'il faudra que je trouve tout seul des clients.

Parce que, si je passe à l'action, peut-être que ça ne marchera pas.

Peurs au sujet des relations

J'AI PEUR...

Que mon conjoint ne soit pas d'accord si je veux changer quelque chose.

Que ça ne marche pas entre nous si j'effectue un changement dans ma vie.

De ne pas savoir quoi faire si je perdais mon conjoint.

De ne pas être assez attirante(e) pour être aimé(e).

De vieillir.

De changer pour quelqu'un.

De ne pas être à la hauteur dans les rencontres sociales.

D'être rejeté(e) si je m'expose.

D'être toujours seul(e).

Peurs au sujet de l'argent

J'AI PEUR...

De retourner aux études parce que ça coûtera plus cher que je ne peux me le permettre.

Parce que mon loyer va doubler et que je ne peux me permettre d'acheter une maison.

Parce que je n'ai pas assez d'argent pour effectuer les changements que je veux.

Parce que je n'ai pas assez économisé pour ma retraite.

Parce que je n'arrive pas à contrôler mes dettes.

Parce que mes dettes augmentent et que mes cartes de crédit sont mon unique moyen de défrayer des dépenses nécessaires.

Peurs au sujet de la santé

J'AI PEUR...

Parce que je n'ai aucune assurance-santé.

Que cette douleur que je ressens ne soit un cancer.

De devenir invalide et de ne pas pouvoir travailler.

Parce que je n'ai rien sur quoi me rabattre.

Parce que je n'ai pas des habitudes de vie très saines.

LA PEUR ULTIME : NE PAS POUVOIR COMPOSER AVEC L'INCONNU

Dans chacun des énoncés précédents, la peur sous-jacente fondamentale est celle de ne pas pouvoir composer avec ce que le futur nous réserve. Nous n'avons pas confiance de pouvoir apprendre, nous adapter et composer avec ce qui se présentera.

Quand nous étions enfants, nous ne regardions pas sous le lit le soir parce que nous avions peur de voir les yeux brillants de monstres qui pouvaient s'y cacher. Nous étions petits et n'avions aucun moyen de défense contre l'impuissant et effrayant inconnu qui, nous en étions convaincus, allait venir nous dévorer tout rond.

Un de mes amis me dit un jour que sa citation préférée était celle d'Einstein qui avança que la véritable question dans la vie, c'était de savoir si oui ou non l'univers était notre ami. Un des avantages, quand on suit le courant, c'est qu'on a la sensation que l'univers est bienveillant. En effet, dans ces moments-là, nous sentons que nous sommes reliés à quelque chose de plus vaste et de plus significatif qui s'exprime dans le quotidien ainsi que dans les moments de transcendance. Lorsque nous fonctionnons sur le mode de la peur, nous sommes coupés de cette sensation d'appartenance à quelque chose de plus grand, et nous sommes moins que certains que l'univers soit notre allié. Nous mettons alors l'accent sur toutes les situations de souffrance, douleur, faim, pauvreté, ignorance, violence, cupidité et désaccord. Comme nous avons l'impression qu'il n'y en a pas assez pour tout le monde, nous nous dépêchons de faire main basse sur l'abondance avant que quelqu'un nous devance. Nous résistons à passer à l'action parce que nous avons trop peur d'envisager qu'il faudrait peut-être renoncer à quelque chose en notre possession pour quelque chose de virtuel.

Cette forme de pensée nous maintient dans un rôle de victime et nous empêche d'être totalement qui nous sommes. Nous nous voyons dans un monde de chaos, de terreur et de pièges sournois. Nous nous sentons tout petits, seuls, désemparés, confus, apeurés, humiliés et au bord de l'échec.

LA CLÉ POUR COMPOSER AVEC LA PEUR

Comment alors dépasser la peur? *Entraînez-vous à adopter l'attitude que vous saurez composer avec n'importe quelle situation.*

La clé de la réussite, c'est d'être disposé à faire tout ce qu'il faut pour aller de l'avant, même dans l'éventualité que le pire vous arrive. Si vous adoptez cette attitude, vous connaîtrez le secret pour composer avec la peur. Ne vous méprenez pas cependant: la peur ne disparaîtra jamais totalement. Alors, n'attendez pas que la peur disparaisse avant de passer à l'action. Il vous suffit de reconnaître qu'elle est là, de la sentir et d'aller de l'avant en posant un geste.

Votre devoir est de commencer à vous faire confiance, à vous fier à votre intuition, malgré les conséquences de vos décisions. Votre devoir est de vous doter d'aptitudes de résolution de problèmes, de renforcer votre capacité d'adaptation, d'aiguillonner votre créativité, de garder le contact avec tous vos amis et membres de la famille, ainsi que de rester ouvert à vos guides spirituels et aux synchronicités qui se présentent lorsque vous en avez besoin. C'est en mettant quotidiennement en pratique les principes dont nous avons parlé plus haut que vous accomplirez cela.

Rappelez-vous la façon dont vous avez déjà composé avec l'imprévu. N'avez-vous pas déjà prouvé que vous étiez capable de vous adapter et de survivre ? Sans cela, vous ne seriez pas vivant ni en train de lire ce chapitre ! Je vous suggère d'inscrire dans votre journal les changements avec lesquels vous avez déjà composé dans votre vie. Par exemple, comment avez-vous com-

DÉPASSEMENT DU SEUIL

La grande différence que j'ai constatée entre les femmes qui gagnent plus de 100 000 $ par année et celles qui sont sous-payées, c'est que, même si ces premières pensaient ne pas être capables de réussir ce qu'elles envisageaient de faire, elles passaient tout de même à l'action et réussissaient. C'était le seuil qu'elles avaient dû franchir pour parvenir où elles étaient. Les autres se rendaient jusqu'à ce seuil mais se trouvaient toutes les raisons possibles pour ne pas arriver à accomplir ce qu'elles voulaient et, donc, ne faisaient rien pour y arriver. Elles ne pouvaient tout simplement pas se visualiser en train d'accomplir ce dont elles rêvaient.

Les femmes bien rémunérées pensaient également ne pas réussir, mais passaient à l'action quand même. Même si elles ne réussissaient pas toujours, elles en retiraient du moins un grand apprentissage.

BARBARA STANNY[3],
Secrets of Six-Figure Women

posé avec le fait que votre meilleure amie se marie avec votre fiancé ? Qu'est-ce qui vous a été de secours la fois où votre voiture est tombée en panne en plein trafic? Qu'est-il arrivé lorsque vous avez perdu votre portefeuille et votre passeport lors de vos vacances au Maroc ? Qu'avez-vous fait lorsque vous n'avez pas obtenu la promotion que vous vouliez? Comment avez-vous réagi quand on vous a licencié de façon ignoble? Qu'avez-vous fait la dernière fois que vous êtes tombé malade un week-end et que votre docteur n'était pas disponible ? Vous avez composé avec tout cela. Vous vous en êtes sorti.

DÉCOUVREZ QUELLE EST LA CROYANCE QUI VOUS RESTREINT

Passez de nouveau en revue les énoncés sur la peur et observez quelles croyances et quelles pensées restrictives viennent alimenter la peur.

J'AI PEUR...

De ne pas avoir les idées claires sur ce que je dois faire maintenant pour avancer.

Pensée restrictive: J'ai besoin d'avoir des résultats garantis avant de faire quoi que ce soit.

Pensée non restrictive: Je me dirige vers ce qui me stimule le plus.

J'AI PEUR...

Parce que si j'essaie de me lancer en affaires, il faudra, pour réussir, que je sois plus affirmatif et compétitif que je ne le suis ordinairement.

Pensée restrictive : Ce que je suis ne suffit pas. Il faut que je sache tout et que je sois parfait(e).

Pensée non restrictive : Je ne sais pas comment m'y prendre pour faire cela, mais je trouverai. J'apprends constamment.

J'AI PEUR...

De passer à l'action et que les choses ne soient pas mieux.

Pensée restrictive : Il n'y a qu'une seule bonne réponse.

Pensée non restrictive : Chaque fois que je passe à l'action, j'apprends quelque chose pour la fois suivante.

J'AI PEUR...

D'être rejeté(e) si je m'expose.

Pensée restrictive : Je me laisse facilement écraser par les autres. Je dois me protéger de ce que les gens pensent de moi.

Pensée non restrictive : Parfois on gagne, parfois on perd.

J'AI PEUR...

Parce que je n'ai pas assez d'argent pour effectuer les changements que je veux.

Pensée restrictive : Je manque de ce dont j'ai besoin. L'argent est la seule réponse qui me permette d'avancer.

Pensée non restrictive : Tout est possible.

LA BONNE NOUVELLE

Une fois que nous avons bien regardé nos peurs en face et que nous sommes disposés à composer avec n'importe quelle situation, notre cheminement devient une aventure, *peu importe le dénouement.* La bonne nouvelle, c'est que, en fait, le chemin que nous empruntons importe peu à long terme. Chacun de nos choix donne lieu à des possibilités et apprentissages uniques qui nous permettent d'évoluer, de devenir plus avisés, de prendre davantage d'expérience et de potentiellement mieux réussir.

L'autre bonne nouvelle, libératrice également, c'est que le contrôle des événements n'est pas de notre ressort. Pas plus que ne l'est la nécessité de perfection pour pouvoir faire un pas dans l'inconnu. Nous pouvons donc développer chez nous l'attitude qui dit au monde entier « Je peux composer avec tout ce qui vient et suis disposé à aller de l'avant coûte que coûte. » La peur fait naturellement partie du processus décisionnel qui nous aide à discerner quelle est la meilleure voie à emprunter. Aussi bien nos peurs que notre raison d'être nous poussent à prêter attention aux choses de la vie. Après avoir entendu ce qu'elles ont à nous dire et choisi une voie, il faut laisser faire les choses et continuer à agir de la façon la plus intègre que nous connaissions. J'ai toujours été frappée par le principe de Mère Teresa, selon qui, l'accumulation de choses n'est pas une bonne idée, car elle signifie à Dieu que vous n'avez pas confiance qu'Il vous procure tout ce dont vous avez besoin.

EMPLOYEZ VOTRE TEMPS DE FAÇON JUDICIEUSE

Passons maintenant en revue les attitudes et pratiques qui vous permettront d'avancer dans les moments d'incertitude. Il serait bon d'avoir ces petits rappels inscrits quelque part (les fiches se transportent partout) afin que, lorsque les peurs surviennent, vous puissiez ramener votre attention vers quelque chose de plus utile. Transcrivez ces attitudes et pratiques sur une feuille, que vous aimanterez sur votre réfrigérateur.

- Je sens la peur mais je continue d'avancer.

- Je ne me précipite pas pour agir, à moins qu'il s'agisse d'une urgence.
- Je garde le sens de l'humour pour rester ouvert(e) et détendu(e).
- Je remets entre les mains de mon inconscient la tâche de créer ce que je veux.
- Je demande à la vie de me donner des réponses facilement compréhensibles.
- Je guette les réponses ou les confirmations à mes intuitions partout (coups de téléphone, conversations fortuites, radio, livres, etc.).
- Je prête davantage attention à mon instinct quand je prends des décisions.
- Quand je me sens confus(e), je ralentis le rythme. Je m'engage à poser un geste isolé qui répondra à une petite partie de ma question.
- Je vais dans la direction où je sens la meilleure stimulation.
- J'accomplis des choses qui me font sentir bien une fois qu'elles sont faites.
- Je dis non quand je me sens dépassé(e) par les événements. Je maintiens la simplicité avant tout.
- Je me donne des objectifs, mais je laisse l'univers s'occuper des détails.
- J'agis au moment opportun.

Et si vous vous sentez particulièrement bloqué(e), voici une autre liste:

- Je m'efforce de mettre plus de cœur à la situation présente.
- Je me dis que je suis disposé(e) à composer avec tout ce qui arrivera.
- Je suis disposé(e) à vivre dans l'incertitude pendant un certain temps.

- J'adopte l'attitude que tout événement peut être bon ou mauvais.
- Je choisis un domaine ou un sujet sur lequel je veux en savoir davantage ou dans lequel je veux me former.
- Je mets en pratique le donner et le recevoir (en me portant bénévole, en aidant un ami ou en jouant avec un enfant).
- Je suis disposé(e) à me déstructurer afin de me reconstituer à un autre niveau.

Tout cela n'est qu'une aventure, peu importe ce qui se passe. Votre sentiment de sécurité repose essentiellement sur votre capacité à percevoir, réagir et vous adapter. Plus cette capacité à voir ce qui se passe (perception et attention) est grande, plus grande aussi est la capacité à réagir rapidement et de façon appropriée. Tel est le principe qui régit la survie et l'évolution de toutes les formes de vie. Pendant les époques de grande incertitude (ce qui est une autre façon de dire qu'un grand nombre de gens sont anxieux), soyez prêt à vous familiariser avec elles. Ces époques servent en général à nous faire mieux apprécier ce que nous avons, à valoriser davantage nos relations, à nous renforcer et nous peaufiner.

LORSQUE VOUS PRENEZ UNE DÉCISION

Si vous avez peur lorsque vous envisagez de passer à l'action, suivez les lignes directrices suivantes :

- Ressentez la peur et clarifiez ce avec quoi vous avez peur de ne pas pouvoir composer.
- Quelle est la pire chose qui pourrait arriver ? Êtes-vous prêt(e) à composer avec cela ?
- Gardez l'esprit ouvert. Qui sait si une chose est bonne ou mauvaise ?

- Soyez présent. Écoutez votre intuition et faites ce que vous avez à faire (appel téléphonique, des excuses, vous lever plus tôt, donner suite à une promesse, passer vos notes en revue, colliger davantage d'information).
- Maintenez une attitude positive et légère. Soyez attentif à la façon dont vous parlez de vous et de vos projets.
- Misez sur la simplicité. Concentrez-vous sur ce qui importe réellement.
- Prenez le temps de vous adonner à des activités qui vous comblent. Jouez à la balle, allez danser, jardinez, marchez, courez, écoutez de la musique, observez les oiseaux, passez du temps en famille.
- Attendez-vous à un miracle. Demandez à ce que le prochain geste à poser le soit de la façon la plus facile et agréable possible.
- Prenez la responsabilité de vos décisions. Ne déplacez pas la responsabilité sur les autres en leur faisant des reproches. Si une décision ne fonctionne pas comme vous le vouliez, faites le nécessaire au meilleur de votre savoir et passez à autre chose.
- Soyez curieux(se).
- Formulez une affirmation de rechange. « Si ça ne marche pas, je... »

Une femme voulant garder l'anonymat me fit part du tournant marquant de sa vie, aux abords de la cinquantaine. « Revenir à la spiritualité et m'occuper de cet élément dans ma vie a été la seule chose qui m'a permis de traverser cette crise. J'ai divorcé après six années d'un mariage malheureux. Je suis déménagée dans une nouvelle ville, toute seule, et j'ai refait ma vie. J'ai pris le temps de scruter mes comportements et mes responsabilités, et j'ai découvert que j'avais négligé et nié l'esprit en moi. Je me suis donc mise à lire des livres sur la spiritualité.

FAITES-EN MOINS

Simplifiez votre vie dès aujourd'hui en en faisant moins que d'habitude. Avez-vous l'impression d'être paresseux ou dévalorisé lorsque vous ne faites pas grand-chose ? Alors, rappelez-vous que vous n'êtes pas seulement ce que vous faites.

PENNEY PEIRCE[4],
The Present Moment

« Je me suis réveillée le jour de mes cinquante ans en sachant que je voulais vivre les cinquante prochaines années de façon différente. J'ai donc laissé un emploi qui me drainait, simplifié ma vie en vendant la plupart de mes biens et payé mes dettes. J'ai entrepris le périple de ces cinquante futures années en entassant dans ma voiture mes effets les plus importants et me suis mise au volant. J'ai rendu visite à des amis, fait du camping, lu et tout simplement vécu. Il m'est arrivé un coup dur pendant que je traversais les États-Unis, qui s'est avéré une expérience positive même s'il m'a retardée un peu : on m'a volé ma voiture avec tout ce qu'il y avait dedans, sauf mon ordinateur portable et un tiers de mes vêtements, que j'avais laissés chez des amis. Je suis en ce moment sur la côte ouest en train de me « refaire » et je reprendrai mon périple en voiture, je l'espère, vers la fin de l'été ou au début de l'automne. J'en suis venue à la conclusion que tout mène à Dieu et qu'il n'y a pas *une* façon juste de faire une chose. J'apprécie tout ce qui constitue la vie et m'engage à prendre soin de moi et des autres chemin faisant. »

Quels sont les éléments que vous appréciez de votre vie ? Qu'est-ce qui vous comble ? Observez ce qui vous rend heureux et évitez d'accorder vos pensées à ce que vous ne voulez pas dans votre vie.

Pour traverser la partie la plus obscure de la nuit,
fais comme si c'était déjà le matin.

LE TALMUD

13

Allez de l'avant

La plus grande tentation, c'est de se contenter de trop peu.

THOMAS MERTON

VAQUEZ À VOS OCCUPATIONS ET LAISSEZ L'UNIVERS S'OCCUPER DES DÉTAILS

Je trouve très réconfortant le fait de savoir que je n'ai pas à faire de miracles. C'est le boulot de Dieu ! Le mien, c'est de rester heureuse, de demander ce que je veux et de faire les démarches qui permettront à diverses possibilités de se présenter.

Nous expérimentons tous des synchronicités, pour peu que nous y fassions attention. Une femme prénommée Marge ressentait fortement le besoin de prendre sa retraite. Elle annonça donc à son patron qu'elle quitterait son emploi bientôt. Le jour suivant, elle reçut par la poste une brochure du Sofia Center au Holy Names College d'Oakland, en Californie. Elle s'inscrivit au programme d'études en spiritualité, qui s'avéra exactement ce qu'elle voulait.

Voici un autre exemple de synchronicité qui me vint par courrier électronique d'une femme qui vit en Australie. « J'avais la forte intuition qu'il fallait que j'ouvre une boutique où les gens entreraient juste parce qu'ils sentiraient le besoin de le faire, dit-elle. Je voulais que cette boutique fonctionne sur donations. Tout d'abord, j'ai vécu deux nuits dans la peur en me demandant comment je pourrais bien payer le loyer. À mon mari qui m'avait demandé quel était mon plan d'urgence, j'avais répondu que je n'en avais aucun.

« La veille de l'ouverture de la boutique, j'ai rencontré un homme qui voyait les choses comme moi. Je l'ai invité à passer à la boutique pour *sentir* si c'était pour lui. C'était le cas. Il m'a dit de ne pas me préoccuper du loyer, qu'il comblerait tout déficit.

« Bien des gens entraient dans la boutique même s'il n'y avait aucune enseigne. Il s'est passé tellement de choses, bonnes pour la plupart ! J'ai appris beaucoup de choses sur moi, entre autres que j'étais émotionnellement indigente et dépendante, et que j'attirais donc des gens émotionnellement indigents et dépendants. J'ai fermé cette boutique trois mois après l'ouverture parce que j'avais appris ce que j'avais à apprendre. »

Une autre femme, du nom de Betty, m'envoya un courrier électronique pour me signifier qu'elle croyait fermement qu'une volonté supérieure met tout en œuvre pour que les choses s'améliorent dans nos vies, même si de prime abord ce n'est pas ce qui paraît. Elle perdit un emploi qu'elle avait depuis dix-sept ans et dut rapidement apprendre à se servir d'un ordinateur pour pouvoir accepter un emploi qui la payait moitié moins. Tout ce qu'elle avait pensé être stable dans sa vie s'effondrait. En plus du changement d'emploi, elle dut vendre sa maison, emménager chez ses parents et se débarrasser d'un grand nombre de ses possessions pour pouvoir s'installer dans deux chambres.

Pendant deux ans, Betty dut jouer serré sur le plan financier et vivre avec ses parents, dont les points de vue rigides et traditionnels contrastaient énormément avec son propre style de vie et ses propres croyances. Peu après son arrivée chez eux, le père de Betty eut une crise cardiaque et dut subir un double pontage. Par ailleurs, sa mère et elle-même souffraient sérieusement d'arthrite. À la même époque, elle dut changer de bureau quatre fois au travail et subit quatre opérations chirurgicales importantes en cinq mois.

CRÉEZ LA RICHESSE
EN PARTAGEANT LA RICHESSE

Si toute cette idée de potentiel caché et de configurations encodées qui créent la réalité est vraie, alors il n'existe pas de plus belle façon de créer la richesse que de la partager sans compter.

GESHE MICHAEL ROACH[1],
The Diamond Cutter

« Même au plus fort de toutes ces épreuves, dit Betty, j'ai toujours pensé que les choses se passaient en fonction d'un bien supérieur, et qu'il en allait de même pour mes parents. De façon imprévue, mon père a pris la décision d'aménager dans une maison exigeant moins d'entretien. Même si ce changement en a été tout un, le quartier actuel est beaucoup mieux que l'autre. C'est dégagé, stimulant et bien conçu.

« J'aime la nouvelle vue, les kilomètres de nature, les cimes d'arbres, les lacs et le petit jardin dont je dispose personnellement à l'arrière de la maison. Lorsque je laisse ma vie se dérouler devant moi et l'univers subvenir à mes besoins, les choses tournent toujours à mon avantage. Je dis d'ailleurs aux gens que je rencontre de s'en remettre à l'idée que l'intelligence supérieure est à l'œuvre pour notre plus grand bien, peu importe ce qui se passe dans la réalité physique. Laissez-vous exalter par l'anticipation ! Attendez-vous au bien, aux merveilles fantastiques et imprévues que l'univers peut nous réserver. »

Une autre personne, nommée Carrie, raconte comment elle reçut une aide imprévue il y a deux ans. Après des années de souffrance dues à la fibromyalgie, elle se réveilla un matin en décidant qu'elle se trouverait un emploi. « J'ai ouvert la radio et entendu mon animatrice radiophonique préférée. Quelques minutes plus tard, le poste faisait passer une publicité d'offre de travail pour le centre de santé qu'elle dirigeait, centre qui

POURQUOI SE PRESSER ?

Le plus grand piège dans lequel vous pouvez tomber dans la vie est celui de l'impatience. Rappelez-vous que l'impatience est simplement une forme d'autopunition. Elle engendre du stress, de l'insatisfaction et de la peur. Chaque fois que le « bavard mental » vous pousse à l'impatience, demandez-lui pourquoi vous devriez vous presser. Tout se passe comme il se doit, c'est-à-dire parfaitement. Ne vous inquiétez pas. Lorsque je serai prête à avancer, je le ferai. En attendant, j'intègre tout cela et j'apprends.

SUSAN JEFFERS[2],
Feel the Fear and Do It Anyway

avait besoin d'une réceptionniste à temps partiel. J'ai appelé et la jeune fille qui m'a répondu n'était même pas au courant. Elle m'a conseillée de venir le lendemain matin. Le jour suivant, j'avais l'emploi.

« Le centre m'a donné une partie de mon salaire sous la forme de sessions de thérapie alternative. En quelques mois, j'avais arrêté tous les analgésiques, ce qui m'a permis de sentir la douleur et d'en explorer les causes. J'ai fait face à mes problèmes et découvert qui je suis et pourquoi je souffre. Deux ans plus tard, je me sens en pleine forme, je travaille maintenant à temps plein et je suis la conseillère du service à la clientèle de ce même centre. »

L'histoire de Carrie nous montre bien comment la sagesse inconsciente, qui sait des choses que nous-mêmes ne savons pas, peut nous inciter à ouvrir la radio au bon moment ou nous faire poser des gestes qui nous amènent sans le savoir à des solutions auxquelles nous ne serions jamais arrivés par la logique. Après avoir entendu des douzaines d'histoires de synchronicités de ce genre, je crois dorénavant que si nous avons rendez-vous avec la destinée, l'univers mettra tout en œuvre pour que nous nous y présentions. Et si nous manquons ce premier rendez-vous, il y en aura probablement d'autres sur notre chemin.

LE PROBLÈME EN CAUSE N'EST PEUT-ÊTRE PAS LE VRAI PROBLÈME DU TOUT

Parfois, les efforts qu'un client fait par rapport à une démarche (sur le plan financier) doivent être remis à plus tard en raison de restrictions pécuniaires. Dans ces cas, pour combler un besoin particulier, j'encourage mes clients à envisager des moyens qui nécessitent peu ou pas d'argent. Le plus souvent, cependant, ces clients découvrent que leurs besoins ne sont pas comblés, en raison de leurs nœuds émotionnels et non à cause de restrictions pécuniaires. Et cette découverte peut s'avérer libératrice pour ces clients.

KAREN MCCALL[3], conseillère en finances

REVENEZ À VOTRE VISION

Un agent immobilier du nom de Thomas admet que, même s'il a très bien réussi dans son domaine, il a choisi de se lancer dans cette carrière parce que c'était une façon intéressante de bien gagner sa vie. Mais l'excitation des premières années a cependant disparu depuis longtemps. Ayant atteint la cinquantaine, Thomas voit ses priorités et ses motivations changer. Comme c'est le cas pour la plupart d'entre nous, les changements dans sa vie se sont tout d'abord manifestés par de l'agitation. Cette agitation l'incita à chercher quelque chose qui lui correspondait vraiment. C'est la stimulation suscitée par la recherche et la perspective que la vie pouvait vraiment être différente qui le prédisposèrent à renoncer en partie à la sécurité du moment afin de pouvoir suivre la nouvelle voie qui s'amorçait. « Le changement dans ma vie a commencé par la vague idée que je voulais être pasteur, dit Thomas. Même si j'écartais l'idée chaque fois qu'elle me venait à l'esprit, elle persistait.

« Lorsque je me vois en train de livrer un message d'espoir et d'amour aux gens par l'enseignement, l'allocution et l'écriture, un sentiment bien spécial émerge dans mon cœur, dit-il. Une fois que j'ai eu admis que la carrière d'agent immobilier n'était pas la bonne, j'ai commencé à me concentrer sur le changement. Évidemment, la peur s'est mise de la partie. Par contre, je crois aussi que si Dieu nous guide, il pourvoit également à nos besoins. Quand je commence à me faire du souci au sujet de l'argent, je reprends contact avec la vision même qui a créé en moi le désir de m'engager sur cette nouvelle voie. Juste le fait d'y penser me fait venir les larmes aux yeux !

« J'ai l'impression d'être dans le vide en ce moment. J'ai soumis ma demande pour m'inscrire à un programme théologique mais n'ai pas été accepté. Je peux refaire ma demande l'an prochain, mais en attendant, je dois trouver une autre façon de rester en lien avec ma vision. Ma femme et moi nous apprêtons à nous installer dans la région de Kansas City, où ces cours en théologie sont dispensés. Pour l'instant, je cherche également un poste de cadre supérieur dans le secteur de l'embauche pendant que ma voie se clarifie. Ce secteur est une façon pour moi d'aider les gens à trouver leur voie dans la vie. »

La créativité dont Thomas fait preuve pour s'en tenir à sa vision ainsi que son ouverture à explorer des domaines connexes constituent des techniques judicieuses pour travailler avec la peur et les obstacles, et pour aller de l'avant. Au lieu de conclure que sa décision de devenir pasteur était erronée du fait qu'il n'a pas été accepté cette année, il reste en contact avec sa vision d'origine, qui est d'aider les gens à travailler sur les questions fondamentales de la vie. Ainsi, l'univers est libre de manifester la vision aussi précisément que possible. Un futur de pasteur n'est peut-être pour lui qu'une des voies possibles parmi tant d'autres.

TROUVEZ UNE FAÇON
DE TOLÉRER L'INCERTITUDE

S'il est vrai que certaines personnes se voient contraintes par leur conditionnement à ressentir un fort mais inopportun besoin de certitude, le fait d'affronter ce problème amène à défaire ce conditionnement et les pensées pressantes qui l'accompagnent. Pour changer comme nous le voulons, il faut donc y faire face constamment et directement chaque jour. Et c'est là qu'entre en jeu votre nouvelle attitude. Vous devez trouver les façons d'accepter le risque et de tolérer l'incertitude.

R. REID WILSON[4],
Don't Panic

EN CAS D'ANXIÉTÉ, REMODELEZ VOTRE PENSÉE

Lorsque vous sentez de l'anxiété par rapport à une démarche que vous envisagez, pensez à l'une de vos réussites passées. Rappelez-vous qui vous êtes et ce que vous avez accompli. Souvenez-vous de la force que vous avez acquise au cours des périodes difficiles. Si vous avez pu le faire, c'est que vous pouvez faire n'importe quoi !

Remémorez-vous un moment d'éclat

En fouillant dans vos souvenirs, retrouvez un moment d'éclat où vous vous êtes vraiment senti bien, heureux, détendu et plein d'énergie. Un moment où vous étiez en accord avec vous et avec le monde entier. Prenez le temps d'écrire les mots qui décrivent *exactement* la façon dont vous vous sentiez, car ces mots peuvent encore constituer des valeurs clés. Servez-vous-en pour rédiger une affirmation. Une de mes amies qui cherche actuellement une maison dans un marché immobilier plutôt faible se remémore constamment les autres appartements et maisons qu'elle a déjà eus. Elle s'estime chanceuse, car elle a toujours trouvé de superbes et très abordables endroits où vivre.

Amusez-vous avec vos visualisations. Imaginez le chèque de paye bien gras dans votre main et le bonus qui l'accompagne, le tout étant agrafé à une lettre du directeur de la compagnie qui vous félicite de votre créativité et de votre méticulosité. Ne lésinez pas sur les visualisations.

La maison parfaite vous attend

Aparna, spécialisée en informatique, m'écrivit pour me raconter ce qui suit: « Mon mari et moi avons cherché une maison pendant plus d'un an, sans cependant trouver ce que nous voulions, à l'exception d'une maison modèle qui nous était tombée dans l'œil. Nous aimions la ville où elle se trouvait, son emplacement dans la nature, parfait pour nous, et la proximité de bonnes écoles. La lumière y entrait à profusion et ses pièces étaient grandes. Malheureusement, elle était hors de portée de notre portefeuille.

« À un moment donné, l'idée m'est venue à l'esprit que la maison parfaite nous attendait, peu importe où, construite ou pas. Elle nous attendait autant que nous l'attendions. J'ai fait part de cette idée à mon mari et, ensemble, nous y avons totalement cru.

« Quelques mois plus tard, synchronicité aidant, nous sommes allés faire un tour dans le quartier où la maison modèle en question se trouvait et avons décidé d'aller y jeter un coup d'œil et la visiter, juste par plaisir. Mais, surprise, cette fois-ci le prix avait baissé et correspondait à nos moyens. Nous l'avons achetée et je l'aime toujours autant. »

À un autre moment, Aparna voulait quitter son emploi, qu'elle n'aimait pas en raison des longs déplacements qu'il exi-

QUE LES CHOSES SOIENT FACILES

J'ai quitté CarParts.com le jeudi et le lendemain LowerMyBills.com m'offrait un emploi. De toute évidence, cette compagnie se souciait du bien-être de ses employés. Les choses me semblaient trop faciles dans cette offre d'emploi. Une des employées de CarParts me fit remarquer que je n'avais pas besoin de me battre pour tout et que si l'offre semblait alléchante, alors pourquoi ne pas aller de l'avant. C'est ce que j'ai fait et les choses vont très bien au travail depuis. Même si elles devaient aller mal, elles m'auront du moins amenée à une autre étape.

LINDA

geait. Elle mit en application les principes du feng shui (l'art spirituel chinois de l'aménagement de l'espace) pour renforcer et nettoyer l'énergie de son bureau. Elle décida également d'arrêter de déprécier quoi que ce soit de son travail pour affirmer à la place qu'elle se trouvait un emploi à dix minutes de voiture de chez elle. L'idée lui semblait assez farfelue, car il n'y avait que deux compagnies situées à cette distance qui pouvaient lui offrir du travail dans son domaine. Elle fit également des affirmations quant aux gens avec qui elle voulait travailler. « En moins d'un mois, dit Aparna, j'avais un emploi à moins de trois kilomètres de chez moi, un emploi qui comportait toutes les caractéristiques que j'avais souhaitées. Aujourd'hui, je cherche un autre emploi qui corresponde davantage à ma raison d'être. »

Les émotions sont de puissants aimants. Ne vous fixez pas de but à moins qu'il ne vous fasse sentir ouvert, enthousiaste et même un tantinet inquiet. Ce but doit même vous *sembler* trop beau pour être vrai et vous faire piaffer d'impatience.

Voici ce que Carole m'écrivit d'Australie : « Vous savez ce que c'est quand votre cœur veut que vous en fassiez plus que ce que votre tête vous dit ! Je suis allée en Grande-Bretagne à Noël 1997, simplement parce que je savais que je devais le faire. J'ai déniché un vol bon marché et suis partie avec seulement cinquante livres Sterling en poche. En arrivant, j'ai immédiatement trouvé un travail temporaire, ce qui m'a permis de rester quelques mois et de faire tous les apprentissages que Dieu avait en réserve pour moi. Ce qu'il y a eu de mieux dans ce voyage ? Le fait d'avoir passé mon premier Noël depuis huit ans avec mon père et ma mère en Grande-Bretagne. J'ai eu l'impression que ce serait la dernière fois que je les aurais tous les deux près de moi. Ça a été le cas. Je suis tellement contente d'avoir suivi mon intuition ! Je crois que si on sait la reconnaître, l'intuition vous conduit exactement là où vous devez aller. »

DE A À Z

Ce genre de cheminement s'accompagne de souffrance. On ne peut pas passer de A à Z dans ce processus de croissance, il faut passer par toutes les lettres de l'alphabet. C'est exaltant et parfois affolant, et vous vous demandez aussi pourquoi vous faites ça.

PEADAR DALTON, psychothérapeute

SOYEZ DISPOSÉ À DEVENIR FUTÉ

Barbara Stanny, l'auteure des ouvrages *Prince Charming Isn't Coming : How Women Get Smart About Money* et *Secrets of Six-Figure Women*, vient d'une famille fortunée et a été mariée à un courtier en Bourse qui a dilapidé une énorme partie de sa fortune à elle pendant leur mariage. Un jour, elle reçut une facture du ministère du Revenu et une autre de l'État de Californie totalisant un arriéré d'un million de dollars en impôts que son mari n'avait jamais acquittés. Elle fut prise de panique. Comme sa famille refusa de l'aider, elle fit une dépression et perdit totalement confiance en elle. « J'avais le cerveau complètement embrumé, dit-elle. Dans ces années-là, je pensais vraiment avoir besoin d'un homme ou de quelqu'un d'autre pour m'aider à gérer mon argent. Même si je prenais des cours de gestion financière, j'étais tellement certaine que je ne pouvais rien apprendre, que je ne voyais rien ni ne comprenais les informations que l'on me donnait. J'ai parfois eu l'impression, pendant ma séparation et mon divorce, que j'allais mourir. En plus, j'étais furieuse contre Dieu.

« Dès l'instant où j'ai pris l'engagement de m'occuper moi-même de mes finances d'une façon ou d'une autre, ma vie s'est vraiment mise à changer. À cette époque, j'avais été engagée comme journaliste pour interviewer trente femmes dotées d'une certaine fortune, la moitié d'elles en ayant hérité et l'autre, l'ayant gagné à la sueur de leur front. Ce que j'ai appris d'elles a transformé ma vie.

« Chacune d'elles m'a raconté qu'elle avait troqué la stupidité contre l'intelligence. C'est à ce moment-là que j'ai réalisé que personne ne naît avec des connaissances infuses en finances.

« Depuis que j'ai appris à gérer mon argent, mon rapport envers moi et les autres a changé du tout au tout. Je vois dorénavant très bien que ce n'est pas tant le montant d'argent dont vous disposez qui vous sécurise que les connaissances qui vous donnent la confiance de savoir prendre soin de vous. C'est le plus puissant processus de réappropriation de pouvoir que je connaisse. Il m'a même rapprochée de mes parents.

« Auparavant, ma mère laissait toujours mon père s'occuper de l'argent, chose tout à fait normale pour des gens de leur génération. Mais depuis qu'elle a lu mon livre, elle a créé un groupe d'investissement avec des amies à elle. Chez les femmes de cette génération, celles qui n'ont pas d'idée précise de leur situation financière, il y a toujours la peur sous-jacente de ce qui pourrait arriver si elles venaient à perdre leur époux. Elles prennent pour acquis qu'elles remettraient entre les mains d'une autre autorité, un planificateur financier entre autres, le soin de leurs finances. Un transfert de dépendance en quelque sorte.

« J'ai été éberluée de découvrir que de nombreux conseillers financiers et courtiers en Bourse, qui gagnent donc leur vie à aider les autres dans ce domaine, ont eux-mêmes des finances en piteux état. La difficulté dans ce domaine n'a pas tant à voir avec les connaissances requises pour investir, qui ne sont pas si compliquées que ça après tout, qu'avec la peur de notre pouvoir, de notre individuation, de notre épanouissement et du soin de notre personne. Les femmes diront : "Je n'ai pas le temps", ou bien, "C'est trop compliqué. Les finances m'ennuient." Ce ne sont que des excuses que l'on donne par peur de s'épanouir, de prendre ses responsabilités ou d'aller à l'encontre des tabous familiaux sur l'argent. »

Pendant qu'elle faisait ses recherches sur les femmes et l'argent, Stanny se rendit compte que, une fois que les femmes trouvent sécurité et confort, elles se servent de leur argent pour changer les choses, que ce soit dans leur vie, dans la vie de ceux

LORSQUE VOUS ÊTES ANXIEUX, TOURNEZ VOTRE ATTENTION VERS LE MONDE EXTÉRIEUR

Je pense que vous savez apprécier à quel point vous accordez temps et attention à l'anticipation. Il y a tellement d'autres choses précieuses à faire avec l'attention !

Alors, lorsque vous êtes anxieux, tournez votre attention vers le monde extérieur. Sentez le lien qui vous unit à la vie et laissez ce puissant contact guérisseur influer sur vos émotions. Cessez de vouloir vous comprendre ! Soyez anxieux, mais en même temps intéressez-vous à ce qui vous entoure.

R. REID WILSON[5],
Don't Panic

qu'elles aiment ou dans le monde. « Je peux facilement entrevoir que, dès qu'un nombre suffisamment grand de femmes deviendront avisées sur le plan de l'argent, la gent féminine changera cette planète et le monde. La philanthropie féminine est très différente de la philanthropie masculine, car elle est plus humaine et plus aimante. Nous, les femmes, menons nos affaires différemment et employons notre argent en fonction de ce que nous sommes, qu'il s'agisse de séjourner dans des hôtels de luxe, d'acheter des vêtements de haute couture, de financer un abri pour femmes battues ou de contribuer à la campagne politique d'une femme. C'est ainsi que nous nous guérissons, nous et la planète. »

SOYEZ DISPOSÉ À CONNAÎTRE L'INCONFORT DU CHANGEMENT

Lorsque vous commencez à prendre en main un secteur de votre vie que vous aviez évité depuis longtemps, entre autres votre situation financière ou votre santé, il est fort probable que vous passerez par une période sombre, lourde et apeurante. Voici ce que Stanny en dit : « Quand j'ai commencé à m'occuper de mes finances, j'étais loin de me sentir à l'aise. Je me sentais stupide, effrayée et pas à la hauteur, choses que je n'aimais pas chez moi. Ce n'était pas drôle.

« J'ai ensuite dû faire face aux problèmes secondaires rattachés à ces peurs : pendant des années j'avais dit que je voulais devenir plus avisée et indépendante, mais, au fond de moi, je sentais que si je le devenais, personne ne m'aimerait. Le fait de rester stupide était une protection. Il y avait des moments, à cette époque, où je cherchais à m'instruire dans ce domaine et, où, de peur, je me retrouvais par terre en position fœtale ! Cette sorte de peur et d'inquiétude fait partie du processus d'expansion. La volonté de passer par la nuit noire de l'âme fait partie de la transition. Et il faut du courage pour changer de vitesse, pour passer au niveau supérieur. »

ALLEZ VERS LA PEUR

Un jour, un reporter demanda à Stanny si elle avait une devise, ce à quoi elle acquiesça en lui disant : « Oui. Allez vers la peur. » Selon elle, il faut se diriger vers ce qui nous fait peur. Si vous ne savez pas vers quoi vous diriger, demandez-vous alors ce qui vous fait peur. « En ce qui me concerne, prendre mes finances en main s'est avéré une expérience de nature très spirituelle. Je considère la manipulation de l'argent comme une des activités les plus divines dont nous disposons pour manifester ce que nous voulons dans notre vie.

« Les questions les plus importantes à se poser sont les suivantes : Qu'est-ce que je veux ? À quoi est-ce que je veux que mon argent serve ? Comment est-ce que je veux utiliser mon argent ? C'est aussi important que de connaître la différence entre une action et une obligation. Il ne faut pas beaucoup de temps et d'argent pour accumuler des richesses. Et ce n'est pas très compliqué non plus. On n'est jamais trop vieux pour s'y mettre ; il suffit de prendre la décision de le faire. »

Lorsque la clarté se fait par rapport à une situation, il ne manquera pas de se présenter un vide entre ce que vous avez et ce que vous voulez, ou entre le chaos de la réalité et l'ordre et le système que vous désirez. Par exemple, il se pourrait que vous repreniez vos habitudes dépensières ou que vous retrouviez votre état d'esprit embrumé pour réduire la tension. La clé dans tout cela, c'est de rester avec la tension et les questionnements, tout en instaurant de nouvelles habitudes et de nouveaux comportements. Et cela vaut pour tous les genres de changement qui exigent de nouvelles habitudes, comme reprendre les études, suivre une formation, faire du bénévolat ou recevoir un entraînement.

Stanny prétend que la meilleure façon de changer son mode de pensée, c'est d'y aller à petits pas. « Lisez une page par jour sur les finances. Économisez deux dollars quotidiennement. Faites-le pendant trois mois et vous deviendrez une autre personne sur le plan financier. Votre vie changera du tout au tout.

Demandez aux gens s'ils ont des trucs à vous donner sur la façon de gérer l'argent ou d'investir. Emmenez vos enfants avec vous chez votre planificateur financier et faites part de vos démarches à toute votre famille. J'ai découvert le pouvoir fascinant de la simple gratitude. Quand j'étais terrifiée, j'écrivais "Merci" sur chaque chèque que j'émettais pour acquitter des factures. Chaque jour, je trouvais quelque chose envers quoi éprouver de la gratitude. C'est une attitude qui transforme vraiment. »

NE FUYEZ PAS VOS ÉMOTIONS

Il a fallu du temps pour que je plonge assez profondément en moi afin de savoir qui je suis et ce que je devrais faire. Bien sûr, entre le fait de découvrir ce que vous avez besoin de faire et le faire, des mois peuvent s'écouler... Il est très difficile de rester en présence de ses propres émotions et de ne pas fuir.

VICTORIA, sexologue

TRAVAILLEZ VOS PROBLÉMATIQUES PERSONNELLES

Chaque fois que nous voulons effectuer des changements dans notre vie, surtout dans le domaine du travail et de la carrière, notre cerveau préfère automatiquement procéder de façon linéaire. Lorsque nous ne savons pas comment atteindre notre but, ni même ne serait-ce que le définir, nous sombrons dans le découragement. L'inconnu prend l'allure d'une effrayante et immense feuille blanche. Pour commencer, nous réagirons en nous disant que nous n'avons pas les talents voulus pour transformer notre vie. Ce sont nos peurs qui dominent alors nos pensées.

Souvent, les conflits non encore résolus remontent à la surface sous la forme du doute, de la victimisation ou du ressentiment. Même si nous estimons devoir faire des efforts sur le plan logique pour nous diriger vers une nouvelle carrière (consulter les journaux ou aller voir un conseiller en carrière), c'est le fait de nous débarrasser de *vieilles émotions* qui amènera des changements positifs inattendus. Lorsque nous nous sentons bien vis-à-vis de nous-mêmes, nous ne voyons plus aussi souvent les monstres qui se trouvent sous notre lit ! Une fois que l'énergie réprimée ne l'est plus, les peurs se dissolvent tout simplement puisqu'elles ne sont plus rattachées à rien.

Susan, une infirmière qui vit au Wisconsin, a plusieurs passions, entre autres la recherche dans le domaine de l'anthropologie sociale. Voici ce qu'elle m'écrivit à ce sujet : « Lorsque j'ai divorcé, j'étais remplie de haine et de ressentiment. Je sombrais de plus en plus. Il y a eu un grand revirement lorsqu'un des membres d'un groupe de soutien que je fréquentais m'a suggéré de considérer mon ex-mari et le père de mes enfants comme un partenaire d'affaires.

« J'ai alors connu la paix d'esprit, que j'ai mise à contribution pour les visualiser, lui et sa femme, heureux et comblés. Ce changement chez moi a selon toutes les apparences amorcé la guérison chez nous tous et dans nos familles au sens large.

« Mon problème, c'est que le travail que j'effectue dans le domaine de l'anthropologie, que j'adore, se fait bénévolement et ne semble pas avoir sa place dans le monde réel. J'ai cinquante-cinq ans et je vis heureuse et comblée, même si j'ai un petit revenu, aucun fonds de pension, pas d'assurance-santé, ni aucune économie. Au cours des deux dernières années, j'ai changé plusieurs fois d'emploi, car leurs principes directeurs s'appuyaient sur les règles du "vieux monde" et muselaient liberté et créativité. J'ai une vieille voiture toute rouillée et une petite maison dans un quartier riche. Je ne sais pas comment changer ma façon de penser pour transformer cette situation sans devoir vendre mon âme au monde du vieux *statu quo*. »

Cette affirmation révèle chez Susan la croyance que la seule façon de changer la situation est de vendre son âme. Elle et moi en avons discuté par courriel. Quelques jours plus tard, elle m'écrivit pour m'annoncer qu'elle avait décidé de garder son emploi à temps partiel d'aide-infirmière à domicile parce que ce travail lui plaisait vraiment et lui donnait beaucoup de liberté et d'occasions d'être créative dans la pratique.

Quelques mois plus tard, Susan menait une vie bien remplie. Voici ce qu'elle en dit : « Depuis nos derniers échanges, j'ai réalisé que mes besoins de base étaient toujours comblés lorsque c'était nécessaire. Mon ex-mari vient de me vendre, *in extremis*, sa vieille Oldsmobile de 1992 presque en parfait état. Mes soucis d'argent se sont donc envolés, car en plus je travaille à salaire pour l'American Peace Corps (Americorps) en tant que coordonnatrice des donations et de la liaison avec les familles. J'apporte de l'aide sociale et économique aux gens défavorisés, en particulier aux Noirs et aux Latino-américains, en espérant que la vie saura les combler.

« Il se pourrait que je mette ma subvention d'études d'Americorps à contribution pour obtenir mon diplôme de thérapeute dans ce domaine. Les cours ont en général lieu dans de magnifiques endroits du monde et comme mon fils travaille pour une compagnie aérienne, je bénéficie de billets d'avion presque gratuits. À l'occasion, j'ai le temps de me consacrer à mon ancienne passion, l'anthropologie sociale. Cependant, je dois le faire parcimonieusement aussi longtemps que mon engagement avec Americorps n'est pas arrivé à terme. Dans un sens, mon style de vie est devenu chaotique, mais par contre, il fait ressortir des éléments latents personnels intéressants. Je pense que l'on peut s'amuser avec tout si l'on vit simplement, avec grâce, et entourés de gens intéressants issus de toutes sortes de milieux. »

Les efforts faits par Susan ont permis à la peur et au ressentiment de se transformer en exploration, confiance et bonne volonté. Elle entretient encore sa vision originale, sa passion pour l'anthropologie, et laisse l'univers s'occuper des détails

FAITES VOTRE POSSIBLE,
MAIS NE VOUS PRÉCIPITEZ JAMAIS

Chaque jour, faites tout ce que vous pouvez de manière irréprochable, mais sans hâte, sans inquiétude, sans peur. Allez aussi vite que vous le pouvez, mais ne vous précipitez jamais.

Rappelez-vous que, dès l'instant où vous commencez à vous dépêcher, vous cessez d'être un créateur et devenez un compétiteur. Vous retombez dans la dimension inférieure.

Chaque fois que vous vous surprenez à vous précipiter, faites une pause. Reportez mentalement votre attention sur ce que vous voulez et remerciez l'univers de vous l'accorder.

WALLACE D. WATTLES[6],
The Science of Getting Rich

pour la rapprocher de celle-ci. Elle a essentiellement mis l'accent sur ce qui fonctionnait, plutôt que sur ce qui ne fonctionnait pas.

PRENEZ VOS RESPONSABILITÉS

Parfois, nous connaissons un tel déséquilibre dans la vie que nous ne sommes plus capables de faire face. La dépression semble nous envahir avec une fin irrévocable. Kathy, qui est psychothérapeute, raconte l'histoire d'une cliente, que nous appellerons Sandi. À l'époque où Kathy la reçut dans son cabinet, Sandi avait quarante-neuf ans, était divorcée deux fois et élevait seule ses deux enfants. C'était une grave dépression qui amenait Sandi chez Kathy. En effet, elle prenait des antidépresseurs depuis un bout de temps mais voulait arrêter de prendre tout médicament. Pendant plusieurs semaines, elle ne fit que pleurer et parler au cours des rencontres thérapeutiques. À cette époque, elle était directrice des ressources humaines et dut admettre qu'elle avait deux peurs très importantes : une grande peur de l'échec et une peur encore plus grande, celle concernant les dettes qu'elle avait accumulées.

Au cours de sa thérapie, il devint évident que ses dettes résultaient de trois types de dépenses : vêtements griffés, décoration intérieure de sa maison dépassant largement son budget et restaurants ou *fast-food* pour ses deux garçons la plupart du temps. Ces derniers avaient des troubles d'apprentissage et des difficultés à l'école. Auparavant, quand il lui arrivait d'avoir de grosses dettes, ses parents l'aidaient. Mais comme ils avaient maintenant des problèmes de santé et donc besoin d'argent, ils ne pouvaient plus l'aider.

Il y eut un moment décisif lorsque Sandi réalisa qu'elle avait essayé toute sa vie d'obtenir l'approbation de sa mère, qui en fait n'avait jamais rien approuvé de ce qu'elle avait fait. Conséquemment, Sandi avait passé toute sa vie à essayer de mieux paraître que tout le monde et à avoir une maison et une carrière à côté desquelles celles des autres pâlissaient. Ce style de vie axé sur la compétition et l'absence d'authenticité la déprimait au plus haut point. Les achats compulsifs lui servaient à s'engourdir le cerveau et l'emploi des cartes de crédit lui fit encourir de grosses dettes, qui maintenaient son attention sur un problème externe plutôt que sur le véritable enjeu. Sandi était prisonnière du cycle achats compulsifs et crises de remords. Le fait d'avoir des dettes venait confirmer sa plus grande peur, celle qu'on ne prendrait pas soin d'elle parce qu'elle n'était pas digne d'être aimée.

Mais lorsque Sandi réalisa qu'elle avait uniquement besoin d'être qui elle est en réalité, sa vie changea. Elle comprit enfin qu'elle ne pourrait jamais en faire assez pour avoir l'approbation de sa mère et qu'elle n'avait en fait pas besoin d'aucune approbation pour être qui elle est.

VOTRE STYLE PROPRE, FRAIS ET DÉBRIDÉ

Toutes les belles histoires attendent d'être racontées dans un style frais et débridé.

Ce que vous avez à offrir, c'est votre propre sensibilité, peut-être aussi votre sens de l'humour et votre émotivité ou votre originalité.

ANNE LAMOTT[7],
Bird by Bird

Comme Sandi était terrifiée d'aller toute seule consulter un conseiller en finances, Kathy l'accompagna pour sa première rencontre. Avec les conseils de l'expert, Sandi put dresser un plan de dépenses pour éviter la faillite et elle instaura un budget réaliste qu'elle réussit à maintenir. Sa décision de vivre en fonction de ses moyens comportait entre autres la préparation de repas à la maison. Au début, ses enfants n'apprécièrent pas le changement, mais en peu de temps ils s'y firent. Toute la famille ne s'en porta que mieux. Après avoir mangé pendant six mois des repas faits à la maison, la capacité de concentration des enfants augmenta et leurs résultats scolaires s'améliorèrent. Par ailleurs, en vendant trois pleins placards de vêtements de marque à une boutique de vente en consignation, Sandi réussit à se débarrasser d'une partie de ses dettes. Actuellement, elle n'achète que des vêtements en solde dans les magasins ordinaires et les porte plus d'une fois.

IL FAUT COMMENCER QUELQUE PART

Quand nous procédons délibérément à des changements qui améliorent certains domaines de notre vie, nous nous approfondissons et adoptons des habitudes qu'il nous aurait été impossible d'adopter auparavant. Par exemple, Sandi se dota de nouveaux outils pour s'épanouir, comme la méditation, la lecture d'ouvrages sur la spiritualité et l'écoute de cassettes pour rester centrée sur l'atteinte de ses nouveaux objectifs. Elle commença à entrevoir la leçon qu'elle avait à tirer de son conflit. Appréciant les changements qui s'effectuaient chez sa fille, la mère de Sandi commença à l'encourager et à la soutenir. Elles se rapprochèrent et sont maintenant en très bons termes pour la première fois de leur vie.

Sandi se mit à avoir plus confiance en elle, ce qui l'amena à prendre de meilleures décisions. Par exemple, elle démissionna de son poste administratif qui la stressait trop pour occuper un emploi moins stressant. Elle prévoit retourner aux études en vue d'obtenir un diplôme de conseillère. Voici ce que Kathy raconte au sujet de la guérison de sa patiente : « Sandi a tellement d'énergie maintenant qu'elle n'a plus besoin d'impressionner quiconque d'une façon ou d'une autre. »

Lorsque nous nous sentons dépassés et désemparés, il est bon de reconnaître que nous ne réussissons plus à composer avec notre réalité. Alors, avec l'aide d'un ami cher ou d'un thérapeute, nous pouvons examiner les peurs qui nous ont amenés à effectuer certains de nos choix. Et les changements que nous désirons instaurer dans notre vie se font toujours une étape à la fois. La vie peut enfin s'exprimer totalement lorsque nous assumons la responsabilité de nos choix. Même si nous pensons trouver une réponse extérieure pour contrecarrer notre peur, il n'existe cependant pas de « remède » définitif. La guérison s'effectue plutôt au fur et à mesure que les couches superposées de déni, de blessures, de faible estime personnelle et de peur de ne pas être digne d'être aimé disparaissent. La seule façon d'arriver de l'autre côté du miroir, c'est de traverser la peur. Et à chaque jour, il faut remettre l'ouvrage.

En adoptant l'attitude qu'il n'existe pas une seule bonne façon de faire les choses, nous sommes libres d'agir différemment. Et nous pouvons avoir confiance que, lorsqu'une voie semble positive, c'est qu'elle doit être la meilleure pour nous

PAS D'ÉCHEC, PAS DE REPROCHES

J'essaie d'enseigner aux gens qu'ils ne peuvent échouer, seulement faire des choix qui fonctionnent ou ne fonctionnent pas. Les choix qui ne fonctionnent pas constituent les leçons que nous avons à apprendre dans notre vie. Je dis donc qu'il faut apprendre nos leçons et passer à autre chose.

Je n'aime pas employer les mots *culpabilité* ou *reproches*. Une fois ces derniers éliminés, les gens s'ouvrent rapidement à un autre mode de pensée.

KATHY, psychothérapeute

à ce moment. Au moins, nous apprenons quelque chose que nous ne savions pas avant d'emprunter cette direction.

ÉVITEZ DE PENSER SOUS FORME DE DUALITÉ

Un des facteurs qui contribue le plus à la peur est la croyance qu'il n'existe qu'une bonne façon de faire, qu'une seule voie, celle-ci ou celle-là. Nous avons tendance à envisager nos choix dans la vie en fonction de ce mode de pensée dichotomique. Exemple : « Si je quitte mon emploi, je n'aurai aucune sécurité financière », « Si je me marie, je perdrai mon indépendance », « Et si je pars pour l'Angleterre, peut-être que les choses tourneront mal ? »

La vérité, c'est qu'il y a presque toujours bien plus d'options et de possibilités que nous ne l'imaginons. Trop souvent, nous envisageons le futur avec le regard du passé ou en fonction d'un mode de pensée conventionnel et étriqué. Lorsque nous adoptons une attitude de curiosité quant aux possibilités qui se présenteront, *peu importe la voie que nous choisissons*, nous posons le geste le plus libérateur qui soit pour composer avec la peur.

Jackie, qui vit en Ohio, m'écrivit ce qui suit: « Je cherche une nouvelle voie. Mes deux enfants sont partis de la maison et j'ai complètement perdu intérêt à la carrière que je mène depuis vingt ans à l'université. C'est très frustrant de se trouver dans un entre-deux.

« J'ai parfois l'impression que je dois savoir quelle direction prendre avant que celle-ci ne se matérialise et, d'autres fois, j'ai l'impression que si celle-ci doit se présenter, elle se présentera. Je me sens prise entre ces deux croyances et me demande si ce n'est pas cette contradiction qui me maintient dans cet entre-deux. »

Le commentaire de Jackie sur la sensation qu'elle a d'être prise entre deux croyances illustre parfaitement la façon si commune dont nous créons une situation statique pour ne pas prendre de risques. Nous pourrions attribuer l'affirmation « J'ai parfois l'impression que je dois savoir quelle direction prendre avant que celle-ci ne se matérialise » au personnage du Planificateur, et l'affirmation « D'autres fois, j'ai l'impression que si celle-ci doit se présenter, elle se présentera » au personnage du Fataliste. Jackie a raison de dire que ce sont peut-être ces deux affirmations contradictoires qui l'immobilisent. Elle sent intuitivement la double contrainte qui la paralyse, puisque d'un côté, elle attend que les choses soient absolument claires et de l'autre, elle a le désir passif de laisser les choses se matérialiser. Comment concilier ce mode de pensée pour pouvoir passer à l'action et changer ?

Cernez les visions contradictoires que vous avez sur votre situation

En premier lieu, il faut cerner les points de vue contradictoires (il pourrait y en avoir plusieurs) qui émanent de votre psyché. Par exemple, Anita, expert-conseil en affaires et sur le point d'avoir soixante ans, me fit part de son grand désir de se marier.

Célibataire depuis quinze ans après l'échec de son second mariage, elle est sortie occasionnellement avec des hommes mais n'a toujours pas trouvé de conjoint et voulait savoir pourquoi. Elle se considère jolie, ouverte d'esprit et en forme. Elle gagne bien sa vie et voyage beaucoup par affaires. Elle possède une maison dans un quartier qu'elle aime beaucoup parce que les gens y ont un esprit de communauté.

En travaillant avec un thérapeute, Anita a découvert qu'il y avait quatre « voix » dans sa psyché, chacune ayant un programme différent en ce qui concerne la recette pour trouver un homme.

Au cours d'une séance de thérapie, son thérapeute lui demanda de fermer les yeux et d'observer laquelle des voix voulait parler en premier. C'était Domus, la partie d'elle qui avait acheté la maison et lui avait assuré de bonnes conditions de vie. Domus ne voulait pas quitter son nid ni sa sécurité et jetait des regards méfiants sur tout homme arrivant dans la vie d'Anita et voulant l'éloigner de son quartier pour l'emmener vers des destinations inconnues.

La seconde voix, c'était celle de l'Adolescente, celle en charge des rendez-vous avec les hommes et de la vie sociale. Anita l'Adolescente était lasse de devoir être provocante et jolie, lasse de se voir flirter et en même temps de faire tapisserie, une double contrainte inconfortable. Cette dualité indiquait donc qu'un conflit sous-tendait son « boulot », qui était de trouver un conjoint. Le terme *double contrainte* est utilisé en psychologie pour exprimer une situation où on se trouve pris entre l'arbre et l'écorce. Une double contrainte vous paralyse et vous empêche d'avancer par crainte de faire une erreur, d'être abandonné ou même de mourir physiquement ou émotionnellement. Lorsque vous êtes pris dans une double contrainte, vous avez l'impression de ne pas pouvoir résoudre la contradiction.

La troisième voix, Egoanita, la partie d'Anita consciente et émanant de l'ego, la partie dynamique et affairée au travail, voulait que l'Adolescente se « dépêche de lui trouver un homme » afin qu'elle puisse continuer de travailler ! Mais l'Adolescente faisant de plus en plus de ressentiment, Anita n'attirait que des hommes incongrus, c'est-à-dire trop jeunes ou pas libres, ou bien disait des choses qui rebutaient ces derniers à tout jamais.

Enfin, il y avait la quatrième voix, celle de la Grand-mère (le fils d'Anita et sa femme venaient d'avoir des jumeaux et Anita venait d'atteindre un cap important, la soixantaine). Aux dires d'Anita, la Grand-mère parlait d'une voix douce et il émanait d'elle une solidité calme et tranquille qui évoquait chez elle l'intégration puisqu'elle basculait à ces moments-là dans l'Archétype de la femme sage, de l'aînée.

Anita m'expliqua que, avec l'aide de son thérapeute, elle réussit à cerner ses problèmes conflictuels – vieillissement, sécurité et désirs d'aventures, d'intimité et d'idylle. La clé, selon elle, fut de prendre conscience de ces différents besoins.

À la fin de son dernier courriel, Anita me confia ce qui suit : « Je viens de me fiancer à un homme qui aura soixante ans cette année ! Nous prévoyons vivre une partie du temps chez moi et l'autre partie, à l'étranger. Je suis étonnée de voir à quel point tout me semble si facile maintenant. Une telle situation aurait été impensable il y a seulement un an. »

Passez à l'action lorsque vous vous sentez bien au sujet de quelque chose

Comment reconnaître avec clarté la prochaine étape ? Simplement parce que vous vous sentirez bien ! Vous serez rempli d'enthousiasme rien qu'à y penser. Par contre, attendez-vous à ressentir un peu de crainte au début du changement. Mais que cela ne vous arrête pas !

Rappelez-vous que, en fonction de la loi de l'attraction, nous attirons à nous les possibilités qui correspondent à notre état d'être et à nos émotions. Une fois que nous maintenons quotidiennement notre attention sur des choses qui nous font plaisir (amélioration de notre milieu de vie, désherbage du jardin, beauté de la lumière hivernale, odeurs de cuisine, amis drôles, nos enfants qui jouent ou toute autre situation nous émerveillant et nous comblant), nous pouvons relaxer car nous savons que la loi de l'attraction entre en résonance avec ce bonheur intérieur.

Puis, une immense prise de conscience nous permet de passer à l'action en fonction de ce que l'univers nous amène, un peu comme ce fut le cas pour Anita, qui réalisa que ses personnages intérieurs avaient besoin de se sentir en sécurité avant de permettre à un homme d'arriver dans sa vie.

Felicia, une décoratrice intérieure reconnue de cinquante-deux ans qui vit dans le sud de la Californie, est mariée à Raymond, un courtier en Bourse qui ne lésine pas sur les heures au travail. En effet, il se lève tous les jours à quatre heures et demie du matin, travaille toute la journée, rentre à la maison, fait de l'exercice, mange et se couche à vingt heures trente. Felicia et lui ont convenu de réduire leur train de vie et d'aménager dans une propriété qu'ils ont à Boulder, au Colorado. Ils ont fait appel aux services d'un architecte pour se faire construire une plus petite maison. Étant donné qu'elle se trouvait fréquemment à Boulder, Felicia collabora avec cet architecte à plusieurs projets d'aménagement de maison dans cette région. Lorsque la Bourse chuta, Raymond fut pris de panique et décida que le déménagement et le changement de carrière étaient inopportuns et insécurisants dans les circonstances. Sans en parler à Felicia, il prit une deuxième hypothèque sur leur maison pour rembourser des dettes d'affaires et ne fit rien pour se soustraire à ses engagements professionnels. En plus, leur maison ne se vendait pas parce qu'elle était trop chère. Tout à coup, Felicia se retrouva au point mort avec le plan dont ils avaient convenu ensemble. « Lorsque je pense à l'éventualité de rester en Californie, dit-elle, je ne sens aucune motivation. J'ai l'impression que ma vie ici est révolue et que, mentalement, j'ai déjà aménagé au Colorado. Je ne sais pas quand Raymond sera prêt à bouger, car il est en mode "peur" actuellement. Je dois faire un choix. Est-ce que je reste ici seulement pour la forme, pour ce qui est de notre mariage, ou dois-je aller là où j'en sens le besoin pour m'épanouir ? »

Ce genre de dilemme est commun lorsque deux personnes sont rendues à des étapes différentes de leur individuation. « Je peux rester prise au piège de la peur de Raymond, mais cela ne me semble pas juste pour moi, ni pour lui d'ailleurs. Je ne sais pas trop où s'en va notre mariage, mais je sens que je dois aller de l'avant et poser un geste. Je verrai ce qui en ressortira pour nous deux. Je dois faire confiance au fait que c'est au Colorado que je dois faire mes prochaines expériences, puisque cet endroit m'attire tant. »

QUEL EST LE BUT DE LA VIE ?

Cela dépend de quel point de vue on se place. Du point de vue de l'atome, la réponse serait de « faire partie d'une molécule ». Si vous demandiez à une molécule, elle vous dirait que c'est de « faire partie d'une cellule ».

Quand nous devenons chair, notre âme s'incarne. Le judaïsme mystique croit à la réincarnation, ou *gilgul* en hébreu. Nous croyons que chaque fois que nous nous incarnons, nous avançons d'un pas. En venant une fois, je me prépare à la tâche qui m'incombe la fois d'après. Si jamais je reviens dans une autre vie, je peux reprendre tout ce que j'aurai accompli dans cette vie à partir du moment de mon départ. Je ne veux pas dire que j'aurais les mêmes souvenirs, mais plutôt les mêmes vibrations, marques, mérite, clarté et lien avec le divin qu'avant. Si j'ai beaucoup appris dans cette vie, j'enseignerai dans la prochaine. Si j'ai fait beaucoup de mal, j'aurai l'occasion de me reprendre en faisant le bien.

Rabbi ZALMAN SCHACHTER-SHALOMI[8],
Tying Rocks to Clouds

DÉJOUEZ LA RÉSISTANCE EN ACCEPTANT CE QUI EST

Lorsque nous nous heurtons à un mur, extérieurement ou intérieurement, nous voulons fuir ou passer à travers. Lorsque nous sommes contrariés, coincés et déroutés, nous voulons dissiper la tension en passant à l'action, c'est-à-dire habituellement en fuyant l'objet de notre tension.

Que faire face à la résistance ? De toute évidence, il n'existe pas de réponse unique à cette question. Par contre, une des meilleures attitudes à adopter quand vous vous sentez bloqué, c'est de simplement accepter ce qui se passe dans le moment présent. Dites-vous que c'est là où vous êtes rendu et qu'il y a une raison à cela. Il s'agit d'accepter *avec une attitude de curiosité, pas de résignation*. Et cette acceptation nous ramène dans l'instant présent, là où *nous ne pouvons faire de reproches à personne*, même pas à nous-mêmes. Cette ouverture au moment présent fait de nous des explorateurs. Instrument de la peur, la résistance nous donne par contre le temps de reconnaître notre peur et de découvrir ce qu'elle nous dit ou nous demande de faire. La résistance peut nous servir à réfléchir à ce qui est important pour nous.

Souvent, nous aspirons au changement parce que nous estimons que l'ennui nous a gagnés et que nous avons épuisé la présente situation. En prêtant davantage attention à notre ennui et en nous ouvrant au *présent*, nous faisons inévitablement un pas en avant. Nous n'avons pas besoin de nier nos émotions ni de nous en défendre. Nous pouvons au contraire pencher de leur côté et les écouter, un peu comme si nous écoutions un ami qui nous murmure quelque chose à l'oreille. Qu'est-ce qu'elles nous murmurent en ce moment ?

Si la résistance vous empêche d'effectuer un changement dans votre vie, de quelle façon répondriez-vous aux questions suivantes :

- Qu'est-ce que la résistance vous dit ?

- De quoi avez-vous peur ?
- Qu'est-ce qui est fini pour vous ?
- Qu'est-ce qui vous motive encore ?
- Qu'est-ce qui émerge actuellement ?
- Qu'est-ce qui s'annonce discrètement à l'horizon ?

Faites de la peur une alliée et découvrez ce qui vous sécurise

Nous ne nous débarrasserons jamais totalement de la peur, mais nous pouvons par contre apprendre à accepter qu'elle fait nécessairement partie du changement. Nous pouvons cerner ce qui nous fait peur et envisager quelles options nous avons. Et nous pouvons maintenir l'attitude que nous saurons composer avec tout ce qui croisera notre chemin. Chaque jour nouveau est une occasion de repartir à zéro.

Un courriel reçu d'une femme nommée Ursula illustre bien à quel point nos sens et nos sensations peuvent nous orienter vers l'opportun ou l'inopportun. Voici ce qu'en dit Ursula : « La peur me disait que, même si la décision d'aller de l'avant était la bonne, il fallait du temps pour déjouer tous les obstacles et doutes suscités par la peur. Je devais donc ne rien faire pour l'instant. Par contre, mon corps m'a aussi dit ce même jour que, si une quantité suffisante d'énergie de résistance avait été transformée, acceptée et éliminée, je devais me lever, sentir ma force et dire... *Maintenant !* Et c'est ainsi que cela s'est produit. Je pense que, souvent, nous n'écoutons pas assez la résistance et poussons trop les choses pour changer. Et de ce fait, nous créons souffrance et épreuves, au lieu d'attendre que toutes les parties de notre être se soient transformées une à une.

« Il y a plusieurs années, mon corps m'a dit que le temps était venu que je trouve le véritable amour de ma vie. J'ai donc invoqué sa venue et, à ma grande surprise, c'est mon ex-mari qui s'est présenté. Ça alors ! J'ai demandé à mon corps si c'était bien lui l'amour de ma vie ; il m'a répondu que oui et que nous étions prêts l'un pour l'autre maintenant. L'ego a rué pas mal dans les brancards, autant vous le dire ! Une fois de plus, il s'agit ici de prêter attention aux émotions qui surviennent et de s'accorder du temps pour renoncer aux objections, qui ne sont de toute manière que des illusions, convaincantes je dois l'admettre ! Après deux ans et demi de séparation, mon mari et moi nous sommes réconciliés. Nous avons appris que cette relation ne fleurit qu'avec le perpétuel changement. Nous avons aussi appris que rien n'est certain et que le "à-tout-jamais" n'existe pas. Tout se fait un jour à la fois. Et nous sommes très, très heureux.

« Aujourd'hui, j'étais fascinée par la façon dont les différentes parties de ce que je suis s'étaient transformées et, à des vitesses différentes, s'étaient articulées et harmonisées peu à peu.

« Je fais des compétitions de tennis et m'étais inventé un très bon service. Ma technique n'était pas excellente, mais précise et percutante. Mon entraîneur voulait que je la change parce qu'il estimait que ce service me limitait. Alors que mon côté spirituel (besoin d'élévation) souhaitait ce changement, la logique de l'ego se demandait pourquoi changer si ça fonctionnait bien comme c'était. Quant à mon corps, il lui a par contre fallu beaucoup de temps pour apprendre cette nouvelle technique. Tout d'abord, j'ai complètement perdu la force et la vitesse de mon service. Confus et irrité, mon corps rechignait. Il résistait et voulait revenir à l'ancienne façon de servir. Mais, au cours d'un récent tournoi de tennis, j'ai eu l'occasion d'observer, pendant quatre jours d'affilée, d'excellents joueurs faire des services parfaits.

« Aujourd'hui, j'ai remarqué que mon corps a adopté le nouveau style de service. En quelque sorte, il a renoncé à son attachement à la vieille technique et a accepté la nouvelle. Il a permis qu'elle soit assimilée. J'étais stupéfaite. Je pouvais sentir la fluidité du mouvement, la grâce de ce nouveau style. Mon corps était tout content aussi ! Peu à peu, j'ai raffiné le service par de petits détails. Je sens que cette technique comporte moins de limites et que je pourrais aller plus loin avec elle.

« Je suis fascinée de constater que, même si mon processus mental cherchait une autre voie, mon corps avait peur de renoncer au territoire connu et aux résultats garantis. Les émotions se sont mises de la partie pour venir en aide à mon corps en prétendant que ça ne marcherait pas, que je devais laisser tomber cette folie. Mais c'est en observant les services des joueurs du tournoi que j'ai pu absorber la "sensation" du nouveau service dans mon corps. Ces services ont joué le rôle d'un mantra. À un moment donné, j'ai probablement dû devenir le nouveau mouvement. Et, actuellement, je joue avec d'autres possibilités.

« J'ai comme l'impression que notre structure cellulaire s'attache aux vieilles façons de faire et qu'il nous est souvent impossible de venir à bout de sa résistance, même avec les formes-pensées les plus fortes. Je me demande ce que nous devons transformer lorsque nous invitons le changement à se produire dans notre vie ? Dans quel ordre cela se fait-il ? Quelle partie commande, quelle partie suit, quelle partie résiste et quelle partie encourage le changement ? L'observation de la transition d'une technique de service à une autre a été étonnante ; c'était comme si un schizophrène observait les diverses parties de son moi aller du point A au point B, certaines voulant reculer, d'autres voulant tout lâcher et d'autres encore voulant aller de l'avant. Il m'a fallu beaucoup de patience et de compassion à mon égard pour laisser toutes ces parties finalement se réconcilier à leur rythme propre. Maintenant, mon corps ne reconnaît plus la vieille technique, car je ne suis plus capable de servir comme avant. C'est une mémoire qui s'est dissoute dans l'univers. Envolée ! »

Voyez-vous, l'imagination a besoin de mariner,
de fonctionner à vide longtemps, sans objet et à sa guise,
de traîner et de viser son objectif.

BRENDA UELAND[9],
If You Want to Write

14

Devenez prospère

Pour pouvoir vous visualiser bien réussir en affaires
et prospérer financièrement,
gravez votre inconscient d'engrammes
en entretenant un état d'esprit de générosité.

GESHE MICHAEL ROACH[1],
The Diamond Cutter

PRENEZ VOTRE ARGENT EN MAIN

Un jeune cadre supérieur célibataire de Portland, en Oregon, qui travaille dans le domaine de l'Internet et gagne 110 000$ par année, était déconcerté parce que, malgré son salaire élevé, il devait vivre au jour le jour dans le dénuement. Même s'il vivait dans un appartement de luxe, il n'avait qu'un bureau et un fauteuil dans son salon, et quelques autres meubles épars. Il dormait dans un sac de couchage sur son lit parce qu'il n'avait aucune literie. Malgré son potentiel à générer beaucoup d'argent, il n'avait aucune économie et devait 45 000$ sur ses cartes de crédit. Tout cela était le résultat d'un mariage bref mais coûteux qui s'était terminé par un divorce, et de l'utilisation effrénée de ses cartes de crédit pour payer vacances, vêtements, système stéréo et ordinateur au cours des cinq années suivant la fin de ses études. Il voulait se remarier mais la femme qu'il fréquentait redoutait d'épouser quelqu'un ayant tant de dettes.

Dans les moments d'incertitude, le besoin de survie nous oblige à composer avec l'argent. Même dans les meilleurs moments, pour la plupart d'entre nous, l'argent se trouve sans aucun doute dans la catégorie de la grande inconnue. Peut-être croyons-nous que le manque d'argent nous empêche de faire ce que nous aimerions. Peut-être aussi ne pouvons-nous pas imaginer comment générer davantage d'argent ou bien avons-nous des habitudes qui ne nous permettent pas de garder l'argent que nous gagnons ni, donc, d'avoir le sens de l'accomplissement. Et si nous envisageons de monter notre propre affaire, peut-être que la peur de renoncer à un chèque de paye nous paralyse. Si nous attendons avec impatience la retraite mais nous inquiétons de ne pas avoir assez d'économies pour nous arrêter de travailler, nous nous sentons brimés car nous ne pourrons pas nous adonner à de nouveaux intérêts ni embrasser une autre carrière. Qu'avons-nous besoin de savoir sur la gestion de l'argent pour pouvoir aller de l'avant ?

Aux dires des conseillers en finances, les cas de déséquilibres financiers deviennent de plus en plus nombreux. Un récent article du magazine *Forbes*[2] citait plusieurs exemples de gens dont le style de vie et les choix qu'il comportait les conduisirent à la ruine. Ce fut le cas d'un médecin de quarante-cinq ans de la côte est qui gagnait 300 000 $ par année et vivait dans une maison de 750 000 $. Ses enfants fréquentaient l'école privée et des camps de vacances très chers. Malgré son revenu élevé, les dettes de la famille contractées par carte de crédit les forcèrent à déclarer faillite.

Comment en arrive-t-on là ? Qu'est-ce qui nous pousse à faire des choix qui nous enchaînent au lieu de nous libérer ?

Lorsque des milliers de gens ayant un revenu très élevé doivent se serrer la ceinture pour boucler les fins de mois ou économiser, il devient évident que l'idée de résoudre tous les problèmes financiers en ayant davantage d'argent est une belle illusion. Il faut, selon moi, chercher la réponse dans nos aptitudes, dans les croyances inconscientes que nous avons sur nous-mêmes et dans les états émotionnels qui régissent nos comportements.

Si l'on s'en tient aux récentes statistiques gouvernementales américaines, quarante pour cent des ménages américains dépenseraient plus que ce qu'ils ne gagnent. Annuellement, plus d'un million de ménages déclareraient faillite et ce chiffre continuerait de grimper. La vérité, c'est que peu importe le montant d'argent que nous gagnons, si nous dépensons plus que ce que nous gagnons, nous finirons par être sans le sou. L'emploi des cartes de crédit étant rendu si facile et les tentations matérielles illimitées, les dettes peuvent très rapidement devenir un fardeau paralysant. Le déséquilibre créé par l'achat mensuel d'articles avec des cartes de crédit peut devenir à la longue un problème insoluble qui nous dépasse totalement.

Si nos dettes augmentent régulièrement chaque année, nous serons désemparés de ne pas pouvoir rétablir notre situation et justifierons ce désarroi par un raisonnement qui conclut que nous ne sommes pas doués avec l'argent. Nous passerons peut-être des heures à remanier nos dettes ou à solliciter un prêt pour rembourser quelqu'un. Lorsque nous pensons sans arrêt à notre problème de liquidités, que nous jouons la comédie pour suivre le train de vie de nos amis alors que nous ne pouvons en réalité nous le permettre ou que nous nous disputons constamment avec notre conjoint au sujet des dépenses, c'est que nous nous fions aux réalités extérieures pour essayer de changer notre situation. La culpabilité, la faible estime de soi, les cachotteries, la frustration, les chèques sans fonds et la sensation de manquer de temps sont autant de signaux d'alarme nous indiquant que nous devons changer certaines choses dans notre vie. Comment remédier aux problèmes d'argent pour pouvoir retrouver paix d'esprit, intégrité personnelle, ordre et générosité ? Il faut changer deux choses : notre façon de penser et notre comportement.

Dans ce chapitre, vous trouverez des procédures simples mais efficaces qui, *si vous les mettez en application*, vous feront revenir à une situation financière saine, que vous gagniez 25 000 $ ou 250 000 $ par année. Mais les meilleurs conseils au monde ne servent à rien si vous ne pensez pas que le changement soit possible et que vous ne mettez pas ces principes en pratique. Il faut du temps pour changer des habitudes incrustées !

POSITIVISME

- La substance intelligente qui est tout, dans tout et en vous est une substance consciemment vivante.
- Le désir de richesse n'est que la vie qui cherche à s'accomplir plus totalement. Ce qui vous fait vouloir davantage d'argent est la même chose qui fait pousser une plante. C'est la vie qui veut s'actualiser à son maximum.
- Tel est le souhait de l'univers, que vous ayez tout ce que vous voulez avoir.
- La nature est favorable à vos projets.
- Il est essentiel que votre raison d'être s'harmonise avec la raison d'être de tout le reste.
- Vous devez aspirer à la vraie vie, pas aux seuls plaisirs ni uniquement à la gratification des sens.
- La vie est l'actualisation de toutes les fonctions – physiques, mentales et spirituelles –, sans excès dans aucune d'elles.
- Vous devez vous débarrasser de votre esprit de compétition. Vous devez créer, non pas jouer des coudes pour obtenir ce qui est déjà créé.

WALLACE D. WATTLES[2],
The Science of Getting Rich

DÉMYSTIFIEZ LES VIEUX CONDITIONNEMENTS

Un des experts-conseils en finances que j'ai interviewé pour ce chapitre s'appelle Susan Bross et a un cabinet de consultation à Mill Valley, en Californie. Son point de vue concorde avec celui d'un nombre croissant de professionnels qui aident les gens à instaurer des changements durables dans leurs finances par la compréhension des enjeux *émotionnels* qui sous-tendent leurs problèmes financiers et par la transformation de leurs scénarios dysfonctionnels.

Susan Bross mentionne un de ses clients qui gagnait 90 000 $ par année et avait 60 000 $ de dettes. En explorant des souvenirs d'enfance concernant l'argent, il réalisa que ses parents avaient vidé à plusieurs reprises son compte d'épargne pour leurs besoins personnels. Pour lui, les économies se traduisaient par une perte et par un état de détresse. Pourquoi épargner ? Il fut de nouveau capable d'épargner après qu'il eut pris conscience de ce fait et changé de comportement. Cinq ans plus tard, ses biens avaient une valeur nette de 250 000 $.

Pour changer la vision que vous avez de vous-même ainsi que vos aptitudes, il faut commencer par passer en revue tous les messages que vous avez reçus au cours de votre enfance : « L'argent est la racine de tout mal », « Les gens riches le deviennent en exploitant les autres », « Achetez maintenant, payez plus tard », « Tout le monde a des dettes », « On ne peut pas changer la nature humaine », « Profitez-en pendant que vous le pouvez », « Ne faites surtout pas de vagues », « On en manque toujours. »

REMPLACEZ LA PEUR PAR LA CLARTÉ

Les pensées empreintes de peur sapent notre pouvoir et sabotent notre capacité à effectuer des changements qui, à la longue, seront significatifs. Lorsque nous sommes désemparés, nous avons tendance à réprimer la peur en rationalisant : « Je suis trop endetté », « Je ne gagne pas assez d'argent pour pouvoir économiser », « Qui parle d'un coussin pour le futur, je peux à peine payer mon loyer ! », « C'est trop compliqué de s'occuper de l'argent », « Je ne comprends rien aux investissements », « Je suis tellement endetté qu'acheter cet article ne fera pas grande différence. »

Lorsque nous voulons changer notre situation financière, il nous faut prêter attention à nos attitudes et comportements. Par exemple, si nous décidons de couper radicalement nos dépenses pour pouvoir acquitter un solde de carte de crédit, nous ne faisons que *réagir*. Nous n'avons pas examiné les *raisons* qui nous ont fait accumuler une telle dette. C'est encore le vieux mode de pensée à l'origine du problème qui nous pousse à agir.

LES RICHESSES IMMATÉRIELLES

Ne vous arrêtez pas aux richesses apparentes mais plutôt et toujours aux richesses immatérielles illimitées. Sachez qu'elles viennent à vous aussi rapidement que vous pouvez les recevoir et les utiliser. Ceux qui s'approprient du visible ne peuvent aucunement vous empêcher d'avoir ce qui est vôtre.

WALLACE D. WATTLES[4],
The Science of Getting Rich

LES QUATRE CAPACITÉS DE BASE

Pour pouvoir rendre positive votre situation financière négative actuelle, vous avez besoin d'acquérir les quatre capacités essentielles suivantes :

1. La disposition à demander de l'aide et le désir de procéder aux changements voulus.
2. La connaissance de ce que vous gagnez, dépensez, devez, économisez et dont vous avez besoin pour vivre une vie équilibrée dans la joie et la satisfaction.
3. Un système de croyances positives venant appuyer vos ressources.
4. Des actions conséquentes et durables.

SOYEZ PRÊT À CHANGER

Nous considérons souvent les changements de la vie comme des bouleversements que nous attribuons à des circonstances hors de notre contrôle. Et s'il n'y a pas de changement, nous cherchons quand même à faire des reproches à quelqu'un, souvent à nous-mêmes: «Je n'ai pas assez d'argent», «Je dois faire quelque chose de mal», «Je n'aime pas mon travail (ma carrière), mais je ne sais pas quoi faire d'autre.» Un de mes anciens professeurs avait l'habitude de dire que, si vous n'avez pas ce que vous désirez, c'est que vous n'êtes pas encore totalement prêt à l'avoir.

Voulez-vous vraiment faire l'effort de trouver une autre carrière? Ou bien vous est-il plus facile de vous plaindre de votre situation actuelle et d'avoir l'oreille compatissante des autres? Combien de fois vous entendez-vous dire à un ami qui vous conseille: «Oui, mais...»?

Prenez le temps de vérifier l'intensité de votre motivation à changer. Il est parfois utile de mettre par écrit toutes les raisons qui font que notre argent n'est pas là où nous le voulons. Cet exercice nous aide à clarifier nos *croyances* sur l'argent. Je connais un homme qui avait réussi à rester aux études de deuxième cycle pendant des années, subsistant grâce à un emploi à temps partiel d'étudiant. Il disait ne pas pouvoir s'imaginer gagner plus de 1 500$ par mois parce qu'il ne savait pas quoi faire d'un gros montant d'argent. Il va sans dire que son attitude l'empêchera fort probablement d'augmenter ses revenus au-delà du seuil de la zone qu'il perçoit comme « confortable ».

Par contre, une femme me raconta qu'elle et son mari avaient réussi à acquérir une maison, même s'ils n'avaient absolument aucun comptant pour un dépôt initial au moment où ils avaient pris la décision d'acheter. Ils avaient auparavant cherché à louer un endroit pour eux et les cinq membres de leur famille, mais les propriétaires ne les acceptaient justement pas parce qu'ils étaient trop nombreux. À la limite de la frustration, l'homme dit à sa femme qu'ils achèteraient une maison. Celle-ci fut très surprise puisqu'ils n'avaient aucune économie. Ils durent même emprunter 25 $ pour faire vérifier leur solvabilité. Cependant, leur grande détermination commença à porter fruit. En premier lieu, ce furent les comptes payables en retard de leur garderie qui arrivèrent. Ensuite, la famille régularisa ses dépenses. Et en troisième lieu, un membre de la famille avança de l'argent. Au bout de trois mois, le couple avait rassemblé 10 000 $ pour donner leur acompte. Ils trouvèrent un agent immobilier disposé à chercher la propriété qu'ils pouvaient se permettre et, aujourd'hui, ils sont propriétaires.

CLARIFIEZ REVENUS, DÉPENSES ET BESOINS RÉELS

Susan Bross conseille aux gens d'avoir tout d'abord une bonne vue d'ensemble de leur situation financière. Avec ses clients, elle établit des plans mensuels et réalistes de dépenses qui tiennent compte des besoins et désirs importants, ainsi que des besoins et désirs non comblés qui pourraient l'être plus tard. Elle aide ses clients à trouver l'origine de leur sentiment de privation, qui peut remonter très loin dans l'histoire familiale. La faible estime personnelle et l'abandon physique ou émotionnel sont des facteurs qui causent l'impulsivité à dépenser, ces dépenses venant saper le bien-être financier. Combien de fois sortons-nous pour acheter quelque chose lorsque nous sommes déprimés, en colère, tristes ou vidés émotionnellement ?

Susan Bross encourage ses clients à faire un remue-méninges pour trouver des façons de combler des besoins par des moyens autres que pécuniaires. Par exemple, en remplaçant des sorties au restaurant qui reviennent cher par des activités à la maison qui ne coûtent rien mais apportent une grande satisfaction – s'adonner à des passe-temps ou jouer avec les enfants, entre autres.

Si les revenus sont insuffisants, il faut travailler le plan en menus détails dans chaque secteur pour s'assurer qu'il y a les revenus ou autres ressources nécessaires à chacun d'eux. Le plan mensuel doit également inclure une rubrique de mise de côté pour les dépenses occasionnelles futures, comme les pneus de voiture ou les vacances, afin d'éviter que ces dépenses ne finissent sur une carte de crédit.

L'étape suivante est de suivre quotidiennement les dépenses en en prenant note, ne serait-ce que d'inscrire le prix de votre café au lait sur un bout de papier que vous mettez dans votre portefeuille. Ce genre de suivi aide beaucoup, car il permet en premier lieu de sentir que vous gérez mieux votre argent, au lieu du contraire, et donc de vous sentir beaucoup mieux puisque vous avez un certain contrôle sur une partie de votre vie. Ensuite, le fait d'écrire nos dépenses nous rend davantage *conscients* que nous dépensons. Et être conscient aide à exprimer *l'intention d'avoir plus d'argent*. Troisièmement, un plan de dépenses *réaliste* nous permet de réduire notre anxiété et de ce fait d'être plus créatif et optimiste.

Lorsque nous avons les idées claires sur nos habitudes de dépense et sur les motivations qui les sous-tendent, il devient plus facile de planifier les dépenses mensuelles. On peut alors prendre des décisions réalistes : chercher un emploi qui paie davantage ou bien laisser tomber les dépenses qui sapent le budget sans véritable valeur en retour. Les participants à mes ateliers expriment constamment qu'ils ont besoin de clarté avant d'entreprendre une démarche sérieuse sur le plan de la carrière. Je leur fais toujours remarquer que c'est souvent impossible du fait que nous ne pouvons savoir d'avance ce que le futur nous réserve ni si nos plans se réaliseront. Par contre, le seul domaine où la clarté est possible est celui des finances.

ÉLABOREZ DES CROYANCES POSITIVES SUR LA SÉCURITÉ RÉELLE

Une raison qui fait qu'il est difficile ou inquiétant de procéder à des changements dans la vie, c'est l'accumulation de dettes sur les cartes de crédit. La peur de devoir composer avec cette dette pendant une période de transition peut pousser bien des gens à conserver un emploi pour lequel ils sont trop qualifiés ou qu'ils détestent.

Une des choses que les gens très endettés ont beaucoup de difficulté à accepter, c'est de renoncer à se servir de leurs cartes de crédit. Ce renoncement est absolument essentiel pour retrouver l'équilibre. Pour la plupart d'entre eux, les cartes de crédit sont garantes de sécurité et de statut social, surtout pour ceux qui ont de grosses dettes. Les conseillers en finances traitent cette fausse croyance en aidant leurs clients à transposer leur dépendance ailleurs que sur leurs cartes de crédit. En effet, en les amenant à prendre en main leurs finances et à trouver des façons créatives de combler leurs besoins et de satisfaire leurs désirs sans utiliser de crédit, ils permettent à leurs clients de retrouver sécurité intérieure et sens de leur valeur personnelle.

Lorsque ces gens s'engagent à ne pas utiliser leurs cartes de crédit pour quoi que ce soit, il se produit trois choses. Tout d'abord, la spirale s'arrête et le moindre petit paiement pour rembourser la dette réduit l'endettement. Ensuite, l'emploi du comptant pour l'achat d'articles fait davantage réfléchir quant à la réelle nécessité de ces derniers et réduit la pulsion à acheter. Enfin, en prenant en main leurs finances de cette façon équilibrée, leur estime personnelle remonte tout naturellement.

Et quand on réussit dans un domaine, ce dernier déteint sur d'autres. Les changements qui ont pu autrefois sembler vous dépasser paraissent dorénavant plus abordables, une fois que vous avez acquis un grand sentiment intérieur de sécurité.

QUE VOTRE DÉMARCHE SOIT SOUTENUE

Comme nous l'avons vu, la clé pour faire des changements à long terme sur le plan des finances dépend de trois éléments :

1. Prendre la décision de ne plus augmenter ses dettes de consommation pour quelque raison que ce soit.
2. S'assurer que tous les besoins courants importants sont couverts pour le mois.
3. Établir un plan mensuel de dépenses et de suivi des liquidités, afin de pouvoir vous ajuster si nécessaire au milieu du mois, et comparer le plan avec les dépenses réelles à la fin du mois. Le grand avantage de dresser un plan *par écrit* est que cette discipline nous permet d'éliminer le constant jonglage d'esprit et de nous détendre et d'être ouvert. Et cet état d'esprit encourage la créativité et la venue de cadeaux inattendus de la part de l'univers.

Les conseillers en finances nous rappellent également que, si notre plan de dépenses est très serré, il vaudrait peut-être mieux appeler nos créditeurs pour renégocier les termes du remboursement ou le montant des paiements. Des paiements réduits, sans frais additionnels, nous permettent de mieux respecter nos obligations. Le fait d'être bon payeur permet d'établir de bonnes relations avec les créditeurs, même s'il s'agit de grandes compagnies.

L'important dans cette planification minutieuse est d'assurer vos dépenses de base et de ne pas vous donner de buts irréalistes qui, à long terme, viendraient saper votre « programme » de liquidation de dettes. Selon Susan Bross, aucune résolution à payer des dettes ne tiendra si nous ne menons pas une vie équilibrée. « La clé, dit-elle, est d'abord de trouver l'équilibre et, ensuite, de s'occuper des dettes avec le temps. Le secret pour y arriver est de vous promettre que *les dettes ne sont plus une solution possible* pour vous. En effet, vous devez éliminer les dettes comme solution à vos problèmes financiers et mettre votre imagination à contribution pour trouver d'autres moyens. Alors, au lieu d'envoyer d'énormes montants d'argent pour faire baisser le solde de votre carte, faites des paiements moindres ou minimums et commencez à mettre de l'argent de côté pour des choses que vous auriez auparavant payées avec votre carte de crédit. » Lorsque les achats avec la carte cessent et que vous remboursez régulièrement par petits paiements, votre dette sera éventuellement acquittée. Cette nouvelle habitude de mettre de l'argent de côté pour payer comptant certaines choses (vêtements, réparations de voiture, pneus, dentiste, meubles) élimine peu à peu l'impulsivité qui nous pousse souvent à faire des achats et prévient l'emploi de la carte de crédit.

L'autre point important de la planification, c'est que nous répartissons dorénavant avec minutie l'argent en plusieurs secteurs : épargnes, vacances, passe-temps et autres activités enrichissantes qui éliminent le sentiment de privation. Nous nous entraînons de nouveau à savoir que nous pouvons subvenir à nos besoins et désirs sur une base continue sans l'emploi de carte de crédit. Une fois cette décision prise, nous pouvons à loisir réfléchir si nous avons réellement besoin de l'article en question, si nous pouvons l'acheter d'occasion, le faire nous-mêmes ou l'acquérir d'une façon plus créative. Ce comportement constitue une étape majeure sur la voie qui conduit à la santé financière assurée. Nous passons alors de la survie à la prospérité.

TOUT LE MONDE PEUT CHANGER

Même si toutes ces idées peuvent sembler faciles, cela ne veut pas nécessairement dire qu'il soit aisé de cesser d'utiliser des cartes de crédit et de mettre de l'argent de côté. Pour y arriver, il faut de la discipline, une vision déterminée et claire, ainsi qu'un engagement à changer.

J'ai assisté à suffisamment de changements chez les gens pour savoir que tout le monde peut changer. Ceux avec qui je travaille n'y croient pas souvent au début parce qu'ils ont déjà fait des efforts énormes qui n'ont rien donné.

SUSAN BROSS[5], conseillère en finances

Si vous n'avez pas effectué les changements que vous désiriez faire dans votre vie parce que vous croyiez ne pas avoir assez d'argent, il faut, selon Susan Bross, surtout mettre l'accent sur des modèles positifs qui viendront confirmer que le bien-être financier est possible. En plus, vous pourriez aussi faire appel aux services d'un conseiller professionnel. Vous n'avez pas à tout comprendre tout seul même si, au bout du compte, c'est bien entendu vous qui prenez les décisions. Demander de l'aide pour effectuer des changements est un signe de maturité. Le changement commence avec la croyance que l'on peut changer. Susan Bross dit ceci : « Vous devez croire que vous pouvez changer, sinon vous aurez l'impression que ce sont seulement certaines personnes spéciales qui le peuvent et pas vous. »

DONNEZ-VOUS UN REPÈRE POUR SAVOIR QUAND VOUS AUREZ ATTEINT VOTRE OBJECTIF

Toujours selon Susan Bross, les gens en phase de transition savent en général la direction qu'ils veulent prendre, mais pas leur destination. « Comment saurez-vous que vous avez atteint votre but ? À quel revenu mensuel aspirez-vous ? Combien d'employés voulez-vous avoir si vous êtes en affaires ? » Selon elle, c'est le manque de définition des détails qui maintient les gens dans le chaos. L'absence de points de repère clairs vient miner la réussite.

La peur du futur et l'incertitude quant à notre capacité à réussir entretiennent chez nous la pensée que nous ne gagnons pas assez d'argent ou que nous ne faisons pas assez d'efforts. L'établissement d'un objectif clair peut nous aider à savoir quand nous en aurons suffisamment. Susan Bross suggère aux gens de commencer avec une « photo » de là où ils en sont actuellement. Combien avez-vous dans votre compte d'épargne ? Quel est votre revenu mensuel ? À combien s'élèvent vos dettes ? Il est tout aussi important de mettre par écrit vos rêves. Une voiture neuve ? Quand ? Une maison ? Quand ? Un voyage ? Où et quand ? Combien de voyages par année ? Retourneriez-vous aux études si vous aviez de l'argent ? Quel organisme de charité aimeriez-vous aider ?

Susan Bross a constaté que, lorsque ses clients se donnent des buts spécifiques, par exemple avoir acquitté la moitié de leurs dettes à la même date dans un an ou augmenter leurs revenus de dix pour cent dans le mois courant, des solutions inattendues se présentent.

IL FAUT RECONNAÎTRE INVISIBILITÉ ET OBSTRUCTION AU SURPLUS

Avez-vous l'impression d'avoir travaillé dur et de n'avoir aucune économie ni aucun sentiment de sécurité ? À part l'accumulation chronique de dettes, il existe deux autres façons de s'empêcher de récolter les fruits de notre dur labeur : 1) l'absence de reconnaissance (invisibilité) à l'égard de nos réussites ou gains, et ; 2) l'obstruction au surplus en ne faisant pas d'économies.

Selon Susan Bross, l'absence de reconnaissance ou l'invisibilité, est un mécanisme de défense qui s'installe dès l'enfance. « En devenant invisible, en se cachant, en minimisant le succès ou la peur, en étant sage, en ne s'exprimant pas – formes de fermeture qui découlent toutes d'abus et de souffrance –, les enfants évitent ainsi les punitions, les abus verbaux et d'autres conséquences négatives. Adultes, ces personnes continuent d'être invisibles et se sabotent en créant chaos, affrontements, dettes et toutes sortes d'habitudes négatives sur le plan des finances. »

Pour contrer ce mécanisme de défense, Susan Bross aide ses clients à cerner le domaine où ils ont besoin « d'apparaître ». Par exemple, ont-ils besoin de faire face à des impôts impayés et de les acquitter ? Ont-ils besoin de réduire leurs dettes ? Doivent-ils remplir leurs engagements financiers, comme le paiement

INSTAURATION DE LA SÉCURITÉ

- Commencez le plus tôt possible à cotiser à un plan de retraite. Je n'ai pas commencé avant l'âge de quarante ans et je le regrette.
- Fiez-vous à votre instinct. Si un client vous fait une impression vraiment bizarre, dites-vous que c'est un signal d'alarme.
- Refusez de travailler avec les clients impossibles.
- Trouvez-vous un mentor dans le domaine des affaires pour discuter de problèmes ou d'idées.

ARIELLE FORD, agente littéraire

d'une pension alimentaire ou un remboursement de prêt à des amis ou à la famille ? Ont-ils besoin de reconnaître leurs désirs et de les combler ? « Durant ce processus, dit Susan Bross, les gens sont tellement enthousiastes et se sentent tellement valorisés qu'ils ont l'entrain nécessaire pour atteindre une maturité totale sur le plan des finances. »

REDÉFINISSEZ VOTRE PROBLÈME

Nos problèmes financiers nous semblent insurmontables parce que nous projetons toujours les mêmes peurs et insécurités sur chacune des situations qui se présentent à nous. Nous avons en général besoin d'aide pour voir nos schèmes de comportement et permettre à des solutions nouvelles de voir le jour. Par exemple, une cliente de Susan Bross a le comportement typique d'une personne sous-payée. Les gens comme elle ont davantage besoin d'élargir leur façon de penser que de resserrer leur rapport à l'argent.

La cliente en question avait décidé de travailler à temps partiel pour se donner le temps de réfléchir à un changement de carrière. Cependant, au lieu d'utiliser son temps libre à trouver une nouvelle carrière, elle le passait à s'inquiéter au sujet de sa situation financière. L'acquittement de ses dettes, même avec un paiement minimum, ne lui laissait aucun jeu chaque mois. Par conséquent, elle s'inquiétait constamment et, en laissant la dette régenter sa vie, elle avait des perspectives d'avenir de plus en plus noires. Elle réagissait en dépensant le moins possible pour tout et en réduisant « de plus en plus » son train de vie. Selon elle, la seule façon de s'en sortir, c'était d'avoir besoin de moins et de gagner davantage. Elle avait quasiment éliminé toute dépense personnelle et, selon sa vision empreinte de peur, ne pouvait imaginer gagner davantage d'argent qu'en faisant des heures supplémentaires dans l'emploi ennuyeux qu'elle occupait déjà. Cette idée lui était insupportable vu sa tension et son épuisement mental.

Dans un premier temps, Susan Bross lui fit passer outre l'habitude qu'elle avait de toujours vouloir réduire ses dépenses. Étant donné que le mode de pensée des gens sous-payés est fondé sur la limite, la guérison s'instaure lorsqu'ils élargissent leur mode de pensée et que leur estime personnelle s'améliore.

Susan Bross dit qu'il y eut un point tournant dans la vie de cette femme lorsqu'elle demanda du travail supplémentaire et qu'on lui proposa quelque chose d'intéressant et d'inattendu. « J'ai souvent remarqué que, lorsque les gens commencent à faire des démarches pour trouver des solutions positives, de petits cadeaux leur arrivent juste au bon moment pour leur permettre d'avancer plus facilement vers leur but. Les choses se simplifient pour eux ou leurs revenus augmentent. Je me souviens d'une autre femme qui se débattait avec son revenu mensuel et à qui il était impossible de faire du travail supplémentaire. Elle reçut quatre chèques « inattendus » dans l'année. Elle avait

ASSEZ

Le terme *assez* désigne un état dénué de peur, un état de confiance, qui fait que nous apprécions totalement ce que l'argent amène dans notre vie, sans pour cela acheter quoi que ce soit dont nous n'avons pas besoin ou ne voulons pas.

Alors, qu'y a-t-il au-delà de la notion d'*assez*? L'inutile, c'est tout ! L'inutile est tout ce qui est excès pour vous. C'est tout ce que vous avez mais qui ne vous sert pas et prend de la place dans votre monde. L'*assez* est une frange large et stable où fleurissent la vivacité, la créativité et la liberté. Lorsque vous suffoquez sous une montagne d'inutile que vous devez entreposer, nettoyer, déplacer, éliminer et payer, c'est pire que la mort !

JOE DOMINGUEZ et VICKI ROBIN[6],
Your Money or Your Life

oublié qu'elle devait les recevoir, justement parce que les questions d'argent étaient floues pour elle.

« J'ai vu certains de mes clients très endettés et sans aucun actif devenir propriétaire d'une maison, acheter une voiture et acquitter leurs dettes en l'espace de trois à cinq ans, dit Susan Bross en souriant. J'ai vu des entrepreneurs s'essouffler à gérer des compagnies que je qualifie de "passe-temps coûteux", et en faire des entreprises viables et rentables en une année. J'ai vu des clients incapables de gérer le solde de leur carnet de chèques se mettre à économiser en très peu de temps et à s'acquitter de leurs dettes envers le ministère du Revenu. Je n'ai jamais vu de clients qui, s'ils accordaient une énergie positive à l'argent dans leur vie, ne réussissaient pas à effectuer des changements significatifs au cours de la première année », conclut-elle.

CHANGEZ DE RÔLE POUR INVENTER DE NOUVEAUX COMPORTEMENTS

La situation se corse quand il s'agit de couple, car il y a beaucoup plus de travail à faire pour coordonner les deux façons de faire sur le plan des dépenses et de l'épargne. Lorsque les disputes s'enflamment ou que les conjoints adoptent des comportements d'agressivité passive, il en découle tension, culpabilité, ressentiment et colère. De ce fait, le climat n'est pas trop propice à la guérison. Voici quelques exemples d'agressivité passive : le silence, les achats importants faits sans l'accord de l'autre ou la garde du secret des achats en payant comptant ou en cachant les articles achetés. Voici quelques commentaires d'agressivité passive qui se font en général sur un ton de sarcasme et n'incitent pas au dialogue vrai : « Une autre paire de chaussures ? », « Tu as acheté des livres ? », « Quoi d'autre ? », « Tu ne regardes jamais nos comptes ? », « Je n'en reviens pas ! »

J'ai demandé à Susan Bross ce qu'elle recommandait aux couples. Un couple marié que nous appellerons les Brown est l'exemple parfait du travail personnel qui doit être fait par deux personnes pour cerner buts et valeurs, pour pratiquer une communication claire et instaurer le bien-être familial.

Le mari possédait sa propre entreprise qui, par contre, n'allait pas très bien. Il voulait s'aventurer dans quelque chose de plus créatif mais avait peur de le faire parce que le couple avait d'énormes dettes. Sa femme commença à perdre confiance en sa capacité à gérer leurs finances, crainte qui s'accentua lorsqu'elle tomba enceinte et accoucha. À une période où son besoin de sécurité avait augmenté, elle avait l'impression que l'argent était hors de leur contrôle.

Susan Bross ne misa pas sur l'augmentation des revenus du mari ni sur des changements d'habitude chez lui, mais plutôt sur la délégation des finances à son épouse. Elle aurait ainsi non seulement l'occasion de mieux connaître la situation et de s'impliquer davantage, mais également d'éliminer une partie de la tension de son mari. Susan Bross aida assidûment le couple pendant que la femme prit en main la consignation des dépenses mensuelles décidées par le couple et la conciliation entre dépenses et revenus. Au lieu de mettre l'accent sur les erreurs passées du mari, et pour qu'ils puissent ensemble partir d'un bon pied, Susan Bross insista plutôt sur l'acquisition de connaissances par la femme. En apprenant la tenue de livres, la femme ne manqua pas de poser les questions que son mari n'avait pas eu le courage de poser. De toute évidence, il avait eu peur de demander de l'aide et de paraître incompétent. Selon Susan Bross, la raison la plus commune pour laquelle les clients ne demandent pas d'aide, c'est par peur de voir leurs pires craintes sur eux-mêmes être confirmées. En étant tous deux engagés à créer une nouvelle et solide base, les Brown trouvèrent des solutions viables pour l'entreprise. En quelques mois, les affaires reprirent et se mirent à fleurir. Et M. Brown sut trouver des avenues nouvelles et novatrices. Quant à Mme Brown, elle acquit non seulement des compétences sur le plan des finances, mais également estime personnelle, paix d'esprit et sentiment de sécurité.

Une fois que les Brown eurent réussi à clarifier leur situation financière et à adopter des mesures positives soutenues, ils entreprirent de régler leurs dettes. En trois ans, ils les acquittèrent totalement. Depuis, le secteur novateur de leur entreprise génère 10 000$ par mois grâce à la vision de M. Brown.

OUI

Quand il s'agit d'évaluer notre attitude face aux risques, la question que nous devrions nous poser n'est pas: « Est-ce que je devrais prendre un risque et investir dans le marché ? » La réponse à cette question est évidemment « Oui. » La question à se poser est plutôt la suivante: « Quel degré de risque puis-je prendre ? » La réponse est: « Assez pour devancer l'inflation, mais pas trop afin de pouvoir dormir la nuit. »

BARBARA STANNY[7],
Prince Charming Isn't Coming

Selon Susan Bross, il est très important que les couples travaillent ensemble sur leurs finances et soient bien au courant des *données factuelles* de leur situation. Sinon, il y aura des malentendus et du ressentiment quant à l'emploi de l'argent et quant à la personne qui le dépense.

Dans le cas des Brown, la situation financière s'est bonifiée au maximum parce que chacun des conjoints a pu devenir un individu à part entière. La naissance d'un enfant a intensifié le besoin de sécurité et de bien-être de Mme Brown, ce qui l'a poussée à prêter davantage attention à l'endettement et aux problèmes financiers. Pour elle, la solution était de dépasser l'ancienne croyance selon laquelle elle ne comprenait rien aux questions d'argent. Elle dut faire face à ses peurs et à ses doutes pour accéder à la réalité des finances. De son côté, M. Brown dut reconnaître ce qui ne fonctionnait pas et laisser une autre solution émerger, solution qui en fin de compte le libéra et lui permit d'investir son énergie de façon plus positive, c'est-à-dire dans le secteur créatif de son entreprise.

DEVENEZ MILLIONNAIRE

Âgé de trente-trois ans, David Bach[8] est auteur, conférencier et associé dans une compagnie du nom de Bach Group. Depuis 1993, il s'est donné comme défi d'enseigner aux femmes comment prendre en main leur pouvoir dans le domaine des finances. Les principes de ses ouvrages intitulés *Smart Women Finish Rich*, un best-seller du *New York Times*, et *Smart Couples Finish Rich*, ont fait l'objet d'une émission télévisée sur la chaîne américaine PBS.

« J'apprends aux gens à cerner leurs valeurs et la façon dont ces dernières influent sur leurs décisions financières, dit Bach avec enthousiasme. J'ai vu des gens changer de vie en un rien de temps. Il n'existe que trois ou quatre décisions que les gens doivent prendre pour changer leur vie du tout au tout. » J'ai demandé à David Bach de faire une synthèse des points les plus importants de son enseignement.

1. *Payez-vous d'abord.* Le problème, c'est que les gens sont tous au courant de cette prémisse, mais qu'ils ne savent pas ce qu'elle veut dire. En clair, cela veut dire que toute personne a besoin d'économiser environ douze pour cent (12 %) de ses revenus avant imposition. Cela revient à dire que si vous gagnez 30 000 $ par année, vous devriez économiser 3 600 $ par année. La seule façon de réussir à le faire, c'est de mettre de côté de l'argent chaque fois que vous recevez votre chèque de paye. N'attendez pas la fin de l'année. Cet argent devrait être déposé dans un compte de retraite ou un fonds de pension exonéré d'impôt (REÉR). L'argent

doit être investi dans un plan dit de *croissance*, c'est-à-dire dans un fonds mutuel d'actions. Si les gens ne faisaient que ça et investissaient environ dix dollars par jour pendant trente à trente-cinq ans, ils auraient au bout du compte plus d'un million de dollars. Le problème, c'est que l'Américain moyen actuel économise moins d'un pour cent (1 %) de son revenu. Avec un tel pourcentage, il ne s'agit même pas d'un pourcentage d'épargne, mais plutôt d'un pourcentage de dépenses. Aux gens qui me consultent et qui veulent savoir quelles actions acheter, je rétorque qu'ils ne doivent pas se préoccuper de cette notion avant de s'être actuellement donné 12 % de leur paye.

2. *Payez votre maison le plus tôt possible.* Après avoir mis de côté votre douze pour cent chaque mois, commencez à rembourser votre hypothèque le plus rapidement possible. Si c'est possible, remboursez dix pour cent de plus chaque mois. Par exemple, si le montant mensuel de votre hypothèque est de 1 000 $, donnez 1 100 $. Ce faisant, vous aurez payé votre maison dix ans plus tôt et vous n'aurez plus d'hypothèque à partir de la cinquantaine.
3. *Dépensez moins que ce que vous gagnez.* Passez vos cartes de crédit aux ciseaux et n'utilisez que vos cartes de débit.

« Si vous n'appliquez ne serait-ce que ces trois principes, vous pouvez être assuré d'être très riche quand vous serez vieux, dit David Bach. Le plus gros problème avec l'argent, c'est que les gens vivent dans le déni. J'entends les gens dirent des choses comme "Je me fous de l'argent. C'est trop compliqué." La stratégie de la plupart des gens, c'est justement de ne pas en avoir une. Je connais des diplômés en administration des affaires qui n'économisent même pas dix pour cent (10 %) de leurs revenus. J'ai des amis qui gagnent annuellement 300 000 $ et qui n'ont même pas de maison à eux, pas de fonds de pension et qui dépensent jusqu'à leur dernier sou. Il y a des gens qui gagnent 50 000$ et qui, en économisant, deviennent multimillionaires. C'est le cas de ma grand-mère. Elle a commencé à économiser à l'âge de trente ans. À l'époque, elle gagnait dix dollars par semaine et en économisait un, qu'elle investissait dans des actions en Bourse. Elle a acquis ses connaissances sur la Bourse par tâtonnement et en prenant des cours. Elle était devenue millionnaire bien avant de décéder alors qu'elle était octogénaire. »

UN « SELF-MADE » MILLIONNAIRE

Je crois fermement que ce que vous faites pour les autres vous revient au centuple. Par exemple, j'ai travaillé dur pour gagner ma vie, mais l'argent a toujours afflué vers moi.

Mon oncle a été un exemple probant pour moi quand j'étais très jeune, car c'est lui qui m'a incité à investir par l'acquisition de propriétés. Maintenant, j'achète une maison chaque année et j'en possède actuellement vingt-cinq un peu partout en Californie. Je suis un millionnaire qui s'est fait tout seul. J'ai acheté ma première maison alors que j'avais vingt-cinq ans et avec seulement 1 500$, ce qui suffisait pour conclure la vente. J'ai emprunté pour payer le reste, y compris la commission de l'agent immobilier et l'acompte initial. Dans les années 60, j'avais un associé avec qui j'inventais toutes sortes de trucs pour gagner de l'argent. Par exemple, un été, nous avons acheté des barils de pétrole vides durant la saison sèche et les avons revendus aux gens qui voulaient récupérer l'eau de pluie. Nous avons fait un profit de 100$ chacun pendant autant de semaines qu'il a fallu afin de rassembler la somme suffisante pour donner un acompte sur une autre maison.

ROBERT, San Rafael (Californie)

TROUVEZ DES MODÈLES ET DES MENTORS

C'est son expérience avec sa grand-mère qui fait dire à David Bach à quel point il est important d'avoir un mentor. Elle lui suggéra d'investir à la Bourse alors qu'il n'avait que sept ans. Cela se passa chez McDonald's, alors qu'ils étaient attablés. « Tu sais David, lui dit-elle, que tu pourrais faire de l'argent avec McDonald's. » David croyait qu'elle faisait référence à un emploi aux cuisines et lui répondit qu'il était trop jeune pour ça. Sa grand-mère se mit à rire et lui dit : « Non, tu ne feras pas d'argent à faire cuire des hamburgers ici, mais tu pourrais acheter des actions de la compagnie. » Et elle se mit à lui expliquer comment s'y prendre. David, de son côté, entreprit de surveiller dans les journaux le prix des actions de McDonald's que sa grand-mère avait achetées pour lui. En continuant à apprendre et à investir ainsi, David Bach devint millionnaire avant l'âge de trente ans.

DE PETITS GESTES PEUVENT RAPPORTER GROS

Il est impossible de prévoir les conséquences du plus anodin des gestes. Vous ne connaissez pas les mécanismes des forces mises à l'œuvre en votre nom. Beaucoup de choses peuvent dépendre d'un simple geste que vous poserez, le geste qui sera exactement la chose qui ouvrira la porte à de très grandes possibilités.

Vous ne pouvez jamais savoir les combinaisons auxquelles l'intelligence suprême peut arriver pour vous dans le monde de la matière et des affaires humaines. Si vous négligez de faire une petite chose, cela peut grandement retarder ce que vous voulez.

WALLACE D. WATTLES[8],
The Science of Getting Rich

« Je dis toujours que les gens surestiment ce qu'ils peuvent accomplir en un an et sous-estiment ce qu'ils peuvent accomplir en dix ou vingt ans. »

Il n'est jamais trop tard et le problème n'est jamais trop grave pour que vous ne puissiez pas entreprendre d'effectuer des changements qui amèneront joie et satisfaction dans votre vie. Rien qu'à lui, votre processus d'apprentissage donnera lieu à une créativité accrue, de nouvelles amitiés et toute une panoplie de synchronicités. Trouvez un mentor et devenez-en un ensuite. Partagez vos connaissances en finances avec une jeune personne.

PASSEZ À L'ACTION

Peu importe le genre de changements que vous voulez faire dans votre vie, l'argent en fera toujours partie. L'argent est un des domaines de votre vie où vous pouvez effectivement exercer un contrôle.

Voici quelques petits trucs pour composer avec divers problèmes, comme l'endettement chronique et le fait de gagner un salaire inférieur. Même si ces trucs peuvent sembler simples, ils ne sont pas toujours faciles à appliquer personnellement. Bien que beaucoup de gens préfèrent parler de leur vie sexuelle plutôt que de leur compte en banque, pourquoi ne pas essayer de trouver un ami ouvert d'esprit qui veut également apprendre de nouvelles façons de composer avec l'argent. Vous pourriez envisager d'apprendre à deux.

Si vous pensez déménager, retourner aux études, mettre fin à un mariage, lancer une entreprise ou écrire un roman à suspense et que vous ne savez pas par où débuter, commencez par mettre en application n'importe laquelle des recommandations de la liste suivante. Choisissez celle qui vous rend davantage optimiste et à l'aise à sa lecture. Lorsque vous établissez consciemment des bases financières plus saines, les choses se mettent automatiquement à changer dans d'autres domaines. Vous en serez surpris.

Par contre, si la seule idée de suivre ces quelques trucs crée chez vous un mouvement de recul et que vous n'avez pas la moindre idée de la façon dont commencer, vous devriez probablement consulter un conseiller en finances. Si vous le faites, assurez-vous avant tout de savoir quels sont ses points de vue sur les changements de comportement face à l'argent. Parlez des éléments de cette liste et vérifiez s'ils font partie des idées que le conseiller met à profit dans son travail. Ce ne sont pas tous les conseillers financiers qui sont formés pour travailler avec la dimension émotionnelle des problématiques financières, ni les psychothérapeutes qui s'y connaissent en finances. Comme vous le faites pour choisir toute aide professionnelle, servez-vous de votre intuition. Si vous sentez qu'une personne ne fait pas l'affaire, allez voir ailleurs. Une fois que vous émettez l'intention d'améliorer votre rapport à l'argent, vous serez étonné de la rapidité avec laquelle les changements positifs et inattendus se produisent.

Liste de vérification pour passer à l'action

Endettement chronique

- Faites les listes suivantes :
  1. Personne(s) à qui vous devez de l'argent.
  2. Montant que vous devez.
  3. Taux d'intérêt de chaque carte de crédit.
  4. Montant total que vous payez en frais d'intérêt chaque mois.
  5. Total des paiements minimums dus sur vos cartes de crédit.

- *Cessez d'utiliser vos cartes de crédit.* Aussi longtemps que les cartes de crédit restent une solution, elles seront la seule solution que vous utiliserez. En effet, quand vous ne vous servez pas d'une carte de crédit, vous devez faire preuve d'imagination pour trouver d'autres solutions.
- *Trouvez les déclencheurs qui vous font dépenser de l'argent quand vous n'en avez pas.* Qu'est-ce qui se passe en vous juste avant d'arriver dans le centre commercial et de sortir votre carte de crédit de votre portefeuille ?
- *Choisissez un plan de remboursement réaliste.* Si vous faites des paiements de remboursement sur trois cartes, soldez le compte de l'une d'elles et éliminez-la. Ensuite prenez l'argent que vous utilisiez pour payer ce compte chaque mois et servez-vous-en pour payer les deux autres.

  Continuez ainsi jusqu'à ce que votre solde soit à zéro. De cette façon, toutes les dettes seront payées et vous raccourcirez votre programme de remboursement de dettes de plusieurs années.
- *Ne dépensez pas tout votre argent pour rembourser vos dettes.* Si votre plan est trop serré, vous ne pourrez pas le suivre pendant longtemps.

Le flou et l'argent

Si vous faites des chèques sans fonds plus de deux à trois fois par année, c'est que vous ne connaissez pas suffisamment votre solde bancaire, le rapport entre vos revenus et vos dépenses, et les dépenses périodiques qui pourraient mais ne devraient pas vous prendre par surprise (taxes foncières, remises trimestrielles d'impôts, prime annuelle d'assurances, taxes trimestrielles sur les produits et services, etc.).

- *Tenez compte de vos dépenses pendant un minimum de trois mois* à l'aide d'un petit carnet que vous gardez dans votre sac ou votre portefeuille et sur lequel vous inscrirez les dépenses quotidiennes faites en argent comptant. Tenez un registre de vos chèques même si vous faites vos transactions bancaires par Internet. (Cela vous fournit un contact plus tangible avec vos soldes bancaires.) Vérifiez à deux reprises chacun des achats de chaque carte de crédit sur vos relevés mensuels. Le fait de savoir exactement quel genre de choses vous achetez à crédit vous éclairera.

- *Engagez-vous à prendre les devants.* L'attention et la planification augmentent le sens de votre efficacité. Et lorsque vous vous sentez bien, vous faites naturellement preuve de plus de créativité.

- *Donnez-vous un but spécifique en fonction duquel vous pourrez mesurer vos progrès.* Par exemple : « Je veux avoir fini de payer mon plus petit solde de carte de crédit d'ici la fin de l'année », ou « Je vais accumuler l'argent pour payer mes impôts de cette année. » Pour pouvoir atteindre le but que vous vous êtes fixé, fractionnez le montant en autant de mois qui vous séparent de votre but.

Être sous-payé

Si vous êtes sous-payé, c'est que vos revenus ne correspondent pas à ce que vous valez. Ou vous demandez trop peu pour les produits ou services que vous offrez, ou bien vous acceptez un travail qui ne correspond pas à vos aptitudes. Il se peut que vous ayez l'impression de ne pas mériter de gagner de l'argent ni d'avoir un travail satisfaisant. Le changement dans ce cas implique l'acquisition de confiance en vous, l'élévation de vos attentes et l'élargissement de votre vision.

- *Focalisez sur l'expansion plutôt que sur la réduction.* Les rengaines préférées des gens qui sont sous-payés sont: « Je ne suis pas assez bon(ne)», ou « Je ne le vaux pas. » Cette croyance se transpose directement sur l'aspect financier de votre vie. Cernez vos peurs et élevez vos attentes. Si vous n'affrontez pas vos peurs, vous continuerez de rester « petit ». Être sous-payé a aussi un rapport avec la façon dont vous composez avec ce que vous gagnez effectivement, en vous sous-évaluant ou minimisant votre apport. Par exemple, vous portez-vous régulièrement garant pour des amis ou des membres de votre famille ? Avez-vous toujours de lourdes dettes ? Êtes-vous mal à l'aise de savoir que vous gagnez plus d'argent que vos amis, vos parents ou votre conjoint ? Vous sentez-vous mal à l'aise d'économiser et par conséquent dépensez-vous votre argent dès que possible ?
- *Si vous occupez un emploi pour lequel vous êtes trop qualifié, demandez-vous ce que vous cherchez à éviter.*
- *Si vous êtes en affaires, assurez-vous que le rapport entre les dépenses et les revenus soit équilibré.* Il existe un comportement dysfonctionnel commun qui pousse certains entrepreneurs à réinvestir tous les profits dans l'entreprise et à se démunir personnellement. Votre entreprise prend-elle de l'expansion de façon saine ou bien le fait-elle aux dépens de votre vie personnelle ?
- *Surveillez le surcroît excessif de travail.* L'épuisement peut inciter à faire des achats impulsifs. Par exemple, on peut se dire : « J'ai travaillé si dur que je mérite d'aller au restaurant ce soir. » Il est beaucoup plus sain et facile de travailler intelligemment que durement.
- *Vérifiez s'il y avait des problèmes dans votre famille d'origine.* Si vos parents avaient de la difficulté à boucler les fins de mois, vous éprouvez peut-être des difficultés à vivre de façon confortable. Pour obtenir l'amour de nos proches, nous jouons parfois aux désemparés ou aux démunis.

- *Étudiez vos gestes quotidiens.* Chaque soir avant de vous coucher, passez votre journée en revue et inscrivez dans votre journal les trois meilleures et trois pires choses que vous avez faites. Ne portez aucun jugement sur vous et ne vous sentez pas coupable. Lorsque vous étudiez attentivement vos gestes et que vous êtes très présent, vous changez automatiquement. Et quand vous changez, votre réalité change aussi.

Voici quelques petits trucs de spécialistes à se rappeler pendant que vous faites des démarches pour changer votre situation financière.

CLÉS DE L'ABONDANCE ET DE L'HARMONIE SUR LE PLAN DES FINANCES

Prenez votre argent en main

- Donnez-vous un objectif pour gagner davantage d'argent.
- Économisez de l'argent chaque mois.
- Évaluez où vous en êtes dans le moment:

    Revenu mensuel

    Dette totale

    Frais d'intérêt mensuels totaux

    Montant des économies

- Étudiez vos dépenses pendant un mois.
- Comparez, évaluez et ajustez-vous pour le mois suivant.
- Établissez chaque mois un nouveau plan de dépenses.

- Mettez de l'argent de côté pour les dépenses périodiques (pneus ou assurance).
- Prévoyez un certain montant mensuel pour les loisirs (cinéma, massage, restaurant).
- Payez comptant. Si vous avez tendance à acheter impulsivement, laissez votre carte de crédit à la maison quand vous allez faire les magasins.
- Trouvez un mentor et rendez-lui des comptes.

Arrêtez de justifier les achats inutiles

Il est très facile pour un acheteur compulsif de rationaliser ou de justifier tout achat en prétendant que c'est un article dont il a « besoin ». Si une personne ne sait pas reconnaître la rationalisation ou la justification, elle se prépare à une autre virée de dépenses compulsives, car l'humain ne peut jamais avoir assez de ce dont il n'a pas besoin.

KAREN MCCALL, conseillère en finances

Augmentez la maîtrise de vous-même

- Examinez vos croyances sur l'argent

  Je dois travailler beaucoup.

  L'argent se gagne seulement avec un salaire horaire.

  L'argent ne court pas les rues.

  Être riche n'est pas l'apanage de tout le monde.

  Les investissements sont trop compliqués.
- Informez-vous quant aux façons dont vous pouvez faire fructifier votre argent.
- N'attendez pas que la manne tombe.
- Faites quelque chose que vous ne pensiez pas être capable de faire.

BARBARA STANNY, auteure de
Prince Charming Isn't Coming

Devenez plus riche

- Sachez ce que vous voulez faire de votre argent.
- Exprimez votre gratitude pour ce que vous avez déjà.
- Informez-vous graduellement sur les investissements.
- Sachez maintenir vos nouvelles habitudes.
- Mettez de l'argent chaque jour dans une enveloppe, juste pour constater à quelle vitesse il peut s'accumuler.
- Comptez l'argent que vous avez mis de côté en un mois. Servez-vous-en pour l'investir dans un fonds mutuel.
- Faites régulièrement cadeau de petits montants d'argent.
- Évitez de faire mention du manque. Au lieu de dire « Je ne peux pas me le permettre », dites « Peut-être une autre fois. »
- Écrivez « Merci » sur chaque chèque que vous émettez.
- Imaginez de quelle façon vous dépenseriez un million de dollars et à qui vous en feriez profiter.

Acheminez-vous vers la richesse et le bien-être

- Commencez à investir dès maintenant et persistez.
- Payez-vous en premier.
- Économisez chaque mois douze pour cent (12 %) de vos revenus avant imposition (environ 10 $ par jour).
- Placez cet argent dans un fonds de pension ou un REÉR.
- Faites un placement dit de croissance.
- Payez mensuellement un supplément de dix pour cent sur l'hypothèque de votre maison et vous aurez fini de la payer plus rapidement.
- Dépensez moins que ce que vous gagnez.

- Déchirez vos cartes de crédit ou utilisez seulement des cartes de débit.

DAVID BACH, auteur de
Smart Women Finish Rich

Ne renoncez jamais à l'intégrité, à la générosité et à l'amour, car ces éléments, unis à l'énergie, vous conduiront vers la vraie prospérité.

JAMES ALLEN[10],
The Path to Prosperity

15

Acceptez les transitions inhérentes au mystère

Amour, perte et mort

Non seulement allons-nous communiquer verbalement les uns avec les autres, mais nous communierons, et ce, sur un plan autre qui est beaucoup plus important que la simple communication verbale.

J. Krishnamurti[1],
Aux étudiants

CHANGEMENTS INCESSANTS, MAIS AMOUR ÉTERNEL

Comment pouvons-nous composer plus consciemment avec les changements radicaux qui se produisent dans notre vie ? Le divorce, la mort d'un être cher et la maladie, par exemple, sont des rites de passage significatifs qui détiennent non seulement le pouvoir de nous déchirer mais également celui de nous instruire.

Perte et amour sont inextricablement liés. Cependant, lorsque nous perdons quelqu'un qui occupe une place importante dans notre vie, certains rêves et certaines potentialités peuvent avorter. La mort et le divorce laissent d'immenses vides dans notre vie, car ils font disparaître des gens qui portaient des souvenirs et une histoire représentant une partie de notre identité. Paradoxalement, une perte peut approfondir notre authenticité et nous rapprocher d'un lien spirituel que nous cherchions sans le savoir.

Ces moments d'intenses émotions transformatrices façonnent notre destinée. Avant de nous incarner dans cette vie, notre âme aspirait intensément à toucher, à voir, à entendre, à goûter et à créer librement. Avant, nous faisions partie du Grand Tout, nous étions un et pas encore touchés par la douleur physique et émotionnelle que suscite la dualité (le bien et le mal, le fort et le faible, la joie et la peine). Cette unité fut rompue dès l'instant où le premier souffle est entré dans nos poumons, au moment où nous avons subi notre première grande perte, celle du refuge parfait, chaud et sûr de la matrice. C'est ainsi que commença notre périple vers de nouvelles expériences.

LA VIE, ÉCOLE DU MYSTÈRE

Selon les anciennes écoles de mysticisme, la vie sur terre était le reflet de la vie dans le monde spirituel. Les adeptes des diverses voies préconisées par ces écoles au fil des siècles ont cherché et cherchent encore vérité et sens derrière les faits quotidiens. Selon eux, le périple qu'est la vie représente la voie en fonction de laquelle nous sommes mis à l'épreuve et par laquelle nous pouvons nous réaliser spirituellement. Dans ces enseignements, il est question des forces essentielles ou archétypes inhérents à l'âme humaine, que nous faisons vivre dans les mythes ou que nous expérimentons dans nos expériences de vie ordinaires ou extraordinaires. Nous sommes nombreux à avoir vécu des circonstances extrêmes qui nous ont fait connaître, avec une grande intensité, chagrin, émerveillement et amour. Que pouvons-nous apprendre de ceux qui ont connu le feu transformateur d'une grande perte ?

Les épreuves intenses sont de puissantes « potions » qui nous permettent d'apprendre les leçons nécessaires à notre guérison. Toutes les histoires rapportées dans ce chapitre le sont pour vous offrir du soutien, immédiatement ou plus tard.

C'est une amie qui m'a présenté l'artiste Dinah Cross James, avec qui je suis par la suite partie en voyage en Inde, ainsi qu'un groupe de dix-neuf personnes, pour rencontrer des guérisseurs et maîtres tibétains. Artiste-peintre de talent, Dinah fut autrefois illustratrice de mode et graphiste pour *Sunset Books* et *Reader's Digest.* C'est grâce à la peinture qu'elle put comprendre et intégrer toutes les expériences de sa vie, même les plus horribles ou les plus sublimes.

« Ma fille Tali est née en 1971, raconte Dinah. Mon travail en peinture, à l'époque où elle était adolescente, comportait de nombreux éléments du monde naturel – cages thoraciques de cerf, os de dinosaures, volcans en éruption. Tous ces éléments émanaient de voyages que nous avions faits au Kenya et au Mont Saint-Helen, pendant son éruption.

« Tali était une adolescente étourdie, qui sortait de la maison la nuit par la fenêtre. En tant que mère, je voulais exprimer mon inquiétude et j'ai entrepris de peindre toute une série de tableaux inspirés par la poupée Raggedy Ann. (Celle-ci et son frère Raggedy Andy, poupées célèbres au début du vingtième siècle, ont des visages ronds encadrés de cheveux de laine rouges et portent des chaussettes aux rayures blanches et rouges.) Dans mes tableaux, toutes sortes de Raggedy Ann volaient dans des ciels sombres et rouges, avec des volutes de fumée à l'arrière-plan. Lorsque Tali est entrée à l'Université à Berkeley, elle est tombée amoureuse et j'ai voulu exprimer sa liberté et sa beauté dans mes peintures. Cet été- là, elle a résidé chez moi et je l'ai représentée comme un oiseau sur mes toiles.

« Le dernier jour du week-end de la fête du Travail, j'ai été un peu dérangée par ce que j'étais en train de peindre : un zèbre mort sur lequel un corbeau venait se percher. Mon mari et moi avions prévu de partir pour fêter notre vingt-cinquième anniversaire de mariage, anniversaire qui correspondait au jour de notre départ. C'est Tali qui nous a accompagnés à l'aéroport. Nous ne l'avons jamais revue. Quatre jours plus tard, elle périssait dans un incendie, ainsi que son petit ami, Doug, en essayant de tirer des flammes un autre étudiant. Il ne m'était jamais venu à l'esprit que mes premières peintures de Raggedy Ann comportaient des scènes de fuite et d'incendie.

« Quand j'ai repris mes pinceaux après sa mort, ma palette a complètement changé : elle qui se composait de couleurs si sombres et si funèbres, s'est mise à arborer des tons clairs de pêche, de jaune, de blanc, de turquoise et de doré. Et je me suis mise à peindre des oiseaux. Après la mort de Tali, mes peintures ont gagné en légèreté et en luminosité, chose qui surprenait tous mes amis, puisque ce changement s'était produit *après* sa mort. Jusqu'au moment de sa mort, je n'avais jamais réalisé ce que j'avais voulu représenter par les images d'os, du volcan et des poupées Raggedy Ann. C'était devenu clair pour moi : il s'agissait de perte, de chagrin, de séparation et d'âme. »

LES CHOIX

Les âmes ne se retrouvent pas dans de telles tragédies parce qu'elles sont au mauvais endroit au mauvais moment et que Dieu a le regard tourné ailleurs. En fait, chaque âme a un motif pour se retrouver dans les événements auxquels elle choisit de prendre part.

MICHAEL NEWTON[2],
Journey of Souls

Avez-vous remarqué avec quelle fréquence une perte à venir nous est annoncée pour nous donner la chance de nous préparer à ses effets dévastateurs, ne serait-ce que de façon inconsciente ? L'âme continue-t-elle de vivre ? Comment le savoir ? Ces questions sont naturellement soulevées lorsque nous nous débattons intérieurement pour donner un sens à notre chagrin et notre douleur, et pour comprendre la valeur de la vie, trop courte, d'une autre personne.

Dinah croit maintenant que l'âme continue de vivre. Voici pourquoi. « Deux jours après l'incendie, nous avons trouvé un petit réveille-matin qui appartenait à Tali mais dont les batteries étaient à plat. Je me suis dit que c'était un beau petit objet souvenir à mettre sur ma table de chevet. Les aiguilles s'étaient arrêtées à six heures et demie. Je m'étais dit que je le ferais arranger un jour peut-être. Et j'ai même commencé à l'emporter en voyage avec moi.

« Six mois plus tard, alors que je rendais visite à la mère de Doug pour la première fois depuis l'incendie et que nous relisions des lettres que les deux amoureux s'étaient écrites, le réveille-matin s'est mis à sonner même si les batteries étaient complètement à plat. Par après, il s'est mis à sonner à toutes sortes d'occasions : quand nous étions avec des amis de Tali ou pendant des moments significatifs passés en compagnie de mon mari. Par exemple, deux ans après sa mort, nous avons décidé d'aller skier à Squaw Valley pour Noël. Pendant que nous roulions, le réveil a sonné cinq fois. Après la cinquième fois, j'ai ouvert le boîtier et constaté que la grande aiguille bougeait. Le réveil a sonné les jours de mon anniversaire, de Noël et du 4 juillet (fête nationale américaine). »

Les parents de Dinah se sont séparés peu de temps après sa mort. Pendant cette période difficile, le réveil a sonné souvent. « Aussi incroyable que cela puisse paraître, le réveil a continué de fonctionner pendant sept ans avec des batteries à plat. »

Pendant toutes ces épreuves, Dinah a toujours exprimé ses émotions sur ses toiles. « J'ai beaucoup lu sur le chagrin, dit-elle, et je suis d'accord avec des écrivains comme Ram Dass et James Van Praagh qui disent que les activités créatives comme le jardinage, la cuisine, l'assistance aux autres, la peinture, la musique et l'écriture vous aident vraiment quand vous souffrez beaucoup. Le fait d'avoir représenté sur mes toiles l'incendie et la mort de Tali par le feu, ainsi que les émotions causées par mon divorce, m'a en grande partie permis de guérir, même si les images comme telles étaient douloureuses. En effet, il s'agissait d'images laides et puissantes. Mais il valait mieux les exprimer sur papier ou sur toile que d'en faire une maladie. Je n'ai pas eu de rhume ni de grippe depuis neuf ans, entre parenthèses. Cela est un autre signe que je suis entourée d'une forte énergie. J'ai éliminé beaucoup de toxines corporelles en trouvant des façons d'exprimer mes émotions. Sinon, je pense que j'aurais pu tomber malade.

« Le fait de parler à une personne que vous avez perdue est également une forme de prière. J'essaie d'être très présente lorsqu'une synchronicité se produit ou que je sens une énergie subtile autour de moi. Par exemple, Tali peut prendre la forme d'un oiseau dans mes pensées et soudain, un oiseau-mouche arrivera devant moi. Ce genre de choses est significatif pour moi. »

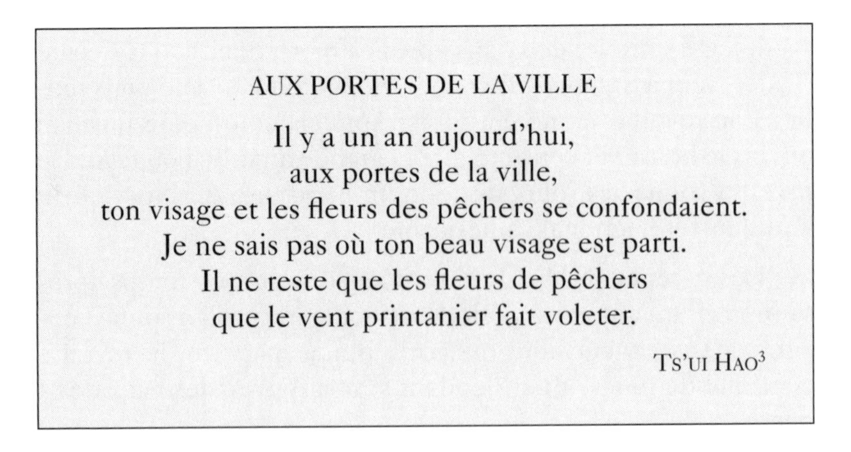

AUX PORTES DE LA VILLE

Il y a un an aujourd'hui,
aux portes de la ville,
ton visage et les fleurs des pêchers se confondaient.
Je ne sais pas où ton beau visage est parti.
Il ne reste que les fleurs de pêchers
que le vent printanier fait voleter.

TS'UI HAO[3]

AMOUR ET COCCINELLES

Deborah, la serveuse dont nous avons fait connaissance au chapitre 10, a eu son lot d'épreuves, même si sa vie professionnelle est stable depuis longtemps. Selon elle, le décès de son époux l'a amenée à apprécier plus en profondeur la vie et à développer chez elle des valeurs spirituelles comme la foi, la confiance, l'amour et le service aux autres.

Le mari de Deborah, Billy, mourut d'un anévrisme à l'âge de quarante-quatre ans. Il quitta ce monde alors qu'il était dans son fauteuil, en compagnie de ses chats et de sa musique. Deborah se souvient de ses dernières paroles: «On se parle demain matin. Je t'aime de tout mon cœur.» «C'était un homme très spécial, dit Deborah, et même s'il n'est plus là, je sens encore un lien entre lui et moi.» Deborah croit sincèrement que l'esprit de Billy vient lui rendre visite de différentes façons, parfois sous la forme d'insectes ou même d'une présence. «Je pense que les gens qui sont morts reviennent à vous d'une façon que vous seul pouvez comprendre, dit-elle. Un jour, quand Billy était vivant, nous sommes allés marcher dans la forêt et avons trouvé des buissons où s'étaient agglutinées des grappes de coccinelles. Ce moment a été très spécial pour nous. Deux jours après le décès de Billy, une coccinelle s'est posée sur ma porte et y est restée pendant trois jours. J'ai senti sans l'ombre d'un doute qu'il essayait de communiquer avec moi. Une autre fois, quand je roulais dans le désert avec ma sœur jumelle, une coccinelle est entrée dans la voiture du côté du passager. Ma sœur m'a fait remarquer qu'il n'y avait pas de coccinelles dans le désert et qu'il pouvait peut-être s'agir de l'esprit de Billy.

«Il y a des années, alors que j'avais perdu une de mes boucles d'oreilles préférées, Billy et moi l'avons cherchée partout sans succès. Le jour de mon anniversaire l'an passé, après son décès, je me suis levée avec l'envie de faire quelque chose d'amusant et de positif. Comme j'avais besoin d'une rallonge électrique pour travailler dehors et que je savais qu'il y en avait une derrière le petit autel sacré que j'avais aménagé pour Billy, je suis allée la chercher. En l'apportant dehors, j'y ai trouvé ma boucle d'oreille, accrochée. J'ai eu l'impression que Billy m'envoyait un cadeau d'anniversaire. »

ASSEMBLAGE

J'assemblais les fragments de l'histoire comme j'aurais assemblé les morceaux d'une courtepointe, c'est-à-dire sans savoir quel motif en émergerait. Souvent, les fragments ne voulaient rien savoir et semblaient être individuellement animés.

Pendant trois ans, je me suis plainte, j'ai rué dans les brancards, j'ai hurlé et j'ai persisté. Le fait de me consacrer à quelque chose pendant une longue période de temps, de m'y adonner jour après jour, de vivre avec, m'a appris une humilité et une patience que je n'avais jamais connues auparavant.

SUE BENDER[4],
Plain and Simple

COMMENT SE REMETTRE DU SUICIDE D'UN ÊTRE CHER

« Le suicide a les répercussions les plus dévastatrices avec lesquelles il faille composer, dit la thérapeute Selma Lewis, parce que, peu importe ce que les gens ont fait pour aider la personne qui s'est suicidée, ils considèrent que ce n'était pas suffisant. Ils ressassent sans arrêt la situation dans leur esprit: "Si seulement j'avais fait ceci ou cela" et se font énormément de reproches. Par ailleurs, il est difficile de se mettre en colère contre la personne qui s'est suicidée, puisqu'elle est morte. La plupart des gens deviennent donc déprimés parce qu'ils ne peuvent pas sentir leur colère. C'est pourquoi ils se blâment eux-mêmes à la place. Il est mentalement plus sain d'éprouver de la colère envers la personne qui s'est suicidée que de se faire des reproches. Nous espérons qu'avec le temps, les gens se pardonneront et pardonneront à l'autre. »

Selon Selma Lewis, il est très difficile dans bien des familles de parler de la personne qui est morte ou des problèmes qui l'ont conduite au suicide, qu'il s'agisse de son état mental ou des événements qui s'y rattachent. Le manque de communication et de partage sur le plan des émotions, ainsi que l'absence de rapprochement familial retarde ou empêche la guérison. « Peut-être y a-t-il des secrets qui n'ont jamais été racontés, dit Selma Lewis, ainsi que de la honte, des reproches, de la colère et du ressentiment. La division qui règne dans la famille est à l'origine de la tristesse qui lui est propre.

« Acte ultime qui instaure un certain désespoir face à la vie et les situations qu'elle nous demande d'affronter, le suicide a des répercussions qui se font sentir pendant des années. Malheureusement, les statistiques indiquent que les enfants ou les proches des personnes qui se suicident sont plus portés à se suicider aussi. À l'instar de tous les autres types de violence et d'abus familiaux, le suicide crée un encodage négatif quant à la façon de vivre en ce monde. Et les cycles de violence ont tendance à se perpétuer si on ne les confronte pas et ne les guérit pas. »

Apprenez à vos fils à pleurer

Lisa est âgée de soixante et un ans et occupe un poste de gestionnaire de projet de recherche. Son fils de vingt ans, Dan, s'est suicidé il y a quelques années. Selon ses dires, le suicide de son fils lui a conféré davantage de force spirituelle et d'authenticité, surtout en raison de ses souffrances. « Dan s'était amouraché d'une adolescente qui est tombée enceinte de lui deux ans plus tard. Un après-midi, j'ai brièvement parlé à Dan au téléphone. Le jour suivant, alors que je revenais de faire des courses, mon mari m'annonça abruptement que Dan s'était tiré une balle dans la tête la veille au soir. Tout changea pour moi à ce moment-là. Tout d'abord, la façon abrupte dont mon mari m'avait annoncé la mort de Dan me fit comprendre à cet instant à quel point notre mariage battait de l'aile. Détournant ma tête vers la fenêtre sous le coup du choc et de l'incrédulité, la première pensée qui m'est venue à l'esprit est que je divorcerais dès que je me trouverais un endroit où vivre.

« Nous avons découvert que la petite amie de Dan était sortie avec un autre garçon et avait trouvé Dan mort à son retour chez elle. Il s'était suicidé d'un coup de fusil et était déjà mort quand elle a appelé la police. Il m'avait laissé un mot me disant qu'il ne pouvait supporter l'idée de perdre son plus grand amour et que son geste lui permettrait de trouver la paix. J'ai découvert par la suite que son amie s'était fait avorter et que cela avait plongé mon fils dans un désespoir total. Il avait dit à tous ses proches pendant une semaine qu'il allait se suicider, mais personne ne l'avait pris au sérieux. Et personne ne nous a appelés.

« Alors que j'étais assise dans l'avion qui me ramenait chez moi, après ses funérailles, je l'ai entendu me dire comme s'il était à côté de moi : "Je t'aime, maman." J'ai entendu cette affirmation très rassurante à deux reprises. Je savais dorénavant que je pouvais poursuivre ma vie. Quand je me sens vraiment mal, il me suffit de sortir faire un tour et de demander à voir un papillon. Je regarde dans le ciel et, immanquablement, j'en vois toujours un. Même au mois de janvier dans le Maine ! Il m'est arrivé si souvent de voir ce symbole de l'immortalité et tellement de synchronicités étranges se sont produites depuis sa mort ! »

Lisa a connu les affres de la perte, la brûlure de la culpabilité, mais aussi l'acceptation. S'exprimant maintenant avec la sagesse de quelqu'un qui a connu la phase du vide et de l'intégration, Lisa dit ceci : « La mort de Dan a affermi ma croyance en la vie éternelle. Mais il m'a fallu environ trois ans pour que je puisse enfin pleurer. Je m'étais complètement fermée. Je conseille à toutes les mères d'apprendre à leurs fils à pleurer. Et si quelqu'un est déprimé autour de vous, assurez-vous qu'il recevra l'aide et les traitements nécessaires. Demandez à vos enfants comment ils se sentent. Mais si le plan de vie de vos enfants prévoit qu'ils meurent jeunes, ils mourront. Il n'y a rien que vous puissiez faire pour empêcher cela. Alors, aimez-les et soyez généreux avec eux.

« La mort d'un enfant vous fait réfléchir et souhaiter que cela n'arrive jamais à votre pire ennemi. Mais cette expérience m'a rendue plus forte, moins perfectionniste. J'entretiens également de meilleurs rapports avec les gens. Par ailleurs, je suggère que les gens y réfléchissent à deux fois avant d'aller vivre avec un conjoint trop sévère ou trop négatif. Qu'ils se demandent comment cela affectera les enfants. N'acceptez aucun abus dans vos relations. »

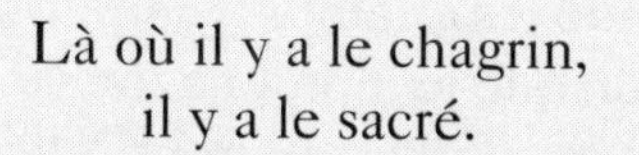

Là où il y a le chagrin,
il y a le sacré.

OSCAR WILDE[5]

LE POUVOIR DE LA GRÂCE

Après le suicide de l'homme avec qui elle était mariée depuis vingt-deux ans, Daria connut une grande période de noirceur et de confusion. Juste avant leur vingt-deuxième anniversaire de mariage, Daria avait demandé à son mari de quitter la maison. Elle comprend maintenant qu'il traversait une phase de profonde dépression qui l'avait totalement envahi et l'empêchait de voir clair jusqu'à ce qu'il se retrouve de l'autre côté du miroir. Après la mort de son mari, Daria vécut avec un sentiment d'échec et avec l'impression que Dieu les avait laissé tomber, elle et sa famille. Elle ressentit de la colère, de la culpabilité et de la solitude. « Même avant sa mort, les choses étaient plutôt chaotiques dans la famille, dit-elle. Une de nos filles était tombée enceinte d'un autre homme alors qu'elle était mariée et l'autre avait été violée. » Sa quête pour trouver des réponses à toutes ses questions amena Daria à effectuer de grands changements sur le plan spirituel : elle se convertit au catholicisme alors qu'elle était protestante. « Après la mort de mon mari, je me suis mise à lire toutes sortes de livres sur le mysticisme, entre autres des ouvrages sur Thérèse d'Avila et *Le nuage d'inconnaissance*. C'était l'obscurité totale. »

Quelques mois après le suicide de son mari, elle quitta sa maison de neuf pièces située au bord de l'océan atlantique et alla s'installer dans un appartement de trente-sept mètres carrés à Berkeley, en Californie, pour étudier en théologie au Graduate Theological Union. « J'avais besoin de quitter mon ancien milieu de vie. Je n'arrivais plus à m'en sortir, dit-elle. Ma thérapeute disait que les enfants se remettraient du suicide de leur père à condition que je reprenne ma vie en main. Il m'a été difficile de quitter mes filles, même si elles n'habitaient plus avec moi, et de m'en aller en Californie. Tout ce que je voulais faire, c'était m'enfermer dans un placard. »

LA PRIÈRE GUÉRIT

Plus les gens priaient pour leurs conjoints décédés, mieux ils allaient. En fait, la prière avait les mêmes effets que les confidences faites à des amis après le décès de leur proche. Quand on prie, c'est comme si on se confiait à quelqu'un.

James W. Pennebaker[6],
Opening Up

Après une année d'études en Californie, Daria retourna sur la côte est des États-Unis pour poursuivre des études de maîtrise en thérapie pastorale. Elle travailla pendant trois ans comme aumônière. Depuis peu, elle occupe le poste de directrice du programme d'études en thérapie pastorale. Ses filles ont poursuivi leur vie respective, sont sorties diplômées de l'université, se sont mariées et l'une d'elles lui a donné un petit-fils.

Le divin en chacun

Durant son séjour à Berkeley, Daria assista à ses cours en compagnie d'un homme qui avait été prêtre pendant vingt ans et qui avait quitté depuis le sacerdoce. Quand il aménagea sur la côte est des États-Unis pour enseigner, il l'appela. Après avoir décliné plusieurs de ses invitations, Daria accepta finalement un jour de le fréquenter. Et ils se marièrent en 1998. « Je suis au paradis, dit-elle. Il fait un merveilleux beau-père et grand-père. Même si je ne voyais plus Dieu dans ma vie, Il a tout de même mis sur ma route des gens merveilleux.

« Parfois, quand nous devons reconstruire notre vie, nous dépendons d'une intervention autre que la nôtre. Pendant très longtemps, je n'ai eu aucune foi, aucune force, aucune pensée positive. J'avais perdu tout mon pouvoir. Mais il y a eu l'intervention de Dieu. Il a mis à contribution la bienveillance des gens et les circonstances justes pour que j'aboutisse au bon endroit au bon moment. Des amis généreux m'ont donné de l'argent. Je ne peux donc attribuer à mes efforts personnels les changements qui se sont produits au cours de cette période. »

Daria travaille maintenant dans un service d'assistance sociale pour des enfants victimes d'abus, dont l'âge varie de quelques mois à vingt ans environ. Selon elle, c'est « sa nuit noire de l'âme » qui lui permet aujourd'hui d'entretenir des rapports aussi profonds avec ces enfants. « Je vois entrer le Divin dans la vie de ces enfants que l'espoir n'habite guère. Ils peuvent sortir de leur terreur pendant un instant et recevoir un peu d'amour.

« Il y a des bouts de chou de cinq ans qui ont subi de grands abus. Nous jouons ensemble à un jeu qui est très thérapeutique pour eux: la cache-cache. Je joue le rôle du Bon pasteur qui a égaré sa brebis et qui est tout triste. “Où est ma brebis? je demande. Où est ma petite Suzie aux beaux grands yeux verts? Où est-elle?” Et je l'entends me répondre: “Je suis là.” Et nous répétons le jeu à de multiples reprises. La semaine passée, je l'ai fait treize fois. Ils sont si heureux de s'entendre appeler par leur nom et d'être trouvés!

« À un moment donné, je distribuais de petits cadeaux et il y avait un garçonnet qui ressemblait à un petit Biafrais tant il était décharné. Il était tellement anxieux et prudent de nature qu'il ne réussissait pas à venir prendre son cadeau. Alors je lui ai posé la question suivante: “Si Jésus venait ici aujourd'hui, qu'est-ce que tu penses qu'il dirait?” Il te regarderait droit dans les yeux et dirait: “Moi aussi, j'ai eu huit ans un jour.” Puis il a tendu la main pour prendre son cadeau, m'a agrippé le bras et m'a dit: “Merci. Quand est-ce que je te reverrai?” Qu'est-ce que je peux demander de plus? »

LA PERTE OUVRE DES PORTES

Nous passons beaucoup de temps à penser comment nous pouvons garder ce que nous possédons et comment acquérir plus. Cette cupidité n'a pas de nom à moins que nous ne perdions quelque chose qui nous est très précieux. La perte nous ramène donc souvent aux vraies valeurs.

Il y a quelques années, Alison réussissait superbement comme analyste dans le domaine de la mode. Elle vivait avec son mari dans le quartier riche de Westchester, dans l'État de New York. Dans le courriel qu'elle m'adressa, elle m'expliquait qu'elle avait mené une vie axée sur le confort matériel et l'accumulation de biens. « Mon mari, moi, nos amis et nos voisins étions principalement intéressés par nos carrières, nos maisons et nos voitures », dit-elle. Ni elle ni aucune de ses connaissances n'avaient d'orientation spirituelle.

En 1989, alors qu'elle avait trente-neuf ans, Alison apprit qu'elle avait un cancer du sein. À cette époque-là, elle ne croyait pas en Dieu. Ses parents, qui avaient survécu à l'holocauste, pratiquaient une religion de convenance sans grande profondeur ni intégrité. Ce qui la fit se rebeller. À ses yeux, religion était synonyme de l'observation de règles permettant de prévenir le qu'en-dira-t-on, mais certainement pas d'établir un rapport spirituel vrai et significatif avec le Divin.

Lors des deux premières complications avec le cancer, elle fut si terrifiée qu'elle ne réalisa même pas à quel point elle était dans le déni. Sa réaction à la maladie fut de retourner au travail aussi vite que possible et de continuer comme avant. Quant à son mari, il réagit en lui conseillant de trouver les meilleurs médecins et soins possibles. Il n'offrit par contre aucun autre type de soutien. D'ailleurs, il se moquait du lien pouvant exister entre le corps et l'esprit, notion qu'Alison avait commencé à explorer. Ils ne parlèrent ni l'un ni l'autre de l'impact que la maladie avait sur leur vie. Ce ne fut que lorsqu'elle vit son mari parler dans le train de banlieue à un homme dont la femme venait de mourir d'un cancer qu'elle réalisa à quel point elle était terrifiée.

FAITES-VOUS LE MÉNAGE DANS VOTRE VIE ?

Quand, par rapport à une relation, vous ne prenez pas le temps de déterminer si vous avez besoin d'évoluer, de lâcher prise ou de rompre, cette relation peut vous vider de votre précieuse énergie émotionnelle et spirituelle. Les relations saines recyclent les émotions, ravivant ainsi l'énergie spirituelle, alors que celles qui ne le sont pas la sapent et l'épuisent.

Debrena Jackson Gandy[7],
All the Joy You Can Stand

En quelques mois, les rapports entre Alison et son mari, qui n'étaient pas très bons depuis un certain temps, se dégradèrent. Ils finirent par divorcer. Elle se rendit alors compte qu'elle ne pouvait plus vivre en fonction d'un niveau si élevé de négativité. Ses valeurs commencèrent à changer puisque la terreur qu'elle avait de sa maladie la forçait à s'intérioriser toujours davantage. Mais, même à ce moment-là, dit-elle, sa principale préoccupation était de garder la face et de gravir les échelons du succès à tout prix.

Après sa troisième rechute, Alison dut subir une mastectomie. « J'ai perdu mon emploi le jour même où les médecins ont diagnostiqué un cancer pour la troisième fois. À un certain niveau, j'ai compris que la perte de cet emploi était un don du ciel parce que mon milieu de travail était totalement dysfonctionnel.

« J'étais toujours déterminée à garder le secret sur mon état et me rendais chez le médecin toute seule. J'ai parlé de ce qui se passait seulement à ma meilleure amie. J'avais honte qu'une partie de mon corps me soit enlevée. À un moment donné, un médecin a même voulu me faire une double mastectomie, chose qui m'a complètement mortifiée. Mais, Dieu merci, j'ai écouté mon intuition qui me disait que ce n'était pas la chose à faire. J'ai donc laissé tombé ce médecin et en ai trouvé un autre, qui m'a suivie après mon opération et m'a beaucoup aidée. Puisque je devais trouver un nouvel emploi, je me suis remise sur pied rapidement. Seules ma mère et mon amie étaient au courant et avaient le droit de me rendre visite.

« Un an plus tard, j'étais divorcée et célibataire, pensant que personne ne voudrait de moi. Il n'y avait personne à qui parler de tout ça. La plupart des femmes dans les groupes d'entraide étaient mariées ou très jeunes. »

On lui offrit rapidement un nouvel emploi d'analyste dans le secteur des sous-vêtements et soutiens-gorge, où elle réussit très bien une fois de plus. « Aussitôt après mon opération, tout intérêt pour les vêtements, la couleur et le stylisme a disparu. J'ai travaillé quatre ans pour cette compagnie mais n'ai pas aimé une seule seconde de mon travail. »

Le point tournant dans la vie d'Alison eut lieu six mois après son opération lorsqu'elle rencontra, lors d'une soirée chez des amis, celui qui allait bientôt devenir son second mari. Comme il neigeait ce soir-là, ni l'un ni l'autre n'avait vraiment voulu aller à cette soirée. « Steve n'était vraiment pas mon genre. Mais quand nous avons entamé la conversation, il m'a totalement séduite. Il était heureux. Il ne se poussait pas au-delà de ses capacités. Comme son côté spirituel était très développé, j'ai pu, par contraste, constater à quel point le mien ne l'était pas et à quel point j'étais insatisfaite dans ma vie. Mes déplacements pour me rendre au bureau et en revenir me prenaient trois heures par jour, mon travail ne me satisfaisait pas et je travaillais

À LA RENCONTRE PERPÉTUELLE DU MYSTÈRE

Toujours et encore nous revenons à ce qui ne peut être connu, car, même si nous avons beau essayer, nous ne pouvons jamais sonder totalement les profondeurs de l'inconscient ni comprendre son rôle dans la prière et la guérison. Ce mystère ne peut s'effacer, même si nous essayons de toutes nos forces de l'éliminer.

Reconnaître ce mystère n'aboutit pas au désespoir, mais à la gloire, car l'inconnu est la voie qui mène au sacré, au spirituel, à l'innommable, au surnaturel. Faire honneur à cette dimension est synonyme de guérison. Comme le disait Jung : « L'accession au surnaturel est la véritable thérapie, car lorsque vous en faites l'expérience, vous êtes libéré de la malédiction de la pathologie. Même la maladie prend un caractère surnaturel. »

LARRY DOSSEY[8],
Ces mots qui guérissent

avec des gens malhonnêtes. J'ai donc commencé à comprendre qu'il s'agissait de la fin d'un chapitre. »

L'histoire d'Alison finit bien. Après avoir été licenciée une seconde fois, elle quitta le monde de la vente au détail pour de bon. Depuis, elle se consacre à mettre sur pied un cabinet de consultation privé, après avoir réalisé que son travail avait en fait toujours consisté à donner des conseils et à former. « J'adore aider les gens à s'épanouir et je suis enchantée de travailler à la maison dans un environnement naturel merveilleux. Je suis actuellement en train d'écrire un livre sur le rapport entre le cancer du sein et les problèmes relationnels intimes. »

Le périple d'Alison en fut un d'individuation forcée et accélérée. Après avoir perdu la santé, son premier mariage et intérêt dans sa carrière, il lui fallait inventer une vie totalement nouvelle. Ce processus lui permit de se découvrir un moi plus authentique. Forte d'une vision élargie et plus éclairée, Alison retrouva son entrain et un nouveau sens à sa vie.

CE QUE LE CHAGRIN NOUS ENSEIGNE

Voici ce dont me fit part une femme nommée Wendy quant au dépassement que le chagrin occasionne souvent chez nous. « Mon unique frère est mort du cancer. Nous n'avons eu que quelques instants pour le voir avant qu'il ne s'éteigne dans sa chambre d'hôpital. Je me demandais à quoi m'attendre quand je serais dans la chambre. Il faut dire que je m'étais cassé la cheville et que je devais circuler en fauteuil roulant parce que mon pied était dans le plâtre. En entrant dans la chambre, j'ai senti une immense paix, un peu comme si j'avais ouvert la porte du paradis. Il y avait tellement d'amour et de paix dans la pièce ! C'était impressionnant ! Même si j'avais prié pour que les souffrances et les douleurs de mon frère disparaissent, je me suis rendue compte, quand il est mort, que Dieu avait en réserve quelque chose de meilleur pour lui. La lecture du livre de James Redfield, *La prophétie des Andes*, m'a complètement transformée.

Ma vision de la vie et de Dieu s'est élargie et j'ai beaucoup plus d'énergie qu'avant. Je me sens une nouvelle personne ! »

Shawn, qui m'envoya un petit mot, souligne aussi les cadeaux incroyables que le chagrin peut nous faire. « Mon unique sœur est morte d'un cancer du sein, l'an passé, après s'être battue pendant sept ans. Ce qui m'a le plus aidé au cours des trois dernières années de sa vie, c'était de faire tout mon possible pour apporter de la joie dans sa vie. J'ai passé du temps avec elle, l'ai accompagnée à ses séances de traitement et ai organisé des rencontres avec ses amis. À la fin, j'ai su que son esprit serait toujours à mes côtés. Elle a été la seule personne dans ma vie qui a suivi tous mes hauts et mes bas.

« Quand j'ai fini par accepter que son énergie de vie la quittait vraiment, j'ai demandé à plusieurs reprises à l'intelligence supérieure ce que j'étais censé faire pour elle. Chaque fois, le message me revenait clairement avec des suggestions de petites choses pleines de joie que je pouvais faire pour mettre un brin de bonheur dans sa vie.

« Très peu de temps après son décès, je me suis réveillé un jour en entendant clairement ce message : "Peu importe ce qui arrive, tout ira bien." Je suis certain qu'il venait de ma sœur bien-aimée. Avant qu'elle ne meure, je pensais que je serais anéanti par le chagrin. Au lieu de ça, tous ceux qui l'aimaient et avaient été à ses côtés le jour de sa mort, moi y compris, ont trouvé une paix profonde et sont surpris de se sentir aussi bien. »

LA DRAMATISATION ÉMOTIONNELLE DISPARAÎT

La perte d'un être cher a des répercussions à long terme sur celui ou celle qui reste. Une fois que les vieilles attentes et façons de voir les choses sont passées par le creuset du changement profond, de nouvelles possibilités se présentent. Voici ce qu'en dit Shawn : « Les situations qui me faisaient auparavant plonger dans la dramatisation émotionnelle ne m'affectent plus de la même façon. Les vieilles relations qui avaient été difficiles pendant des années se sont harmonisées. Après trois mois de travail dans un poste de haut niveau avec un salaire élevé, j'ai réalisé que je n'étais pas dans le bon domaine. Pendant dix ans, je m'étais efforcé d'aimer mes emplois en administration dans le monde des affaires. À l'âge de cinquante et un ans, j'ai eu la révélation que je ferais un fantastique enseignant d'école primaire ! Et cela, grâce à une remarque fortuite faite par une serveuse que je voyais au café où j'allais tous les soirs après le travail. Quand elle m'a dit : "Tu as l'air d'un professeur d'école primaire", j'ai eu l'impression qu'on venait de me faire un cadeau. À l'unisson, mon cœur et mon âme ont dit "Oui, c'est ce que je veux faire maintenant !"

« Pendant dix ans, je me suis accroché à mon travail parce que tout le monde disait que je travaillais pour une compagnie formidable qui accordait beaucoup de bénéfices marginaux à ses employés. Ça m'ennuie un peu de constater que j'ai eu besoin d'une permission pour aller vers mon but. Mais tout arrive à son heure ! Je ne veux pas revenir sur le passé. Honnêtement, je peux dire que j'ai acquis un sentiment d'aise depuis que j'ai capté – et cru – le message qui me disait "Peu importe ce qui arrive, tout ira bien." »

DONNEZ-VOUS LE TEMPS DE FAIRE VOTRE DEUIL

Le temps guérit les blessures, c'est bien connu. Mais dans notre société, même si nous n'en parlons pas ouvertement, nous nous attendons à que les gens qui sont en deuil reviennent au travail totalement remis et en forme immédiatement après. Nous n'avons pas conscience de l'ampleur du processus de leur deuil ni du temps qu'il peut exiger. Bien entendu, la longueur de ce processus diffère pour chacun. Selon la thérapeute Selma Lewis, un grand nombre de ses clients ayant perdu un être cher, en particulier les hommes, lui confient être déçus de se trouver encore dans le deuil plusieurs mois après les funérailles. Ils pensent avoir une faiblesse de caractère ou être des mauviettes parce qu'ils ne se sont pas ressaisis émotionnellement. Elle leur explique clairement qu'il n'existe par de temps prescrit pour le deuil et qu'il faut passer par des phases qui permettent graduellement au corps et à l'esprit de guérir et de continuer leur chemin. Le processus de deuil, qui diffère pour chacun, semblerait apporter des bienfaits et prises de conscience uniques.

RIEN NE SE PASSE SANS QUE DIEU NE LE SACHE

J'ai rencontré Joerdis Fisher à Cleveland, en Ohio, alors que je mangeais un soir au restaurant de mon hôtel. Je devais donner une conférence le lendemain. Il était neuf heures passées et la salle du restaurant était vide. Une serveuse fit asseoir Joerdis et la personne qui l'accompagnait à la table voisine de la mienne. De toute évidence, nous devions nous rencontrer. Quelques minutes plus tard, nous nous présentions et elle se mit à raconter l'histoire de son fils, Ian, pendant que nous mangions. Elle me montra des photos de lui prises la semaine avant sa mort.

Joerdis et son mari, un spécialiste en médecine interne, vivent à Lima, en Ohio, et ont deux garçons. Elle a été professeur à l'école élémentaire, mère à temps plein, bénévole professionnelle, présidente de la Junior League, de l'Association parents-enseignants et des Femmes de médecins auxiliaires médicales. Elle a travaillé de façon soutenue dans le milieu communautaire en tant que présidente du conseil d'un centre de paralysie cérébrale, ainsi que dans d'autres milieux, entre autres celui des hospices. Il y a deux ans son fils Ian périt dans l'incendie qui détruisit sa maison. Depuis, la vie de Joerdis a totalement changé et sa conception de la mort s'est transformée à tout jamais.

« Ian a été un être d'exception dès sa naissance, dit-elle. Il a commencé à parler à l'âge de six mois et il faisait des phrases complètes à neuf mois. Je me rappelle très bien le jour où mon mari, Eric, est entré dans la pièce où je changeais Ian qui avait alors six mois. Ian s'est tourné vers son père et lui a dit: "Bonjour, papa!" Selon mon pédiatre, certains enfants sont précoces sur le plan des aptitudes verbales, alors que d'autres le sont sur le plan des aptitudes motrices.

« À partir du moment où j'ai arrêté de lui donner de la nourriture pour bébé, il n'a plus jamais mangé de viande. À l'âge d'un an, il m'a demandé d'où venait la nourriture qu'il mangeait et avant de manger quoi que ce soit, il nous demandait toujours

LISTE DES CHANGEMENTS APRÈS UNE EXPÉRIENCE MARQUANTE

Des études effectuées sur des gens ayant fait l'expérience de mort imminente ou de sortie du corps indiquent que ces derniers ont connu des modifications majeures dans neuf champs de valeurs:

1. Appréciation accrue de la vie.
2. Plus grande acceptation de soi.
3. Plus grande sollicitude envers les autres.
4. Moins de préoccupation à vouloir impressionner les autres.
5. Baisse du matérialisme.
6. Augmentation de la préoccupation concernant les problèmes sociaux et planétaires.
7. Augmentation de la quête de sens.
8. Augmentation de la spiritualité.
9. Moins de sectarisme et plus d'universalité dans les confessions religieuses.

KENNETH RING[9],
The Omega Project

d'où les aliments provenaient. Il a été végétarien jusqu'à ce qu'il rencontre la personne qui devait devenir sa femme.

« Même quand il était tout petit, Ian entendait des voix la nuit. En fait, lui et son frère entendaient les mêmes voix spirites, qui ressemblaient à celles du film *Le sixième sens*. “Il y a des gens qui parlent dans notre chambre, maman”, me disaient-ils.

« À l'âge de huit ans, quand il était dans sa troisième année de scolarité, il m'a demandé de l'accompagner en voiture jusqu'à une ville située à environ vingt-cinq kilomètres de chez nous. Il y avait là-bas un centre de recyclage. Il disait avec insistance qu'il était important de recycler pour la Terre. C'était dans le Midwest américain et bien avant que la plupart des gens aient jamais pensé au recyclage. Vers douze ans environ, il a lu un article sur les techniques d'élevage du bétail pour le secteur de l'alimentation-minute et sur la famine des gens dans certains pays. À partir de ce moment-là, les hamburgers ont été bannis chez nous.

« Depuis son plus jeune âge, Ian a toujours vu les auras. Je me rappelle d'un jour où il est revenu de l'école secondaire un après-midi après s'être arrêté à une station-service. Il y avait vu quelque chose qui l'avait tellement perturbé, qu'il en avait vomi en rentrant. Il m'a raconté qu'il avait vu un jeune homme sortir de sa voiture et que le nuage (aura) qui l'entourait était si épais et si gris qu'il ne pouvait presque pas voir son corps physique. Nous avons plus tard appris que ce garçon avait assassiné sa tante et son oncle la semaine avant que Ian ne le voie à la station-service !

« Ian ramenait toujours des sans-abri à la maison. Nous ne savions jamais qui allait dormir sur le divan. Il était toujours là pour les opprimés. Lorsqu'il est parti pour le Colorado, à Vail, je me rappelle avoir regardé avec lui un documentaire sur les adolescents fugueurs. Ian en connaissait certains et moi-même j'en avais rencontré quelques-uns chez mon fils, qui les accueillait chez lui lorsque le refuge était trop plein. Il a toujours eu une compréhension métaphysique unique des choses.

CHAMPS ÉNERGÉTIQUES

J'avais entendu parler de champs énergétiques autour des gens, chose que je rejetais parce qu'occulte, jusqu'au jour où ma femme qui était enceinte et allait accoucher débuta ses contractions. À un moment donné, je l'ai enlacée pour la protéger et la rassurer. À ma grande surprise, j'ai senti un champ mouvant d'énergie d'environ trente centimètres d'épaisseur, aussi vibrant et palpable que s'il était matériel.

Un matin, alors que je méditais, j'ai senti un faisceau d'énergie émaner de moi en ondes vibratoires jusqu'à une distance de trente centimètres et qui revenait en forme d'arc jusqu'à moi. J'ai senti que cette énergie était la « radiodiffusion » de ma conscience vers l'extérieur et qui revenait sous la forme de perception physique de ce qui était envoyé.

L'écran du monde extérieur était l'écran de mon propre esprit, et se trouvait là en vertu même de cette dynamique continue.

Mon professeur de méditation a dit un jour que notre force vitale se prolonge à une distance de trente centimètres de notre corps et que c'est là que se trouve tout notre univers.

JOSEPH CHILTON PEARCE[10],
Evolution's End

« Après son décès, une amie versée en métaphysique venue me rendre visite observait les objets artistiques que Ian avait réalisés quand il était petit. Elle était stupéfaite de constater à quel point il y avait beaucoup de ses créations qui avaient à voir avec les chakras, les symboles hindous et théosophiques, ainsi que d'autres symboles religieux mystiques d'Orient. Nous ne savions pas ce que ces symboles signifiaient quand il était petit.

« Quand j'y repense, je sais que Ian se préparait à la mort. Déjà, tout petit, il m'avait souvent répété : "M'man, je sais que je ne vivrai pas plus vieux que vingt-cinq ans et je sais que je mourrai dans un incendie." Au cours des six semaines qui ont précédé son décès, il est entré en communication avec des amis à qui il n'avait pas parlé depuis sept ans. Le jour de l'action de Grâce, il a dit à la tante de sa femme qu'il se dépêchait de faire rénover sa maison, comme ça si jamais quelque chose lui arrivait, sa femme Katie et leur fille, Kaya, auraient un bel endroit où vivre. Il a aussi fait la paix avec mon beau-père, avec qui il avait toujours eu des rapports tumultueux. Le dimanche avant sa mort, j'ai voulu prendre des photos de toute la famille pour en faire une carte de Noël. Mes fils voulaient attendre jusqu'au dimanche suivant, mais j'ai insisté pour que nous les prenions ce jour même. Nous pourrions toujours en refaire si celles-ci étaient ratées. Ian est allé se mettre un T-shirt qu'il venait juste d'acheter. Il était noir avec des flammes partout sur le devant et deux esprits qui accompagnaient une âme à travers les flammes. Katie m'avait raconté à quel point ce T-shirt avait emballé Ian quand il l'avait trouvé. Pour moi, c'était sa façon à lui de nous dire que c'était ce qui allait arriver et que tout allait bien se passer.

« Ce même week-end, mon mari et moi avons emmené Kaya, notre petite-fille, dans les montagnes près de Vail. Au cours de la seconde ou troisième nuit, j'ai fait un rêve étonnant. Mon amie Maryann était vêtue d'une combinaison blanche et me disait : "Il y a trois choses sur lesquelles je veux que tu médites aujourd'hui : d'abord, que la mort n'est jamais un accident, ensuite que les coïncidences n'existent pas et enfin, que seul l'amour est réel." Cette nuit a été la plus calme de toutes depuis notre arrivée dans les montagnes. J'ai raconté le rêve à mon mari et j'ai médité sur ces trois éléments pendant toute la journée.

« Le soir même, on nous a téléphoné pour nous dire qu'il y avait eu une explosion et que nous devions appeler le centre des urgences de l'Université de Denver. J'ai commencé à avoir le sentiment que j'avais été préparée à cet événement. Nous avons appelé et on nous a raconté que la maison de Katie et Ian avait pris feu, que Katie avait réussi à s'en échapper mais pas Ian. Le docteur nous dit que, aussitôt que Katie serait prête à accepter qu'on ne puisse plus rien faire pour Ian, il débrancherait tous les systèmes de survie artificielle. Dès que j'ai entendu ça, je me suis sentie enveloppée par une grande paix et j'ai su que Ian allait bien.

« À l'hôpital, j'avais l'impression que je marchais sur un nuage de paix. J'étais complètement consciente et absolument pas en état de choc. D'ailleurs, personne ne m'a suggéré de prendre un sédatif. J'ai par contre senti le besoin de réconforter une infirmière de la salle d'urgence qui avait un fils de l'âge de Ian.

« Lorsque nous sommes revenus à notre chambre d'hôtel, mon autre fils, Scott, m'a dit : "M'man, je pense que le livre de Brian Weiss sur la réincarnation que Ian et moi avons lu ensemble était une préparation à son départ."

« Je pense que c'est la nuit suivante que j'ai senti quelqu'un arriver en arrière de moi sur le lit et me donner une grosse accolade. J'ai tout d'abord pensé que c'était Scott qui arrivait de l'autre chambre. Mais, en me retournant, je me suis rendu compte qu'il n'y avait personne. Par contre, il flottait dans l'air une odeur de brûlé pas déplaisante du tout. C'était comme si je respirais une odeur de gardénias. C'était une merveilleuse odeur ! C'est à partir de ce moment que Ian a commencé à garder le contact avec nous. Chaque fois qu'il était là, il nous le faisait savoir. Par exemple, les ampoules s'allumaient et s'éteignaient d'elles-mêmes. Un jour, mon mari et moi étions dans une chambre d'hôtel où les deux postes de télévision étaient syntonisés sur la même chaîne. Pourtant, sur celui de la chambre passait un vieux film et sur l'autre, autre chose. Ce genre d'événements inexplicables continuent encore d'arriver. »

Un des premiers contacts avec Ian eut lieu alors que Joerdis méditait. Elle sentit sa présence et l'entendit lui demander si elle voulait faire l'expérience de ce qu'il avait vécu en mourant. Elle accepta. Elle se sentit aspirée par un tunnel verdâtre, où il n'y avait plus d'espace ni de temps, seulement un amour infini. Il lui avait demandé sur le ton enjoué qui le caractérisait si elle voulait répéter l'expérience. Et elle la répéta.

AUCUNE PEUR DE LA MORT

Voici ce que raconte une personne qui a vécu une expérience de mort imminente : « Mon expérience de mort imminente a changé ma vie du tout au tout. Avant, je m'inquiétais de la vie, j'avais peur de vivre et j'essayais de toujours aller de l'avant, j'essayais de rendre les choses plus faciles en travaillant dur pour gagner plus d'argent et me rendre la vie plus facile. Je ne fais plus ça. Je vis juste au jour le jour. Mais je vais vivre ce que j'ai à vivre et je vais aimer ça. Je sais vers quoi je me dirige. Alors, je n'ai plus besoin d'avoir peur de mourir. »

ANONYME, dans
The After Death Experience

Ian est entré en contact avec tous les membres de sa famille, y compris sa fille. « Kaya le voit et l'entend beaucoup, dit Joerdis. Alors que nous nous rendions à la fête de son troisième anniversaire, elle m'a dit : "Mamie, papa m'a dit qu'il avait une surprise pour mon anniversaire." Ma belle-fille venait d'aller chercher son gâteau à la pâtisserie. Elle avait commandé un gâteau Winnie-the-Pooh, mais ils en avaient confectionné un à l'effigie de Scooby-Doo. La responsable s'est excusée humblement car la commande spécifiait clairement Winnie-the-Pooh. Katie l'a rassurée en lui disant que Scooby-Doo était le personnage de dessin animé préféré de Kaya et de son père. Lorsque Kaya a vu le gâteau, elle s'est écriée : "Tu vois, j'avais raison ! Juste comme papa me l'avait dit !" »

RENVERSEMENT TOTAL DE L'ORDRE DES PRIORITÉS

Avant ma crise cardiaque, mes priorités n'étaient pas dans le bon ordre. J'ai appris que la vie doit être vécue un jour à la fois. J'ai appris que la petite flamme peut s'éteindre à tout moment. J'ai trop à accomplir avant qu'elle ne s'éteigne ! La vie, c'est maintenant, pas hier, ni demain. Seulement maintenant. Et maintenant, à cette minute même, j'aime profondément la vie. Je sais maintenant qu'il n'y a rien d'autre dans la vie que ce qui est dans notre cœur.

Personne ayant fait une expérience de mort imminente, dans *The Omega Project*[12]

EXPANSION DE LA RÉALITÉ PAR LES CONTACTS AVEC LE MONDE SPIRITUEL

La téléportation est aussi un mode de contact entre Ian et ses amis et sa famille. Un an après sa mort, Joerdis organisa une cérémonie pour tous ceux qui voulaient honorer la mémoire d'êtres chers disparus. « J'ai demandé à chacun de mes amis d'apporter une grosse pierre pour faire un cercle autour du feu dans mon jardin. Comme mon ami Jim avait oublié sa pierre mais que ses amis Nancy et Dan en avait trouvé une dans un débarras de jardin, il a pris la leur.

« Après la cérémonie, Dan a raccompagné Jim chez lui, à vingt-cinq kilomètres de chez moi. En montant les marches qui mènent à la maison, ils ont trébuché tous les deux sur la pierre même que Jim avait laissée dans le cercle autour du feu chez moi ! Jim m'a appelée pour me demander d'aller voir dans le jardin si la pierre était encore dans le cercle. Elle n'y était plus ! Incroyable mais vrai, la pierre s'était téléportée jusque chez lui.

Dan a confirmé qu'il s'agissait bien de la même pierre. Cette nuit-là, l'horloge de notre cuisine s'est arrêtée à la même heure où Ian était mort et notre ordinateur s'est mis en marche tout seul, faisant apparaître un économiseur d'écran dont mon mari s'était débarrassé trois jours plus tôt et qui représentait la piste de ski préférée de Ian à Whistler, en Colombie-Britannique.

« Depuis, d'autres objets ont disparu et réapparu. J'avais mis nos passeports sous clé dans un tiroir. Quand j'ai voulu aller les prendre, ils n'étaient plus là. J'ai appelé une amie médium qui m'aide parfois à trouver des choses. Une image nette de Ian lui est apparue. Il lui a dit qu'il voulait que je trouve une vieille lettre pleine de colère qu'il nous avait écrite quand il était jeune. Il voulait que je la brûle. Une fois que je l'aurais brûlée, il nous rendrait les passeports. Il m'indiqua dans quel tiroir je trouverais la lettre. Elle y était effectivement. Même si c'était une lettre pleine de colère, je voulais la conserver parce qu'elle venait de lui. Mais lui ne voulait pas que je la garde. Alors, par l'entremise de mon amie, nous nous sommes mis d'accord, lui et moi, pour que j'en garde la fin seulement, où il nous disait combien il nous aimait. Trois jours plus tard, les passeports ont fait leur réapparition sur le nécessaire de rasage de mon mari, qu'il utilise tous les jours. Ils étaient couverts d'une poussière beige. »

Joerdis et les membres de sa famille ont grandement été transformés par la mort de Ian et les contacts qu'ils ont eus avec lui . « La mort de Ian m'a appris à aborder la vie par l'amour au lieu de la peur. Elle m'a appris qu'absolument tout ce que nous faisons porte le sceau du Divin et que nous entreprenons tous un cheminement d'évolution spirituelle. Peu importe où nous sommes rendus, tout est bien tel quel. Je peux maintenant observer une situation sans la juger. Je sais que je ne connais pas tous les détails inhérents aux épreuves des autres, détails que je ne suis d'ailleurs pas censée connaître. Je ne regarde plus les nouvelles à la télévision ni ne lis plus les journaux. Je ne veux pas de négativité dans ma vie en ce moment. »

EXERCICES POUR L'ÂME

En surmontant toutes sortes de défis, l'identité de notre âme se renforce. C'est quand nous reconnaissons notre nature d'être humain et sommes en paix avec elle que nous assimilons les véritables leçons que la vie a à nous donner. Nous apprenons même quand nous sommes des victimes, car c'est notre capacité à affronter l'échec et la coercition qui jalonne nos progrès dans la vie. Parfois, ce qu'il y a de plus important à apprendre, c'est de renoncer au passé.

MICHAEL NEWTON[13],
Journey of Souls

NOUS CONTINUONS D'ÉVOLUER DANS LA DIMENSION SPIRITUELLE

Dernier changement sur le plan physique, la mort amorce notre renaissance dans la dimension existentielle suivante, celle de la vie de l'âme dans le monde désincarné.

Les notions de vie après la mort et d'existence éternelle de l'âme – qui est aussi bien éternelle que sans cesse changeante – ont fait l'objet de nombreux livres et d'enseignements sur la réincarnation. Si l'on se fie aux centaines de milliers de personnes qui, comme Joerdis et sa famille, ont personnellement fait l'expérience de contacts avec des êtres chers disparus, il semblerait que notre mission et notre apprentissage se poursuivent après la mort.

Aux dires de Joerdis, son fils continue d'aider les autres à partir du monde spirituel, comme il le faisait quand il était adolescent et qu'il ramenait des sans-abri à la maison ou travaillait avec les drogués de la rue. « Suite à une séance avec le médium James Van Praagh (auteur de l'ouvrage *Healing Grief)*, les esprits de Ian et de Glenn – le frère de mon amie Joanie, mort dans un accident de voiture une semaine après la disparition de Ian – sont venus me voir. Glenn m'a fait comprendre qu'il avait

L'INTUITION ET LES CHANGEMENTS

Je crois que nous savons tous, grâce à notre intuition la plus profonde, que le monde humain est en train de changer. Le basculement se fait graduellement et lentement, mais les données provenant de sondages et accumulées au fil de la dernière décennie ne laissent planer aucun doute : la spiritualité se développe de plus en plus. Un sondage Gallup de novembre 1999 révèle une découverte incroyable : entre 1994 et 1998, le nombre de personnes indiquant que la croissance spirituelle constituait une partie importante de leur vie est passé de 59 à 84 pour cent. Et la tendance serait encore à la hausse.

Quels sont les changements qui attendent notre monde alors que le vingt et unième siècle s'amorce ? Je crois que notre intuition profonde nous donne la réponse à cette question. En devenant plus intuitifs, plus sensibles à la voie où nous pouvons le mieux nous accomplir, les humains verront leur progrès s'accélérer et ils s'achemineront plus rapidement vers l'idéal spirituel sur tous les plans.

Voici de quelle façon cela se produira. Un nombre sans cesse croissant de gens se dirigeront intuitivement vers le travail et le domaine de créativité qui les inspirent le plus. Autrement dit, ils se dirigeront vers le domaine de la vie humaine dans lequel la synchronicité les pousse à apporter leur contribution.

JAMES REDFIELD[14],
dans *Imagine*

eu une crise cardiaque pendant qu'il conduisait et qu'il avait fait son possible pour que la voiture ne reste pas sur la route. Glenn s'est aussi adressé à sa sœur en faisant allusion au "cri". En effet, quand Joanie avait appris à l'hôpital que son frère ne survivrait pas, elle avait poussé un hurlement. Glenn a "dit" que le cri de sa sœur avait été pour lui la plus parfaite expression d'amour. Il lui était allé droit au cœur et avait sectionné le cordon d'argent, libérant ainsi son esprit. L'esprit de Ian m'a "dit" que c'est le hurlement de Joanie qui l'avait attiré auprès de l'esprit de Glenn pour aider ce dernier à passer de l'autre côté.

« Depuis la disparition de Ian, je m'étonne d'entendre encore tant de gens me dire que son esprit leur apparaît dans des rêves ou à d'autres moments. Il semblerait qu'il guide et aide encore de nombreuses âmes à partir de la dimension spirituelle, presque de la même façon dont il le faisait quand il était vivant. Par exemple, il a récemment réuni une femme et ses deux filles adoptives en donnant l'idée à la première d'assister à un cours de danse en ligne que sa fille donnait, sans qu'elle le sache. Son autre fille, qui n'avait jamais assisté au cours, s'est présentée le même soir et les trois femmes ont été réunies. »

ÉPILOGUE

Nous venons d'effectuer tout un périple, ensemble, avec ce livre. Je sais assurément que *ma* vie a changé de bien des façons depuis que j'ai décidé de l'écrire et entrepris de rassembler des histoires personnelles de changement auprès de toutes sortes de personnes.

Je souhaite de tout cœur que ces divers témoignages vous accompagnent et vous encouragent dans le périple qui vous fait passer par les portes de votre destinée. Chaque fois que vous aurez besoin de vous rappeler qui vous êtes vraiment, ouvrez ce livre au hasard et trouvez le message qu'il a à vous confier. Soyez assuré que votre vie change de la façon la plus satisfaisante qui soit et que vous faites partie des grands changements qui se produisent sur cette planète. Exprimez-vous quand c'est le moment et ne craignez pas de faire des erreurs. Soyez disposé à battre en retraite et à repasser à l'attaque plus tard. Soyez disposé aussi à vous aventurer dans une quête ou à rester à la maison. Mijotez dans votre perplexité et laissez la confiance en votre guide intérieur grandir. Riez autant que vous le pouvez et ramenez toujours votre attention au moment présent.

Vos désirs de savoir et d'aimer se réaliseront. Quand la vie change ou que vous aimeriez qu'elle change, faites confiance aux synchronicités, à l'intuition, à la logique et aux émotions, car elles sauront donner une direction à votre périple.

> *Je ne sais pas si l'union que je désire se réalisera par l'effort que je fais, par le renoncement à l'effort ou par quelque chose de complètement à part de ce que je fais ou ne fais pas.*
>
> RUMI[15]

Notes

Chapitre 1 : ACCUEILLEZ LES CYCLES DU CHANGEMENT

1. Joseph Campbell, série vidéo *The Power of Myth*, vol. 1, The Hero's Journey, Mystic Fire, 1991.
2. Laura Dern, dans *Talk*, octobre 2000.
3. Larry Leigon, entrevue personnelle.

Chapitre 2 : SACHEZ QUE LE CHANGEMENT A SA RAISON D'ÊTRE

1. Jack Kornfield, *A Path with Heart : A Guide Through the Perils and Promises of Spiritual Life*, New York, Bantam, 1993, p. 167. Édition en français : *Périls et promesses de la vie spirituelle*, Paris, La Table ronde, 1999.
2. Joseph Campbell, série vidéo *The Power of Myth*.
3. Ibid.
4. Marvin J. Cetron et Owen Davies, "Trends Now Changing the World", *Futurist*, mars-avril 2001, p. 27-42.
5. Lindsay Gibson, *Who You Were Meant to Be : A Guide to Finding or Recovering Your Life's Purpose*, FarHills, N.J., New Horizons Press, 2000, p. 38.
6. William Bridges, *Transitions : Making Sense of Life's Changes*, New York, Addison-Wesley, 1980, p. 35.

Chapitre 3 : TROUVEZ L'ESPRIT D'AVENTURE

1. John McQuiston, *Always We Begin Again : The Benedictine Way of Living*, Harrisburg, Penn., Morehouse, 1995, p. 17.
2. Renay Jackson, *Oaktown Devil*, Oakland, Calif., LaDay Publishing, 1999.
3. Épictète, *The Art of Living : The Classic Manual on Virtue, Happiness, and Effectiveness*, Sharon LeLell éditeur, San Francisco, HarperSan Francisco, 1995, p. 18. Édition en français : *Manuel*, Paris, Nathan, 1998.

4. Joseph Campbell avec la collaboration de Bill Moyers, *The Power of Myth*, New York, Doubleday, 1988, p. 214. Édition en français: *La puissance du mythe*, Paris, J'ai lu, 1997.

Chapitre 4: SUIVEZ L'ÉNERGIE POSITIVE

1. Alain de Botton, *The Consolations of Philosophy*, New York, Pantheon, 2000, p. 211.
2. James Hillman, *The Soul's Code: In Search of Character and Calling*, New York, Random House, 1996, p. 205. Édition en français: *Le code caché de votre destin*, Paris, Robert Laffont, 1999.
3. Ira Progoff, *Jung, Synchronicity, and Human Destiny*, New York, Julian Press, 1973, p. 109.
4. Thaddeus Golas, *The Lazy Man's Guide to Enlightenment*, Toronto, Bantam, 1980.

Chapitre 5: ENTRETENEZ VOTRE VISION

1. *The Essential Rumi*, traduit par Coleman Barks avec la collaboration de John Moyne *et al.*, San Francisco, HarperSanFrancisco, 1995, p. 146.
2. Shiki, dans *Haiku Harvest*, Japanese Haiku Series 4, traduit par Peter Beilenson et Harry Behn, Mt. Vernon, N.Y., Peter Pauper Press, 1962.
3. Pema Chödrön, *When Things Fall Apart: Heart Advice for Difficult Times*, Boston, Shambhala, 1997, p. 61. Édition en français: *Quand tout s'effondre*, Paris, La Table ronde, 1999.
4. Richard Carlson, *Don't Sweat the Small Stuff... and It's All Small Stuff*, New York, Hyperion, 1997, p. 20. Édition en français: *Ne vous noyez pas dans un verre d'eau*, Paris, J'ai lu, 2000.
5. Wallace D. Wattles, *The Science of Getting Rich*, 1910, téléchargé du site Internet www.scienceofgettingrich.net, Olympia, Wash., Certain Way Productions, p. 49.
6. Robert Fritz, *The Path of Least Resistance: Principles for Creating What You Want to Create*, Salem, Mass., Stillpoint, 1994, p. 74-75.
7. Unity School of Christianity, dossier de presse de La journée mondiale de la prière, 1994.
8. James Redfield, *The Secret of Shambhala: In Search of the Eleventh Insight*, New York, Warner, 1999. Édition en français: *Le secret de Shamballa*, Paris, Robert Laffont, 2001.

9. Osho, *The Path of Yoga : Commentaries on the Yoga Sutras of Patanjali*, Poona, Inde, Rebel Publishing House, 1976, p. 137.
10. Sue Bender, *Plain and Simple : A Woman's Journey to the Amish*, New York, HarperCollins, 1989, p. 142.
11. Tarthang Tulku, *Skillful Means*, Berkeley, Dharma Publishing, 1978, p. 29.
12. David Samuel, *Practical Mysticism : Business Success and Balanced Living Through Ancient and Modern Spiritual Teachings*, Denver, Bakshi, 2000, p. 98.

Chapitre 6 : GUETTEZ LES RÉPONSES

1. Anne Lamott, *Bird by Bird*, New York, Doubleday, Anchor, 1994, p. 147.
2. So-In, dans *Haiku Harvest*, Japanese Haiku Series 4, traduit par Peter Beilenson et Harry Behn, Mt. Vernon, N.Y., Peter Pauper Press, 1962.
3. Jacob Needleman, *Time and the Soul*, New York, Doubleday, Currency, 1998, p. 91.
4. Charlene Belitz et Meg Lundstrom, *The Power of Flow : Practical Ways to Transform Your Life with Meaningful Coincidence*, New York, Three Rivers Press, 1998, p. 175.
5. James Hillman, *The Soul's Code : In Search of Character and Calling*, New York, Random House, 1996, p. 101-103. Édition en français : *Le code caché de votre destin*, Paris, Robert Laffont, 1999.
6. Bill O'Hanlon, *Do One Thing Different : And Other Uncommonly Sensible Solutions of Life's Persistent Problems*, New York, Morrow, 1999, p. 164.
7. Thich Nhat Hanh, *The Heart of the Buddha's Teaching : Tranforming Suffering into Peace, Joy, and Liberation*, Berkeley, Parallax, 1998, p. 133. Édition en français : *Au cœur de l'enseignement de Bouddha*, Paris, Pocket (Best), 2003.
8. Joseph Campbell avec la collaboration de Bill Moyers, *The Power of Myth*, New York, Doubleday, 1988, p. 214. Édition en français : *La puissance du mythe*, Paris, J'ai lu, 1997.

Chapitre 7 : FAITES CONFIANCE AU PROCESSUS

1. Wallace D. Wattles, *The Science of Getting Rich*, 1910, téléchargé du site Internet www.scienceofgettingrich.net, Olympia, Wash., Certain Way Productions, p. 40.

2. Pema Chödrön, *When Things Fall Apart : Heart Advice for Difficult Times*, Boston, Shambhala, 1997, p. 9. Édition en français : *Quand tout s'effondre*, Paris, La Table ronde, 1999.
3. Osho, *The Path of Yoga : Commentaries on the Yoga Sutras of Patanjali*, Poona, Inde, Rebel Publishing House, 1976, p. 6.
4. Ibid., p. 5.
5. Jane Katra et Russell Targ, *The Heart of the Mind : How to Experience God Without Belief*, Novato, Calif., New World Library, 1999, p. 112-113.
6. Saigyo, dans *The Penguin Book of Japanese Verse*, traduit par Geoffrey Bownas et Anthony Thwaite, Harmondsworth, United Kingdom, Penguin, 1967, p. 101.
7. Wayne W. Dyer, *Manifest Your Destiny : The Nine Spiritual Principles for Getting Everything You Want*, New York, HarperCollins, 1997, p. 154. Édition en français : *Accomplissez votre destinée*, Montréal, Fides, 2002.

Chapitre 8 : LAISSEZ-VOUS ÉVOLUER

1. Kenneth Verity, *Awareness Beyond Mind*, Shaftesbury, Dorset, Great Britain, Element Books, 1996, p. 86.
2. Eckhart Tolle, *The Power of Now : A Guide to Spiritual Enlightenment*, Novato, Calif., New World Library, 1999, p. 98. Édition en français : *Le pouvoir du moment présent*, Montréal, Ariane, 1996.
3. Penney Peirce, *The Present Moment : A Daybook of Clarity and Intuition*, Chicago,Ill., Contemporary Books, 2000, p. 52.
4. Gail Sheehy, *Understanding Men's Passages*, New York, Ballantine, 1999, p. 104.
5. David Samuel, *Practical Mysticism : Business Success and Balanced Living Through Ancient and Modern Spiritual Teachings*, Denver, Bakshi, 2000, p. 60-61.
6. David Samuel, entrevue personnelle.
7. Hyrum W. Smith, *What Matters Most : The Power of Living Your Values*, New York, Simon & Schuster, 2000, p. 108.
8. Paul H. Ray et Sherry Ruth Anderson, *The Cultural Creatives : How 50 Million People Are Changing the World*, New York, Harmony, 2000, p. 174-175.

Chapitre 9: ACQUÉREZ DE LA MAÎTRISE

1. Sidney Bechet, dans *Creators on Creating: Awakening and Cultivating the Imaginative Mind*, Frank Barron, Alfonso Montuori, et Anthea Barron, éditeurs., New York, Putnam, Tarcher, 1997, p. 140.
2. Nancy K. Schlossberg, *Overwhelmed: Coping with Life's Ups and Downs*, Lanham, Md., Lexington Books, 1989, p. 47.
3. Gail Sheehy, *Understanding Men's Passages*, New York, Ballantine, 1999, p. 107.
4. Natalie Goldberg, *Long Quiet Highway*, New York, Bantam, 1993, p. 182.
5. Eckhart Tolle, *The Power of Now: A Guide to Spiritual Enlightenment*, Novato, Calif., New World Library, 1999, p. 161. Édition en français: *Le pouvoir du moment présent*, Montréal, Ariane, 1996.

Chapitre 10: RESTEZ OUVERT ET PRÉSENT

1. Charlotte Joko Beck, dans *Radiant Mind: Essential Buddhist Teachings and Texts*, Jean Smith, éditeur, New York, Riverhead Books, 1999, p. 287.
2. Pema Chödrön, *When Things Fall Apart: Heart Advice for Difficult Times*, Boston, Shambhala, 1997, p. 46. Édition en français: *Quand tout s'effondre*, Paris, La Table ronde, 1999.
3. Penney Peirce, *The Present Moment: A Daybook of Clarity and Intuition*, Chicago, Ill., Contemporary Books, 2000, p. 238.
4. J. G. Bennett, dans *Creators on Creating*, Frank Barron, Alfonso Montuori, et Anthea Barron, éditeurs, New York, Putnam, Tarcher, 1997, p. 74.
5. Carol Orsborn, *The Art of Resilience: One Hundred Paths to Wisdom and Strength in an Uncertain World*, New York, Three Rivers Press, 1997, p. 153.
6. Nancy Rosanoff, *The Complete Idiot's Guide to Making Money Through Intuition*, New York, Alpha Books, 1999, p. 288.
7. Rick Jarow, *Creating the Work You Love: Courage, Commitment, and Career*, Rochester, Vt., Destiny Books, 1995, p. 71.
8. James A. Ogilvy, *Living Without a Goal: Finding the Freedom to Live a Creative and Innovative Life*, New York, Doubleday, 1995, p. 107.
9. Charlotte Joko Beck, dans *Radiant Mind*, p. 233.

Chapitre 11 : DONNEZ ET RECEVEZ DU SOUTIEN

1. Ram Dass, *Journey of Awakening : A Meditator's Guidebook*, New York, Bantam, 1990, p. 201.
2. Nancy Rosanoff, *The Complete Idiot's Guide to Making Money Through Intuition*, New York, Alpha Books, 1999, p. 203.
3. Federico Fellini, dans *Creators on Creating*, Frank Barron, Alfonso Montuori, et Anthea Barron, éditeurs, New York, Putnam, Tarcher, 1997, p. 33.
4. Tarthang Tulku, *Skillful Means*, Berkeley, Dharma Publishing, 1978, p. 121.
5. Ransetsu, dans *Haiku Harvest*, Japanese Haiku Series 4, traduit par Peter Beilenson et Harry Behn, Mt. Vernon, N.Y., Peter Pauper Press, 1962, p. 12.

Chapitre 12 : COMPOSEZ AVEC LA PEUR

1. *The Essential Rumi*, traduit par Coleman Barks avec la collaboration de John Moyne, *et al.*, San Francisco, HarperSanFrancisco, 1995, p. 84.
2. Michael Newton, *Journey of Souls*, St. Paul, Minn., Llewellyn Publications, 1997, p. 69.
3. Barbara Stanny, entrevue personnelle.
4. Penney Peirce, *The Present Moment : A Daybook of Clarity and Intuition*, Chicago, Ill., Contemporary Books, 2000, p. 215.

Chapitre 13 : ALLEZ DE L'AVANT

1. Michael Roach, *The Diamond Cutter : The Buddha on Strategies for Managing Your Business and Your Life*, New York, Doubleday, 2000, p. 217.
2. Susan Jeffers, *Feel the Fear and Do It Anyway*, New York, Fawcett Columbine, 1987, p. 213.
3. Karen McCall, entrevue personnelle.
4. R. Reid Wilson, *Don't Panic : Taking Control of Anxiety Attacks*, New York, Harper Perennial, 1996, p. 188.
5. Ibid., p. 185.
6. Wallace D. Wattles, *The Science of Getting Rich*, 1910, téléchargé du site Internet www.scienceofgettingrich.net, Olympia, Wash., Certain Way Productions, p. 40.
7. Anne Lamott, *Bird by Bird*, New York, Doubleday, Anchor, 1995, p. 181.

8. Zalman Schachter-Shalomi, dans William Elliott, *Tying Rocks to Clouds Meetings and Conversations with Wise and Spiritual People*, New York, Doubleday, Image, 1995, p. 180.

9. Brenda Ueland, *If You Want to Write : A Book About Art, Independence, and Spirit*, St. Paul, Minn., Graywolf Press, 1987, p. 32.

Chapitre 14 : DEVENEZ PROSPÈRE

1. Michael Roach, *The Diamond Cutter: The Buddha on Strategies for Managing Your Business and Your Life*, New York, Doubleday, 2000, p. 84.

2. Stephanie Fitch, “Busted”, *Forbes*, octobre 2000.

3. Wallace D. Wattles, *The Science of Getting Rich*, 1910, téléchargé du site Internet www.scienceofgettingrich.net, Olympia, Wash., Certain Way Productions, p. 11-12,13.

4. Ibid., p. 13.

5. Susan Bross, entrevue personnelle.

6. Joe Dominguez et Vicki Robin, *Your Money or Your Life*, New York, Penguin, 1992, p. 25.

7. Barbara Stanny, entrevue personnelle.

8. David Bach, entrevue personnelle.

9. Wallace D. Wattles, *Science of Getting Rich*, 1910, téléchargé du site Internet www.scienceofgettingrich.net, Olympia, Wash., Certain Way Productions, p. 35.

10. James Allen, *The Path to Prosperity*, dans *The Wisdom of James Allen : Five Books in One*, San Diego, Laurel Creek Press, 2001, p. 143.

Chapitre 15 : ACCEPTEZ LES TRANSITIONS INHÉRENTES AU MYSTÈRE

1. Jiddu Krishnamurti, *Talks with Students*, Boston, Shambhala, 1970, p. 90. Édition en français : *Aux étudiants*, Paris, Stock, 1978.

2. Michael Newton, *Journey of Souls*, St. Paul, Minn., Llewellyn Publications, 1997, p. 220.

3. Ts’ui Hao, dans *Love and the Turning Year : One Hundred More Poems from the Chinese*, traduit par Kenneth Rexroth, Toronto, McClelland and Stewart, 1970, p. 63.

4. Sue Bender, *Plain and Simple : A Woman’s Journey to the Amish*, San Francisco, HarperSanFrancisco, 1989, p. 121.

5. Oscar Wilde, dans Angeles Arrien, *The Nine Muses : A Mythological Path to Creativity*, New York, Putnam, Tarcher, 2000, p. 99.
6. James W. Pennebaker, *Opening Up : The Healing Power of Expressing Emotions*, New York, Guilford Press, 1990, p. 24.
7. Debrena Jackson Gandy, *All the Joy You Can Stand : 101 Sacred Power Principles for Making Joy Real in Your Life*, New York, Crown, 2000, p. 138.
8. Larry Dossey, *Healing Words : The Power of Prayer and the Practice of Medicine*, San Francisco, HarperSan Francisco, 1993, p. 80-81. Édition en français : *Ces mots qui guérissent*, Montréal, Québec-Livres, 1996.
9. Kenneth Ring, *The Omega Project: Near-Death Experiences, UFO Encounters, and Mind at Large*, New York, Morrow, 1992, p. 174.
10. Joseph Chilton Pearce, *Evolution's End : Claiming the Potential of Our Intelligence*, San Francisco, HarperSan Francisco, 1992, p. 87-88.
11. lan Wilson, *Tbe After Death Experience : The Physics of the Non-Physical*, New York, Morrow, 1987, p. 199.
12. Ring, *Omega Project*, p. 177.
13. Michael Newton, *Journey of Souls*, St. Paul, Minn., Llewellyn Publications, 1997, p. 230.
14. James Redfield, dans Marianne Williamson, *Imagine : What America Could Be in the Twenty-first Century*, Emmaus, Penn., Rodale, rodalebooks.com, 2000, p. 285.
15. *The Essential Rumi*, traduit par Coleman Barks avec la collaboration de John Moyne *et al.*, San Francisco, HarperSanFrancisco, 1995, p. 206-208.

Index

TABLE DES MATIÈRES

transcontinental
IMPRESSION
IMPRIMERIE GAGNÉ

IMPRIMÉ AU CANADA